MW00874078

In allem Unrecht dauert das Recht fort,
in aller Unwahrheit die Wahrheit,
in allem Dunkel das Licht.

(Mahatma Gandhi)

Bibliographische Information der Deutschen Nationalbibliothek:
Die Deutsche Nationalbibliothek verzeichnet diese Publikation in
der Deutschen Nationalbibliographie; detaillierte bibliographische
Daten sind im Internet über dnb.dnb.de abrufbar

Herstellung und Verlag:
BoD – Books on Demand, Norderstedt

ISBN: 9783754340844

Die Macht der Straße

Schon ein kleiner Stein kann den Lauf eines Flusses verändern

für

Sarah

Felix

Niklas

&

Marie

Herzlichen Dank an Janina, Andy,
Linda, Michael, Katharina
und wie immer an Sybille

Prolog

Die innerdeutsche Grenze zog sich auf einer
Gesamtlänge von 1393 km mitten durch
Deutschland. Sie trennte nicht nur die
Ostdeutschen von den Westdeutschen, sondern
auch zwei unterschiedliche politische,
militärische, wirtschaftliche und
gesellschaftliche Systeme in Europa.
Sie teilte 45 Jahre lang Städte und Dörfer,
trennte Familien, Verwandte und Bekannte
voneinander und prägte das Leben von
Millionen Menschen
… überwiegend im negativen Sinn.

In diesem Roman erleben vier Familien die
Grenzöffnung und ihr ganz
persönliches Schicksal,
das teilweise miteinander verknüpft ist.

Hauptpersonen im Roman

Familie aus Wittenberg (Ostdeutschland)

Herbert Schad
Theresa Schad
Ralph Schad
Nora und Dora Schad

Familie aus Berlin-Köpenick (Ostberlin)

Maik Bauermann
Mandy Bauermann
Dieter Bauermann
Jacqueline Bauermann

Familie aus Berlin-Charlottenburg (Westberlin)

Robert Zimmermann
Johanna Zimmermann
Andreas Zimmermann
Isabel Zimmermann

Familie aus Köln (Westdeutschland)

Carla Held
Heinz Held
Jonas Held
Linda Held

weitere Personen im Roman:

John Steinbeck, Buchautor
Tom Joad, US-Bürger
Woddy Guthrie, US-Folksänger und Menschenrechtler
Erich Honecker, DDR-Staatsratsvorsitzender
Lisa Burkert, Freundin von Theresa Schad

Hans Dietrich Genscher, Außenminister BRD
Egon Krenz, Generalsekretär des ZKs der SED
Lothar Pianka, Freund von Dieter Bauermann
Hans Mühleck, Freund von Dieter Bauermann
Roland Conrad, Libero der U 18 von Union Berlin
Uwe Bindewald, Fußballspieler, Eintracht Frankfurt
Uli Stein, Torwart, Eintracht Frankfurt
Fritz Stark, Bürger der DDR und IM
Peter Fechner, DDR-Flüchting
Herbert Neumann, Kollege von Maik Bauermann
Johann Krebs, Geschäftsführer der Spedition Steiner
Günter Schabowski, Politbüromitglied der DDR
Elvis und Leo, Freunde von Jonas Held
Walter Momper, Reg. Bürgermeister von Berlin
Helmut Kohl, Bundeskanzler BRD
Mario Wächter, DDR-Flüchtling
Wilhelm Keitel, deutscher Generalfeldmarschall
Adolf Hitler, deutscher Reichskanzler
Eva Braun, seine Ehefrau
Marlene Vogeltanz, Geschichtslehrerin in Köln
Stephan Engels, Fußballspieler, 1. FC Köln/Fortuna Köln
Tony Woodcook, Fußballspieler, 1. FC Köln/Fortuna Köln
Heinz Flohe, Fußballspieler und Legende des 1. FC Köln
Tim Janitza, Imobilienmakler, Berlin-Charlottenburg
Jürgen Sparwasser, Fußballspieler, 1. FC Magdeburg
Sepp Maier, Torwart, Bayern München
Pierre Littbarski, Fußballspieler, 1. FC Köln
Birgit Wirsching, Lehrerin in Wittenberg
Thomas Haas, Metzgermeister in Wittenberg
Hans Modrow, Vorsitzender des Ministerrates der DDR
Lothar de Maizière, DDR-Ministerpräsident
Michail Gorbatschow, Sowjetischer Staats- und Parteichef
Felix Leon, Schüler in Wittenberg
Crosby, Stills, Nash & Young, US-Musiker
Harald Leber, Unpluggedmusiker
Hans-Joachim Friedrichs, Tagesschausprecher in der BRD
Hellmut Hartmann, Sprecher der Deutschen Bank, Berlin
Karl Marx und Friedrich Engels, deutsche Philosophen
Walter Ulbricht, Erster Sekretär des Zentralkomitees der DDR
Willi Stoph, Vorsitzender des DDR-Ministerrates
Kaiser Wilhelm II., letzter deutscher Kaiser
Prinz Max von Baden, deutscher Kanzler
Friedrich Ebert, Reichspräsident, Weimarer Republik
Philipp Scheidemann, SPD Vorstandsmitglied
Karl Liebknecht, Linker Sozialist und Marxist
Gary Moore, Nordirischer Sänger und Gitarrist
Veronika Fischer, Sängerin in der DDR und in der BRD.
Lisa Stansfield, britische Sängerin
Hans und Sophie Scholl, Widerstandskämpfer gegen den Nationalsozialismus
Margot Honecker, DDR-Volksbildungsministerin
Nadine Rumm, Kriminaloberkommissarin aus Köln; abgeordnet nach Berlin
Otto Strecker, Lehrer in Berlin-Köpenick
Clemens Wesslein, Kriminalhauptmeister in Berlin

Matthias Volk, Kriminaloberkommissar in Berlin
Jakob Fischer, Namensgeber für den Kölner Köbes
Dr. Hans-Jürgen Kunde, Forensiker, PD Berlin
Jule Mirtschink, Polizeiobermeisterin, Tauberbischofsheim
Kai Schreiber, Polizeihauptmeister, Tauberbischofsheim
Alfred Müller, Metzgermeister aus Königshofen
Dieter Zwirner, Mathematiklehrer aus Königshofen
Helmut Balbach, Kriminaloberrat, Kripoleiter Berlin
Jasmin Schulz, Staatsanwältin, Berlin-Charlottenburg
Steve McQueen, US-amerikanischer Schauspieler
Marie Luisa Schad, Ralph Schads Oma aus Königshofen
Otto Schad, Ralph Schads Opa, sowie Anton (Toni) Schad
Bruno Schott, Möbelhausinhaber in Tauberbischofsheim
Roswitha Müllerschön, Schülerin aus Königshofen, sowie deren Eltern
Die drei Jugendlichen vom Bahnhof Zoo, Berlin: Tomato-Joe, Ayala und Mr. Sunshine
Der unbekannte Tote aus der Havel
Theo Gries, Fußballspieler, Hertha BSC
Maurice Banach, Fußballspieler, SG Wattenscheid 09/l. FC Köln
Hans Söllner, Sänger und Liedermacher aus Bayern
Ulrich Mohr, Polizeiobermeister, Tauberbischofsheim
Dominique Faul, Kriminalkommissar, Kripo Zehlendorf
Uwe Fürst, Sportheimwirt, Königshofen
Roger Daltrey, Sänger der Band The Who
Guido Deißler, Charlottenburg, Assistant Manager, McDonald's am Zoo
Walther Schlury, Wannsee, Restaurant Manager, McDonald's am Zoo
Klaus Scheuermann, SEK-Beamter, Berlin
Dieter Weinmann, SEK-Beamter, Berlin
Siegfried Karrer, Polizeihauptkommissar, Berlin
Garrincha, Brasilianischer Fußballnationalspieler
Bob Dylan, Folkmusiker
Otto Knörzer, Manager bei BMW, Berlin
Marion Knörzer, Boutiqueinhaberin am Ku'damm, Berlin.
Heinz Florian Oertel, DDR-Sportreporter
Werner Hansch, BRD-Sportreporter
Jean Löring, Präsident, Fortuna Köln
Erich Rutemöller, Trainer, 1. FC Köln
Bodo Illgner, Torwart, 1. FC Köln
Horst Held, Hansi Flick und Falko Götz, Fußballsspieler vom 1. FC Köln
Dirk Schlegel, Fußballspieler, BFC Dynamo
Erich Mielke, Chef des DDR-Geheimdienstes für Staatssicherheit
Thomas Allofs, Fußballspieler, Fortuna Düsseldorf
Alfons Higl, Fußballspieler, 1. FC Köln
Hans-Georg Moldenhauer, DDR-Fußballpräsident
Andreas Thom, DDR-Fußballauswahlspieler
Matthias Sammer, DDR-Fußballauswahlspieler
Ulf Kirsten, DDR-Fußballauswahlspieler
Walter Eck, Juniorentrainer, Union Berlin
Tobias Heinrich, Sportlicher Leiter, Hertha BSC
Karl-Heinz Tritschler, Bundesligaschiedsrichter

Charakterliche oder persönliche Übereinstimmungen mit verstorbenen oder noch lebenden Personen wären rein zufällig und nicht übertragbar. Die Personen des öffentlichen Lebens wurden lediglich in ihrer damaligen Funktion beschrieben und romantauglich umgesetzt!

Grenzfall

Als das Volk die DDR abschaffte

**Samstag, 11. August 1990,
Kleinmachnow, Brandenburg, Ostdeutschland**

Er schlich sich vorsichtig an das alleinstehende Haus. Nur noch diese alte, nahezu eingerissene DDR-Mauer überwinden, die erst vor kurzem zum zweiten Mal Geschichte geschrieben hatte.
Stellte aber kein Problem dar. Der Grenzturm war schon seit Monaten nicht mehr besetzt. Glücklicherweise.
Im Vorjahr fielen hier noch tödliche Schüsse.
Die Umgebung verlor sich in der Dunkelheit und machte ihn unsichtbar. Als hätte er es so geplant.
Nur leicht schemenhaft beleuchtete eine schmale Mondsichel die Silhouette ihrer eigenen Umrisse. Ihre stark dezimierte Strahlkraft reichte für die Erde in dieser Nacht nicht aus.
Die Dunkelheit hielt die Hitze, die tagsüber geherrscht hatte, noch krampfhaft fest.
Seine schneeweißen Hände zitterten. Doch er fühlte sich trotzdem auf der sicheren Seite.
Der Bungalow war schon seit etwa einer Woche unbewohnt.
Am Stammtisch im *Gasthaus Wannsee* hatten die älteren Dorfbewohner, die sich jeden Mittwoch in der Gaststätte von Zehlendorf trafen, davon erzählt. Dabei hatten sie sogar erwähnt, dass keine Alarmanlage in dem Haus eingebaut war.

13

Er war mehr zufällig in dem Gasthaus gewesen, wollte nur etwas essen und ein Bier trinken, denn das Betteln am Bahnhof Wannsee hatte sich gelohnt. Seine Einnahmen reichten gut dafür aus.

Gestern hatte er sich noch selbst davon überzeugt, dass die Alten in der Gaststätte keine Märchen erzählt haben.

Der exklusive Briefkasten war zwar außer ein paar Prospekten leer, aber bestimmt hatten die Eigentümer jemanden mit der Leerung beauftragt. Nahm er zumindest an.

Zur Sicherheit hatte er am Abend noch einmal über eine Stunde in Deckung hinter der alten Eiche gesessen. Alles war ruhig. Das Haus war zurzeit definitiv unbewohnt.

Jetzt stand er im Schutz der Nacht auf der Terrasse. Schaute durch das kleine Fenster in den großzügig ausgestatteten Wohnraum. Die Stille, die ihn umfing, war so tief, dass sie schon fast gespenstisch wirkte.

Ein Schlag gegen das schmale Seitenfenster und er würde sich bedienen können. Das Haus stand mehr als hundert Meter von der nächsten Ortschaft entfernt. Keine direkten Nachbarn. Niemand würde ihn hören oder sehen können. Eine todsichere Sache.

Er brauchte dringend Geld.

Sein Puls stieg an. Mit vor Aufregung klopfendem Herzen hob er den großen Kieselstein hoch. Bereits nach dem ersten gezielten Schlag zerbrach die Glasscheibe in unzählige Splitter.

Eine spitze Scherbe prallte gegen seine rechte Hand, aber er fühlte keine Schmerzen. Blut tropfte auf die hellen Holzdielen. Er würde sie später mit dem Gartenschlauch, der wie gerufen neben der Terrasse hing, abspritzen. Sein Blut würde zwischen den Ritzen der Holzdielen verschwinden und sich im Wasser auflösen.

Er wollte keine Beweise zurücklassen. Drückte gegen die blutende Wunde und wartete noch genau fünfzehn Minuten.

Totenstille.

Kein Vogel sang.

Die Baumwipfel reckten sich geräuschlos in den Himmel, als würden sie den Atem anhalten.

Tief zog er die Nachtluft in seine Lunge.

Jetzt hatte er noch mehr als drei Stunden Zeit. Seine Armbanduhr zeigte genau 03.00 Uhr. Sonnenaufgang war heute um 06.21 Uhr.

Er griff durch die zersplitterte Scheibe, öffnete vorsichtig und völlig geräuschlos das Fenster.

Fühlte sich jetzt sogar befreit und spürte förmlich die Wende in seinem Leben. So wie bisher konnte es einfach nicht mehr weitergehen. Er musste etwas tun.

Hatte einen wichtigen Auftrag.

Musste ihn unbedingt erledigen.

Er hatte es ihr geschworen. Als er ihren Namen leise aussprach, lief ihm eine Träne über die Wange.

Aber um seinen Schwur zu halten, brauchte er mehr Geld.

Nur durch das Betteln konnte er sich keine Fahrkarte nach Köln kaufen.

Nochmals tief einatmend stieg er in den gepflegten und mit teuren Kunstwerken übersäten Raum. Schaute sich stolz um und nickte zufrieden. „Mein Problem dürfte ab sofort gelöst sein."

Befreit machte er sich an die Arbeit.

Arbeit?

Ja, es war Arbeit … und seine allerletzte Chance … dachte er.

Neun Monate vorher

„Früchte des Zorns!
Ist von einem Amerikaner mit deutschen und irischen Wurzeln.
John Steinbeck." Ralph Schad schaute seine Mutter lächelnd an,
die unerwartet sein Zimmer betreten und ihn dann auch noch
überraschend gefragt hatte, was er da gerade las.
„Keine Angst, Mutter, es ist weder Sex noch Crime!"
Theresa Schad hob stolz den Kopf. „Ob du's glaubst oder nicht,
ich kenne das Buch. Hat, als es rauskam, ziemlichen Wirbel
verursacht. Gerade, weil damals in den 1930er Jahren viele hoch
verschuldete Farmer in den USA aus Oklahoma aufgebrochen und
Richtung Kalifornien gezogen waren, wo sie für sich und ihre
Familien ein besseres Leben erwarteten. Das Wort *wo* habe ich
jetzt absichtlich gewählt, da es Steinbeck, für mich etwas ungewöhnlich, in vielen Sätzen seiner Erzählung bringt. Aber nur in
der wörtlichen Rede, soviel ich noch weiß."
Ralph schaute seine Mutter ungläubig an.
Sie lächelte erhaben. „Das Buch ist ja fast schon hundert Jahre
alt."
Er zog kritisch die Brauen hoch. „Ja, aber es ist trotzdem noch
aktuell und sogar ein bisschen mit unserer Familie zu vergleichen.
Als ich zwei Jahre alt war, sind wir ja auch umgezogen. Nun, ich
nehme mal an, ebenfalls um ein besseres Leben zu haben. Nur
haben die Farmer damals in Amerika nicht so viel Glück gehabt
wie wir.
Bin erst an der Stelle, *wo* der Großvater stirbt … ups, jetzt habe
ich auch das Steinbeck-Wort *wo* genannt. Er bringt's tatsächlich
ziemlich oft in seinem Roman … und Steinbeck hat sogar den
Nobelpreis für Literatur bekommen. Also nicht für das Wort *wo*,
sondern für seine gesamten Werke. Das war, soweit ich es noch

weiß, im Jahr 1962."

„Und schon 1940 den Pulitzerpreis für das Buch, das du gerade liest", ergänzte seine Mutter stolz.

Dann ging sie in sich und dachte laut nach. „Ja, und einer meiner Lieblingsmusiker, der amerikanische Freiheitskämpfer und Folksänger Woody Guthrie, hat sogar der Romanfigur Tom Joad eine Ballade gewidmet. Dieser Tom hatte in Steinbecks Roman aus Notwehr einen Mann mit der Schaufel erschlagen und musste deshalb ins Gefängnis." Theresa schauderte theatralisch. Dann überlegte sie. „Aber das hat jetzt überhaupt nichts mit unserer Familie zu tun. Soviel ich weiß, hat dein Vater bisher noch niemanden erschlagen." Sie überlegte und lachte dann laut auf. „Obwohl wir ja damals schon Hals über Kopf aus Königshofen weggegangen waren."

Ralph sah seine Mutter streng an. „Ja, das glaube ich natürlich auch nicht. Aber vielleicht hat Vater etwas anderes angestellt, wovon wir nichts wissen, und musste deshalb fliehen."

Theresa wischte den Einwand mit einer kurzen Handbewegung beiseite. „Ach was. Dummes Geschwätz. Dein Vater kann doch keiner Fliege etwas zuleide tun. Aber jetzt zurück zu Steinbecks Roman. Als dieser Tom dann auf Bewährung freigekommen war, zog er mit seiner Familie von Oklahoma nach Kalifornien.

Ist sogar teilweise mit den heutigen Flüchtlingsströmen zu vergleichen. Somit immer noch ein sehr aktuelles Buch … aber, dass du sowas liest?"

Ralph nickte stolz.

Theresa presste die Lippen zusammen und sah ihren Sohn eindringlich an. „Aber deshalb bin ich eigentlich nicht zu dir in dein heiliges Reich gekommen. Wollte den jungen Mann auch nicht in seiner Lektüre stören. Vater wird gleich nach Hause kommen. Wenn der Herr Sohn dann zum Abendessen pünktlich erscheinen würde." Sie sprach dabei mit einer Bestimmtheit, die keinen Widerspruch duldete.

Ralph nickte und grinste seine Mutter verwegen an. „Ich komme natürlich sofort, wenn Mutter Theresa ruft ..." Dieses Wortspiel

erlaubte er sich nur, wenn er wusste, dass sie gut drauf war.
Ihr verschmitztes Lächeln, das sie Ralph schenkte, gab ihm recht.

Die Familie Schad lebte bereits seit fünfzehn Jahren in der ost-
deutschen Stadt Wittenberg.
Der Vater, Herbert Schad, hatte damals die Stelle im Martin-
Luther-Museum bekommen. Unter vielen Bewerbern. Hatte er
zumindest behauptet. Obwohl er ja ein Wessi war.
Mutter hatte sich im Lauf der Jahre einen Souvenirladen am
Lutherhaus aufgebaut. Zwar ziemlich klein, aber er lief gut. Denn
fast jeder, der nach Wittenberg kam, wollte sich ein Andenken an
Martin Luther mitnehmen, der hier am 31.10.1517 seine fünfund-
neunzig Thesen an die Schlosskirche genagelt hatte.
Die Schads stammten ursprünglich aus Königshofen, einer kleinen
Stadt an der Tauber im nördlichen Baden-Württemberg.
Ralph dachte oft darüber nach, wie sein Vater das überhaupt ge-
schafft hatte. Er ging ja vom Westen in den Osten. Die Kuriosität
des Ganzen war die, dass gerade zu der Zeit immer wieder Bürger
vom Osten in den Westen geflohen waren. Dabei liefen sie sogar
Gefahr, von den DDR-Grenzposten erschossen zu werden, oder
zumindest langjährige Haftstrafen auf sich nehmen zu müssen.
Vater machte somit genau das Gegenteil. Vom Westen in den
Osten … aber es war ja bei ihm auch keine Flucht … oder doch?
Ralph selbst hatte nie an eine Flucht zurück in den Westen
gedacht. Die Elbe war ihm lieber als die Tauber, obwohl er den
Fluss im Main-Tauber-Kreis bisher nur auf Bildern gesehen hatte.
Er war zwar als erstes Kind der Familie Schad in Königshofen
geboren worden, verbrachte aber seit seinem zweiten Lebensjahr
seine Kindheit und Jugend in der ostdeutschen Stadt Wittenberg.
Später kamen noch seine beiden Zwillingsschwestern Nora und
Dora dazu. Ralph war inzwischen siebzehn Jahre alt, Nora und
Dora waren fünfzehn. Höchste Pubertätsgefahr! Übliche Zwistig-
keiten und Zankereien, aber er war stolz auf seine beiden
hübschen Schwestern. Würde es ihnen jedoch niemals so sagen.
Sie sahen in ihm den großen Bruder. Er war ihr Beschützer.

Mit zwanzig Jahren würde er seinen eigenen Trabant bekommen. Der Trabi kostete 8500 Ostmark und hatte 26 PS. Ralph war damit zufrieden. Auch wenn er manchmal noch von einem Motorrad, einer MZ, träumte. Der Trabi reichte erst einmal. Die Kosten wollte sein Vater übernehmen. Ralphs Freunde würden staunen, denn in der DDR betrug die Wartezeit auf einen Trabant bis zu siebzehn Jahre. Ralph fragte nicht nach, warum es bei ihm so schnell ging. Dass seine Eltern schon seit vielen Jahren Mitglieder der SED waren, dürfte dabei schon eine Rolle spielen, ... glaubte Ralph zumindest. Aber darüber machte er sich keine weiteren Gedanken, zumal Herbert Schad, als er noch im Westen gelebt hatte, auch Mitglied der SPD gewesen war. Die SED war ja ein Zusammenschluss der SPD mit der KPD.

Ralph war mit seinem Leben in Wittenberg vollauf zufrieden. Ganz im Gegensatz zu vielen seiner Mitschüler der Erweiterten Oberschule in der Schillerstraße.

Es machte sich jedoch zurzeit ein immer stärker werdendes Aufbegehren der Menschen in der DDR bemerkbar. Einige seiner Freunde hatten sogar an den Montagsdemos in Magdeburg oder Leipzig teilgenommen. Ralph nicht. Er ging lieber an der Elbe joggen oder ins Kino.

Ralphs Eltern, Herbert und Theresa Schad, saßen jetzt schon über eine Stunde gebannt vor dem Fernsehgerät. Alles drehte sich um die eventuell bevorstehende Maueröffnung. Während ein DDR-Fernsehreporter der *Aktuellen Kamera* von der zehnten Tagung des Zentralkomitees berichtete und dabei besonders ausführlich von Schritten zur politischen Erneuerung als Aktionsprogramm der SED sprach, berichtete das Westfernsehen schon intensiv vom Zerwürfnis der DDR.

Das Ostfernsehen war ja eine staatliche Kommission. Die Berichte waren von der Regierung der DDR vorgegeben und sie mussten Erich Honecker gefallen. Erst dann konnten sie gesendet werden. Aber es wurde von Tag zu Tag immer schwerer, die Wahrheit zu vertuschen.

Theresa war begeistert von der aktuellen Entwicklung in der DDR und träumte bereits von einem vereinigten Deutschland.

Ost- und Westdeutschland, ein Land … eigentlich unvorstellbar. Nein, nicht eigentlich. Es war grundsätzlich unvorstellbar!

Nur Herbert wirkte gedrückt. Verlor sich in seinen Gedanken.

Er hatte damals fest daran geglaubt, dass er nur seinen negativen Erinnerungen entkommen konnte, wenn er Königshofen verließ. Eine neue Gegend, weit weg vom Main-Tauber-Kreis, würde ihn vielleicht irgendwann vergessen lassen, was dort geschehen war.

Ihn schauderte.

Er mochte nicht zurückdenken, geschweige denn zurückkehren, versuchte seine sich immer wieder aufdrängenden Gedanken wegzuwischen, versuchte sie zu überlisten.

Aber es gelang ihm nicht.

Wenn die Grenzen demnächst offen wären, würde seine Familie irgendwann den Wunsch haben, nach Königshofen zu fahren … und wenn es nur für einen Besuch wäre.

Aber er wollte diese Vergangenheitskonfrontation nicht mehr, wollte die damalige Zeit nicht mehr aufleben lassen. Für ihn waren die Mauer und der Stacheldraht sogar ein Schutzwall. Er hatte dafür ein großes Opfer gebracht. Hatte sogar die Verbindung zu seinen Eltern abgebrochen, was ihm sehr schwer gefallen war.

Er verließ seine Gedankenwelt wieder und sah Theresa kritisch an. „Es sollte doch alles so bleiben wie es ist!"

Sie schüttelte ungläubig den Kopf und schaute ihn dann mit einem eindringlichen, auffordernden Blick an. „Was ist los? Mensch, Herbert, Deutschland wächst vermutlich bald wieder zusammen. Die ganze Welt freut sich mit uns, und du, ausgerechnet du, willst das nicht? Wo wir unsere Wurzeln sogar im Westen haben. Jetzt verstehe ich aber gar nichts mehr."

Er räusperte sich unsicher und sah gedrückt aus dem Fenster.

„Entschuldige, ist mir nur so rausgerutscht. Natürlich gehören wir zusammen. Trotzdem habe ich mich in Wittenberg immer wohl gefühlt und ich habe hier einen gut bezahlten Beruf.

Das alles kommt jetzt … nun, wie soll ich es ausdrücken, …

etwas überraschend."

Theresa überlegte. „Bisher sind wir ja wegen den ganzen Formalitäten nie in den Westen gefahren, aber jetzt, wo die DDR langsam zusammenfällt und die Grenzen vielleicht bald geöffnet werden, sieht es ganz anders aus. Hast du dir das mal überlegt, Herbert?"

Er schüttelte schnell den Kopf, als müsse er sich wieder in die Wirklichkeit zurückholen.

Fühlte sich miserabel.

Seine rastlosen Augen schauten unsicher auf seine Frau. „Ja, … schon, aber … im Moment geht es auf keinen Fall. Du weißt ja, die Arbeit, und überhaupt, du kannst ja deinen Laden nicht einfach zusperren."

Theresa atmete aus und nickte anschließend enttäuscht.

Herbert schloss unsicher seine Augen. Wie ein zeitraffender Film spielte sich jetzt das damalige Geschehen in Königshofen vor ihm ab. Wie schon so oft.

Alles, was zu jener Zeit in seinem Heimatort passiert war, befand sich in einer Endlosschleife. Eine Rückkehr musste er unbedingt verhindern.

Theresa ließ aber nicht locker. „Klar, Herbert, es muss ja nicht sofort sein, aber vielleicht … irgendwann.

Dann würde ich einfach mal meine allerbeste Freundin fragen.

Lisa Burkert wäre bestimmt bereit, für eine Woche Kaufladen im Wittenberger Museumsshop zu spielen. Die gute Seele hat sich ja schon mehrmals angeboten."

Herbert öffnete wieder die Augen, ließ sie unsicher spazieren gehen. Dann aber verfestigten sich seine Gedanken immer mehr. Er musste es unbedingt verhindern. Sein Fokus war jetzt wieder auf die richtige Entfernung eingestellt.

„Aber mach dir bitte keine allzu großen Hoffnungen. Ich habe mit Königshofen abgeschlossen. Man sollte doch die alten Zeiten ruhen lassen. Wir leben in Wittenberg und fühlen uns hier wohl. Außerdem sollte man die Zukunft als Geheimnis bewahren und nicht die Vergangenheit."

Theresa ließ weiterhin nicht locker, konnte das Verhalten von ihrem Ehemann einfach nicht nachvollziehen. „Aber es wäre doch schön, wenn wir mal deine Mutter wiedersehen könnten ... und unsere Kinder ihre Oma.

Bisher haben wir immer gesagt, dass wir beruflich nicht können oder wegen der komplizierten Formalitäten in der DDR einfach keinen Besuch wagen wollten, aber jetzt, wenn ...“

Herbert atmete tief durch. „Ja, aber man sieht es in meinem Beruf gar nicht gerne, wenn man Verbindungen in den Westen hat. Du weißt ja ... unsere Stasi! *Horch und Guck* ist nun mal überall.

Theresa zog ernst die Brauen hoch. „Ja, das stimmt schon. Das Ministerium für Staatssicherheit, ist hauptsächlich der Geheimdienst der DDR. Aber auch Ermittlungsbehörde für politische Straftaten. Vor allem jedoch Unterdrückungs- und Überwachungsinstrument der SED gegenüber der DDR-Bevölkerung. Dabei setzt es als Mittel neben der Überwachung, auch noch Einschüchterung, Terror und die so genannte Zersetzung gegen Oppositionelle und Regimekritiker ein. Das weiß ich alles!“

Herbert nickte seiner Frau übereinstimmend zu. „Wir wollen erst mal schauen, wie sich das Ganze entwickelt, dann sehen wir weiter.“ Dabei hoffte er inständig, dass die SED die für morgen angesetzten Demonstrationen in den Griff bekommen würde.

Er wusste aber schon jetzt, dass er nie mehr zurückkehren durfte. Nie mehr zurückkehren konnte. In seinem Kopf drehte sich alles. Er hatte das Gefühl, als würden die Fäden niemals abreißen, die alles irgendwie miteinander verbanden.

Bisher war es zwar gut gegangen, aber wie würde es weitergehen, wenn jetzt die Grenzen doch geöffnet werden?

Er schaute ungläubig auf das Bild von Erich Honecker, das immer noch in seinem Wohnzimmer hing.

Donnerstag, 9. November 1989,
Berlin-Köpenick, Ostdeutschland

Für Dieter Bauermann kam die anstehende Grenzöffnung völlig überraschend. Sie hatten doch eigentlich alles. Gut zu essen und gut zu trinken. Die Eltern hatten Arbeit und er, Dieter, er hatte eine schöne Kinderzeit gehabt und genoss derzeit seine Jugend. Er wusste die guten Dinge zu schätzen, die ihm das Leben bisher geschenkt hatte.

Schon sechs Wochen nach seiner Geburt kam er in die sogenannte Krippe. Blieb dort bis zu seinem dritten Lebensjahr. Fühlte sich wohl unter den anderen Kindern.

Dann kam die Vorschulerziehung.

Dieter hatte erst viel später bemerkt, dass dort den Eltern die politische Erziehung abgenommen wurde. Sie waren eine gute Gemeinschaft und Genosse Honecker war ihr großes Vorbild. Sein eingerahmtes Bild hing in jedem Kindergarten, in jeder Schule. Wie hatte Honecker doch damals gesagt: *„Erziehung zur sozialistischen Moral, das ist die Erziehung zur Liebe zu einem Vaterland, in dem die Väter und Mütter, die Werktätigen zum Wohle des Volkes die Macht ausüben. Das ist eine Erziehung zur Achtung vor den Menschen, vor ihrer Arbeit, zur Achtung vor dem Leben."* Diese Worte hatte er zwar nie so richtig verstanden, aber alle Kinder klatschen zufrieden in die Hände, wenn sie Honeckers Zitate gehört hatten. Machten es der Kindergärtnerin nach. Dieter hatte sich zunächst immer unsicher umgeschaut, aber als alle anderen Kinder klatschen, hatte er auch mitgemacht.

Mit sechs Jahren kam er in die praktisch orientierte Polytechnische Oberschule Köpenick, wo er zwar Lesen, Rechnen und Schreiben lernte, aber auch hier wurde der Sozialismus als einzig mögliche Staatsform zelebriert. Alternativen gab es offensichtlich nicht. Der Kapitalismus wurde grundlegend abgelehnt. Wie alle anderen trat er den Jungpionieren bei. Blaue Hose, weißes Hemd und blaues Halstuch. Uniform? Ja, wir gehören zusammen!

Marschieren auf dem Schulhof, Fahnenappelle. Auszeichnungen und Ehrungen für herausragende Leistungen … im Namen der Partei. Sozialismus, soweit es nur möglich war.

In der vierten Klasse tauschte Dieter, wie seine Klassenkameraden auch, das blaue gegen ein rotes Halstuch. Er gehörte ab sofort der Freien Deutschen Jugend an, kurz FDJ.

Keiner seiner Klassenkameraden hatte sich getraut, nicht in die FDJ einzutreten. Man hatte die tollsten Geschichten gehört, über die damaligen Verweigerer, die es doch gegeben haben soll. Aber nicht in seiner Klasse.

Der Sozialismus war perfekt durchgeplant. Wer nicht in die FDJ eingetreten war, durfte nach der zehnten Klasse auch nicht zur Erweiterten Oberschule und wurde somit ebenfalls nicht zum Abitur zugelassen. Dieter machte alles mit und fand es gut. Er fühlte sich wohl im Kreise seiner Freunde, der großen Familie mit dem Kürzel DDR!

Aber war es tatsächlich eine Familie?

Natürlich hatte man später mitbekommen, dass es die Menschen in anderen europäischen Ländern, und besonders in Westdeutschland, besser hatten, dass sie freier waren und auch an der Kaufhalle nicht anstehen mussten. In der DDR kam es oft vor, dass es, wenn man nach langem Warten ganz vorne an der Verkaufstheke angekommen war, keine Wurst oder kein Fleisch mehr gab. Ausverkauft! Auch das würde im Westen nicht passieren.

Aber Dieter war nicht unglücklich in seiner kleinen, heilen Welt. Man musste sich halt am nächsten Tag noch einmal, und natürlich auch etwas früher, in die Reihe stellen. Dann bekam man, mit etwas Glück, seine gewünschten Waren ... meistens.

Und dann, für Dieter völlig überraschend, änderte sich alles und somit auch sein Leben. Plötzlich waren sie da, die Demos, die Unruhen.

Das Volk erhob sich, wehrte sich und ging auf die Straße.

Zeigte Stärke im Kollektiv. Friedlich!

„Die Mauer muss weg", schrien sie in Leipzig und Berlin.

Und dann ging es plötzlich Schlag auf Schlag.

Ungarn soll die Grenzen schon geöffnet haben. In Prag hatte der westdeutsche Außenminister Genscher mitgeteilt, dass die Ausreise der DDR-Bürger möglich sei. Anlässlich der Feierlichkeiten des vierzigsten Jahrestages der DDR kam es in mehreren Städten zu erheblichen Protesten. Man feierte sich zwar noch selbst, aber es rumorte bereits stark in den Innereien der DDR. Die Sicherheitskräfte der Deutschen Demokratischen Republik reagieren teilweise brutal. Aber das Volk kämpfte weiter.

Friedlich und solidarisch.

Und dann war am 18. Oktober 1989 auch noch der mächtige Honecker von seinen Ämtern entbunden worden. Sein Nachfolger hieß Egon Krenz. Die Bilder in den Kindergärten und Schulen wurden ausgetauscht. Eine ungeheuerliche Bewegung machte sich breit. Tausende von Menschen flüchteten in die Prager Botschaft.

Am 7. November 1989 trat die DDR-Regierung sogar komplett zurück. Das SED-Politbüro sollte völlig umstrukturiert werden.

Die Deutsche Demokratische Republik in ihrer alten Form gab es mit einem Schlag nicht mehr.

Das Land kollabierte, brach wirtschaftlich, sowie auch politisch zusammen. Die einstigen Worte Honeckers zerplatzten wie eine Seifenblase und verloren ruckartig ihr Gewicht. Sollte Dieter jetzt noch an die Erziehung zur sozialistischen Moral glauben? Galten die Worte Honeckers, die ihm in seiner Kinder- und Jugendzeit tagtäglich eingetrichtert worden waren, überhaupt noch?

Es klatschte jedenfalls niemand mehr.

Heute war der 9. November 1989.

Dieter war inzwischen siebzehn Jahre alt. Er wusste nicht so richtig, ob er sich freuen sollte. Eigentlich schon. Aber es war doch seine Welt, die da eben zusammenbrach. Seine Kindheit und seine Jugend. Lachen oder Weinen lagen eng zusammen.

Er zweifelte immer mehr.

Lothar, sein bester Freund, schlug ihm mit beiden Fäusten kräftig gegen die Brust. „Mensch Dieter. Nun ist es amtlich. Wir sind jetzt genauso viel wert wie die Westdeutschen. Hast du schon gehört, Hans Mühleck, unser bester Freund, will im nächsten

Monat in den Westen ziehen. Sein Vater hat dort einen Bruder. Die machen tatsächlich ernst. Wohnen dann im goldenen Westen.
Ich kann es nicht glauben.
Gehen einfach rüber … zu den Kapitalisten.
Es gibt keinen Schießbefehl mehr.
Der Stacheldraht wird niedergetrampelt; die Mauer eingerissen.
Wir werden ein gemeinsames Deutschland. Sensationell!"
In seinen Augen glänzte ein Fieber, das Dieter bei Lothar noch nie zuvor gesehen hatte.

Die beiden Jugendlichen liefen durch Köpenick im Berliner Osten, vorbei an den grauen, hohen Mietshäusern, die den Bewohnern von der Kommunalen Wohnungsverwaltung zugewiesen worden waren. Ein eigenes Bad war schon Luxus. Die Einrichtung war meist zweckmäßig, oft aber nur ungemütlich und schlicht. Jedoch, es war Wohnraum. Man hatte ein Dach über dem Kopf.

Die DDR wollte für ihre Bürger Planwirtschaft und soziale Gleichheit. Die Miete sollte für jeden bezahlbar sein, kaum einem konnte gekündigt werden. Es war sogar in der Verfassung festgeschrieben, dass jeder DDR-Bürger Anspruch auf eine eigene Wohnung hatte. Das Einkommen sollte nicht über das Wohnen entscheiden. Niemand sollte auf der Straße leben. Vorrangig für die Größe der Wohnung war die Anzahl der Familienmitglieder.

Jedoch waren inzwischen viele Plattenbauten sanierungsbedürftig geworden. Innen und außen. Ein Zerfall drohte immer mehr.

Dieter und Lothar waren auf dem Weg zu ihrem Fußballtraining, spielten beide sehr erfolgreich in der U-18-Jugendmannschaft von Union, der Ostberliner Fahrstuhlmannschaft. Kaum war die erste Mannschaft in die Oberliga aufgestiegen, ließ der nächste Abstieg nicht sehr lange auf sich warten. Die Oberliga war vergleichbar mit der Bundesliga im Westen und somit die höchste Spielklasse in der DDR.

Aber Dieter und Lothar spielten ja noch in der Jugendmannschaft. Wenn sie den Sprung in die *Erste* geschafft hatten, würde es mit der Union bestimmt besser werden. Davon waren die beiden fest überzeugt. Träumten oft davon. Den letzten Abstieg erlitten die

Eisernen von Köpenick, wie sie stolz von den Fans genannt wurden, nach der Saison 1988/89.

„Übermorgen, am 11.11.1989, spielt Union auswärts gegen KKW Greifswald. Ich tippe auf ein Unentschieden." Lothar war sich mit seiner Prognose ziemlich sicher.

Dieter nickte zustimmend. „Ja, ein Unentschieden wäre okay."

Er schaute Lothar dann aber verängstigt an, musste immer wieder an die derzeitige politische Situation denken. „Ich muss das alles auch erst mal verarbeiten. Mensch, wenn ich mir überlege, dass es die DDR plötzlich nicht mehr geben soll. Es war doch unsere Jugendzeit … unser Leben, unser Staat. Und jetzt, etwas ganz anderes, ein Neustart sozusagen … ich weiß nicht!

Natürlich waren wir nicht immer zufrieden, hauptsächlich mit unserer Politik, die uns vieles aufgezwungen hat. Aber wenn man sich an die Vorgaben hielt … Das geht mir jetzt alles viel zu schnell."

Stumm, in ihren Gedanken versunken, liefen die beiden Freunde nebeneinander her.

In der Umkleidekabine der *Eisernen* gab es nur ein Thema. Jeder wusste eine Geschichte vom vermutlich bevorstehenden Mauerfall. Die Meinungen waren geteilt. Natürlich überwog zum größten Teil die Freude über ein bald vereinigtes Deutschland, über die Freiheit, in die ganze Welt reisen zu können. Manche nahmen sich sogar ausgelassen in den Arm und beglückwünschten sich gegenseitig. Tanzten hüpfend im Kreis.

Dieter und Lothar hielten sich bei den spontanen Feierlichkeiten zurück. Ihr Freund und der Torwart der U-18, Hans Mühleck, traute sich aber, seine Meinung kundzutun. „Alles war bei uns aber auch nicht so schlecht, wie ihr jetzt tut. Jeder hatte Arbeit … und zu Essen hatten wir auch immer. Wir waren doch eine große Gemeinschaft … eine solidarische Familie."

Ein lautes Grölen war die Reaktion auf die laut ausgesprochenen Gedanken von Hans. Im Nachhinein hätte er sie vielleicht doch lieber für sich behalten sollen.

Der Libero der U-18-Mannschaft, Roland Conrad, baute sich

bedrohlich vor seinem Torwart auf. „Und das sagt gerade einer, der im nächsten Monat schon im Westen wohnt!"

Hans senkte kleinlaut den Kopf. Er merkte, wie sich seine Gefühle verhärteten. „Da kann ich doch nichts dafür. Das war die Idee meines Vaters. Der wollte ...", er zögerte kurz, dann sprach er es aus, „unbedingt zu seinem Bruder."

Conrad nickte und zog die Achseln hoch. Jetzt war es zum ersten Mal still in der Umkleidekabine der *Eisernen*.

Plattenbauwohnung in Köpenick.

Dieter lief träge die Treppenstufen hoch. Der Fahrstuhl war defekt ... seit ungefähr einem Jahr ... oder noch länger.

Erst das harte Training und dann diese verfluchten Stufen, die nicht mehr enden wollten. Aber er sah es sportlich. Wollte doch bald in der Oberliga spielen. Er überlegte. Wenn dann nach den Vorgaben des DFB in der BRD gespielt würde, könnte er sich ja tatsächlich einen Bundesligaclub im Westen suchen. St. Pauli, den 1. FC Köln, Waldhof Mannheim ... oder sogar die Hertha in Westberlin. Immer mehr freundete er sich mit dem Gedanken einer im Raum stehenden Wiedervereinigung an.

In der DDR war es bisher so, dass die Staatsführung bis in die Vereine hineinregierte und mitbestimmte. Die Staatssicherheit, die Polizei und die Armee hatten ihre eigenen Vereine, und die Bezirkschefs der SED bestimmten ebenfalls mit. Die Kombinate, ein Zusammenschluss von wirtschaftlichen Großbetrieben, unterstützten die Oberligaclubs zusätzlich. Die Spieler konnten sich ihre Vereine nicht selbst aussuchen, sie wurden delegiert, es war eine Art moderner Leibeigenschaft. Aber das alles wäre mit dem Mauerfall endgültig vorbei.

Dieter blieb stehen und wiederholte laut. „Mensch ich könnte jetzt ja sogar in der Bundesliga spielen."

Er kickte gegen eine leere Bierdose, die im Treppenhaus herumlag. Kommentierte sich dabei lautstark selbst: „Bauermann, der aktuelle Neuzugang des 1. FC Köln läuft allein durch, umspielt die gesamte Hintermannschaft der Eintracht und umkurvt auch noch den letzten Mann, Uwe Bindewald. Bauermann müsste schießen! Bauermann schießt und lässt Torwart Uli Stein mit einem platzierten Flachschuss nicht die geringste Chance. Tor, Tor, Tor. Hattrick durch Mittelstürmer Dieter Bauermann. Sensationell, der junge Superstar aus dem Osten Deutschlands. Der Wiedervereinigung sei Dank."

Laut krachend öffnete sich die Tür im achten Stock. Der dicke Fritz Stark stürmte wutentbrannt ins Treppenhaus. „Was soll hier dieses Geschreie? Wir sind doch nicht auf dem Fußballplatz. Wenn nicht sofort Ruhe ist, melde ich dich, Bauermann!"

Dieter ließ sich durch den dicken Fritz jedoch nicht einschüchtern. „Wem wollen Sie das melden, Genosse Stark? Haben Sie es denn noch nicht mitbekommen? Die Mauer soll fallen. Schluss mit Sozialismus und Schluss mit melden. *Horch und Guck* gibt es demnächst nicht mehr. Bald sind wir frei!"

Der dicke Stark lief dunkelrot an und holte tief Luft. „Dann geh doch in den Westen. Besser heute als morgen. Solche wie euch brauchen wir sowieso nicht in unserem sozialistischen Arbeiter- und Bauernstaat. Haut doch alle ab!

So wie dein Vater, der Landesverräter!"

Mit einem lauten Lachen schlug der Dicke kräftig die Tür zu.

„Wir haben mit dem Abendessen extra auf dich gewartet, Dieter. Wasch dir bitte deine Hände und setz dich an den Tisch!" Mandy Bauermann stand in ihrer gestreiften Schürze am Spülstein und drehte sich bei ihren Worten lächelnd zu Dieter hin. Seine kleine Schwester Jacqueline saß schon erwartungsvoll am Küchentisch. Dieter nannte sie immer noch *kleine Schwester*, obwohl Jacqueline bereits sechzehn Jahre alt war, nur ein Jahr jünger als er. Ziemlich genau.

Mutti war ihr Lebensmittelpunkt. Der Fels in der Brandung.

Dieter schaute seine Mutter zufrieden an. Sie hatte ihr kräftiges, stahlgraues Haar am Hinterkopf zu einem dicken Knoten zusammengesteckt. Ihr Blick war ernst, aber gleichsam fürsorglich und gütig. Manchmal erkannte Dieter in ihren Augen den Schmerz und das Leid, das sie erfahren hatte. Aber sie wusste auch um ihre Stellung in der Familie. Hatte schnell erkannt, dass ihre Kinder, wenn etwas Gutes passiert war, fragend auf sie blickten, um zu erkunden, ob die Freude auch sie berührt hatte.

Zwangsläufig fühlte sie sich für alles verantwortlich, denn einen Vater gab es aktuell nicht im Hause, oder besser gesagt, in der Mietswohnung Bauermann.

Ihr Mann Maik hatte einen großen Traum. Er wollte in den Westen … zusammen mit seiner Familie.

Mandy arbeitete seit vielen Jahren in der großen Zuckerfabrik von Köpenick, Maiks Arbeitsplatz war schräg gegenüber ihrem Wohnhaus, beim Transportunternehmen Steiner. Sie hatte bei beiden Kindern nach nur sechs Wochen Mutterschutz ihre Arbeit in der Fabrik wieder aufgenommen. Dieter und auch später Jacqueline kamen somit schon sehr früh in die Kinderkrippe, was in der DDR völlig normal war.

Beim Tanz im *Thüringer Hof* zu Köpenick hatten sie sich kennengelernt und heirateten bald. Maik war damals vierundzwanzig, Mandy erst achtzehn Jahre alt.

Sie mussten heiraten. Ein Junge war unterwegs. Dieter.

Maik war so stolz auf seinen Sohn. Stolz auf seine kleine Familie.

Vor einem Jahr hatte Maik dann seinen lang gehegten Traum in die Tat umgesetzt. Aber mit der ganzen Familie fliehen? Das wäre leider unmöglich gewesen. Er hatte Mandy immer wieder erklärt, dass es einfach zu gefährlich sei … für die Kinder und natürlich auch für sie. Wie oft hatten sie über den *goldenen* Westen gesprochen. Über die Möglichkeiten einer Flucht in die Freiheit. Erkannten aber gleichsam das Risiko. Besonders Mandy. Wollte die Kinder nicht in Gefahr bringen. Maik sollte deshalb vorausgehen. Allein. Das sei nicht so gefährlich. Er wollte drüben alles regeln. Dann sollten sie alle nachkommen, Mandy, Dieter und Jacqueline. So hatte es Maik geplant … hatte er es ihnen versprochen.

Vor über einem Jahr, am 1.9.1988, war er sehr früh aufgestanden. Er hatte Mandy nach dem Frühstück flüchtig auf die Stirn geküsst, schloss vorsichtig die Eingangstür und lief quer über die Straße zum Transportunternehmen Steiner. So wie an jedem Werktag. Er arbeitete dort in der Buchhaltung und kannte alle Fahrer. Herbert Neumann, sein bester Freund, hatte mit seinem Skoda eine Tour nach Magdeburg. Erst vor drei Tagen lag der Transportschein auf Maiks Schreibtisch. Es war für ihn eine Kleinigkeit, den Namen Magdeburg zu löschen und mit der Schreibmaschine Braunschweig drüber zu schreiben. Er stellte sich dadurch seine eigene Ausreisegenehmigung aus. Die Grenzpolizisten würden die unterschriebenen und gestempelten Papiere kontrollieren und den Lkw passieren lassen, ohne dabei genauer hinzusehen. Das Wichtigste war der Stempel und die genehmigten Transportpapiere.

Maik hatte lange an seinem Plan gearbeitet. Eine winzige Kabine unter dem Fahrersitz war sein Versteck. Direkt über der Vorderachse des Skoda 706 MT. Dort würde ihn mit Sicherheit niemand entdecken. Es konnte einfach nichts schiefgehen.

Mandy schaute ihm damals am frühen Morgen noch lange nach, dann war er in der Firma verschwunden.

Es war das Letzte, was sie von ihrem Mann gehört und gesehen hatte. Danach kam nichts mehr. Kein Anruf, kein Lebenszeichen. Nicht einmal eine Pressemitteilung über eine missglückte Flucht, die sie Maik hätte zuordnen können.

Nichts. Nur Leere.

Wochenlang. Monatelang.

Inzwischen war schon mehr als ein Jahr vergangen.

Mandy musste immer wieder an die Flucht des jungen Peter Fechner denken, die zwar schon einige Zeit zurücklag, aber jetzt, nachdem ihr Mann verschwunden war und sie nichts mehr von ihm gehört hatte, ging ihr diese Flucht nicht mehr aus dem Kopf.

Der Tod des damals achtzehnjährigen Fechner am 17. August 1962, der am letzten Grenzhindernis von einer Gewehrkugel getroffen wurde, erschütterte damals nicht nur Mandy, sondern die gesamte Welt. Der Junge lag schwer verletzt und stark blutend mindestens fünfzig Minuten vor der Mauer, bis endlich das Bergungskommando der DDR eintraf. Diesseits und jenseits der

Mauer versammelten sich unterdessen immer mehr verzweifelte und protestierende Bürger.

Westpolizisten wagten es sogar, auf die Mauer zu klettern und dem schwer verletzten Fechner blutstillendes Verbandsmaterial zuzuwerfen. Aber man konnte dem jungen Mann nicht mehr helfen. Das öffentliche Sterben des jungen Peter Fechner im Todesstreifen entfachte eine weltweite Welle der Betroffenheit.

In dieser Nacht und in den folgenden zwei Jahren musste jeweils am siebzehnten August die Mauer von der Westberliner Polizei beschützt werden, da immer wieder Demonstrationszüge aus allen Teilen von Westberlin aufzogen, um an die Sinnlosigkeit der Grenze zu erinnern.

Fechner war postum zum Volkshelden geworden.

Es schon vermehrt zu den Sprechchören: „Die Mauer muss weg!"

Das Volk wehrte sich somit schon im Jahr 1962 gegen die Mauer, aber leider damals noch ohne Erfolg.

Mandy schaute ziellos aus dem Wohnzimmerfenster auf die umliegenden Plattenbauhäuser. Dann stöhnte sie laut auf und ging in die Küche. Zog den Kartoffeltopf vom Herd.

Überlegte.

Kein Vopo hatte sich bisher bei ihr sehen lassen.

Anfangs standen natürlich immer wieder inoffizielle Mitarbeiter der Stasi vor ihrer Wohnungstür. Aber Mandy blieb standhaft. Sie gab überzeugend an, dass sie nichts von einer Flucht ihres Mannes Maik gewusst habe. Auch ihre Kinder wurden mehrmals von der Stasi verhört. Aber Mandy hatte ihnen die Situation genaustens erklärt.

Sie war schon nach ein paar Tagen zur Polizeiwache gegangen und hatte Maik offiziell als vermisst gemeldet. Von Maiks Flucht erwähnte sie natürlich nichts. Widerwillig nahm der Vopo-Beamte die Anzeige auf.

„Wenn wir etwas von ihrem Mann hören, melden wir uns."

Das war alles, was der drahtige Volkspolizist gesagt hatte.

Als Mandy die Polizeiwache verlassen hatte, rief der Polizeibeamte bei der Stasi an und führte ein kurzes Gespräch mit dem zuständigen Sachbearbeiter der Vermisstenstelle.

Nachdem er aufgelegt hatte, zerriss er die eben gefertigte handschriftliche Vernehmung von Mandy Bauermann und warf sie in den Papierkorb. Lächelte leise in sich hinein und widmete sich wieder der Berliner Zeitung, die noch aufgeschlagen vor ihm auf dem Schreibtisch lag. Auf dem Titelblatt stand: *Erneuerung der Gesellschaft bedarf erneuerter Partei.*

Auch der Fahrer der Firma Steiner, Herbert Neumann, war seit diesem Tag nicht mehr in seiner Firma erschienen.

Der Geschäftsführer, Johann Krebs, war einmal bei Mandy gewesen. Er hätte keine Ahnung, was da passiert sei.

Der Lkw war bisher ebenfalls nicht mehr aufgetaucht. Herr Krebs hatte sie fragend angesehen und unschuldig beide Hände gehoben. Er konnte ihr im Moment auch nicht weiterhelfen.

Mandy hatte ihn aus verängstigten Augen unsicher und hilflos angeblickt.

Inzwischen war ihre innere Leere wie eine Krankheit, die sie immer öfter überfiel. Wie eine Attacke, die ihr Herz aus dem Gleichgewicht brachte. Sie befürchtete das Schlimmste.

Aber sie hatte noch ihre Kinder. Daran versuchte sie sich jetzt aufzubauen … und an dem festen Glauben, Maik doch irgendwann wiederzusehen. Er hatte ihr in die Augen versprochen, dass er alles vorbereiten und sie dann nachholen würde.

„Man muss nur auf den richtigen Weg kommen und, das ist das Allerwichtigste, man muss davon überzeugt sein, dass es der richtige Weg ist. Nicht unschlüssig herumirren, sondern das Ziel sehen können und es auch wollen. Dann wird es schon klappen", hatte er ihr noch am letzten Abend erklärt.

Inzwischen war mehr als ein Jahr vergangen. Offensichtlich hatte Maik den richtigen Weg noch nicht gefunden …

Mandy schaute zu ihren Kindern. „Habt ihr's mitbekommen?

Mit der Mauer soll irgendwas sein. Man soll demnächst ausreisen können. Überall hin. Sogar in die BRD.

Der Schabowski, unser Sekretär für Informationswesen, soll heute noch etwas darüber bekanntgeben."

Mandy hatte ein ungewohntes Glitzern in den Augen.

Ihre Hoffnung auf ein Wiedersehen mit Maik flammte plötzlich auf. Sie durfte wieder hoffen und nicht nur träumen. Ihr gefror plötzlich das Herz, um aber im nächsten Moment noch schneller zu schlagen. „Schalte doch mal schnell Radio DDR I ein, Dieter!" Ihre Stimme überschlug sich fast.

Er stand auf und drehte an dem abgewetzten Knopf des Radios. Das alte Gerät knisterte. Dann holprige Worte: „Das trifft ... nach meiner Kenntnis ... ist das sofort, unverzüglich."

Der Radiosprecher des Senders meldete sich jetzt und verkündete mit ungläubiger Stimme: „Politbüromitglied Günter Schabowski hat soeben in einer Pressekonferenz mitgeteilt, dass eine ständige Ausreise über alle Grenzübergangsstellen der DDR, ... auch zur BRD, beziehungsweise nach Westberlin, erfolgen kann ... sofort!" Nach einer für das Radio ungewohnt langen Pause sprach er dann weiter. „Man kann sofort ausreisen."

Die Bauermanns schauten sich konsterniert an.

Dieter fand als erster wieder Worte. „Dann stimmt es doch. Beim Training von Union haben sie bereits schon so etwas ähnliches erzählt. Ich habe es aber nicht so richtig glauben können."

Mandy dachte wieder an Maik. Sie lächelte unmerklich. Vielleicht würde noch alles gut werden und es käme bald zu einem Wiedersehen. Oder doch nicht?

Dann senkte sie wieder traurig den Kopf und schaute mit den zeitlosen Augen einer Statue auf den Tisch. Zweifel kamen auf.

Aber warum hat er sich bisher immer noch nicht gemeldet? Ob er überhaupt noch lebte? Das schlechte Gefühl saß zu tief.

Geistesabwesend biss sie von ihrer Käsesemmel ab.

In ihr war plötzlich erschreckende Leere.

Donnerstag, 9. November 1989,
Berlin-Charlottenburg, Westdeutschland

Die Familie Zimmermann saß in Westberlin in der großen Hinterhofwohnung vor dem Fernseher.

Es lief die Tagesschau.

Günter Schabowski hatte gerade in einer Pressekonferenz etwas unsicher und eher beiläufig erklärt, dass die DDR ihren Bürgern künftig Reisefreiheit gewähren würde und dass dies sofort … unverzüglich möglich wäre.

Robert Zimmermann sah seine Frau Johanna ungläubig an. „Wenn die jetzt alle rüber kommen, … was passiert dann?" Er schüttelte skeptisch den Kopf. „Die brauchen doch alle auch Wohnungen … Arbeitsplätze … die D-Mark." Im selben Moment erklärte Walter Momper, Regierender Bürgermeister von Westberlin, dass sich der Westen und der Osten das eigentlich immer gewünscht hätten und beide Länder sich jetzt auch dieser Aufgabe stellen müssten.

„Die Politiker haben leicht reden." Er sah seine Frau kritisch an. „Der Helmut Kohl macht sogar noch große Sprüche, als wäre das alles sein Verdienst …! Dabei hält der sich zurzeit gar nicht in Deutschland, sondern in Polen auf."

Andreas zog beide Brauen hoch. „Wir dürfen nicht nur an uns denken, Papa. Die Bürger der DDR haben um ihre Freiheit gekämpft … und was das Allergrößte ist, sie haben dabei friedlich demonstriert, ohne Gewalttätigkeiten. Und wenn es doch dazu gekommen war, dann haben sie sich nur gewehrt. Allergrößten Respekt vor diesen Menschen. Die allein haben die gerade anlaufende Wiedervereinigung geschafft … nicht der Kohl.

Noch vor gar nicht so langer Zeit wurden Grenzflüchtlinge aus dem Osten erschossen. Stellt euch doch mal vor, Menschen verlassen ihr Land und man schießt auf sie. Und jetzt sollen sie ruhig kommen und in Frieden ihre politische Freiheit genießen. Das haben sie verdient."

Seine Schwester Isabel nickte ihm bestätigend zu und blickte dann zu ihrem Vater. „Andi hat recht, Paps. Wir sollten uns freuen, dass wir bald wieder ein gemeinsames Berlin oder sogar ein vereintes Deutschland haben. Ohne Mauern und Stacheldraht. Jetzt sind wir nicht mehr auf diese holprigen Transitstrecken angewiesen, wenn wir in den Westen wollen … und auch diese lästigen Grenzkontrollen dürften ebenfalls bald Geschichte sein. Man kam sich da ja richtig ausgeliefert vor. Hatte sogar Angst, festgenommen zu werden." Isabel schwieg einen Moment. Überlegte. Dann fuhr sie hoffnungsvoll fort. „Vielleicht wird Berlin sogar wieder unsere Hauptstadt, in der wir dann wohnen. Das wäre doch richtig toll. Es soll wieder zusammenwachsen, was zusammengehört."

Andreas lächelte seine Schwester für ihre Unterstützung dankbar an.

Dann ergriff Johanna das Wort. „Es stimmt, was die Kinder sagen, Robert. Wir sollten uns nicht sorgen, sondern feiern. Ich hole mal schnell eine Flasche Sekt aus dem Keller. Isa, besorgst du uns noch vier Gläser?"

Isabel nickte, stand auf und schlug ihrem Bruder dabei freudig auf den Oberschenkel.

„Und, halt, noch etwas." Isabel blieb mitten im Raum stehen, als hätte gerade jemand den Film angehalten. Ihre Stimme wurde ehrfurchtsvoll. „Aber wir können auch ein kleines Stück zu einer friedlichen Gemeinsamkeit beitragen. Wenn ihr Leute aus dem Osten trefft, seid freundlich zu ihnen, heißt sie willkommen. Sie sollen sich bei uns wohlfühlen und das sollten wir sie spüren lassen. Diese Leute haben es bisher auch nicht immer leicht gehabt, wie wir alle wissen."

Während Isabel sich wieder aus ihrer selbstauferlegten Starre löste, atmete Robert mehrmals kräftig durch, lächelte aber dann Andreas bestätigend an, als seine Frau beim Weggehen freudig ausrief: „Wir sind ein Volk!"

Kurz danach kam Johanna mit einer Flasche *Berlinsky* zurück und stellte sie laut auf den Tisch. „Robert, zweifelst du jetzt immer noch? Wenn du nicht mit uns auf die Einheit trinken möchtest, dann sag es einfach."

Robert wehrte mit beiden Händen energisch ab. „Nein, nein!"
Seine Zweifel und ein damit verbundenes Unbehagen hatten sich
inzwischen durch die positiven Worte seiner Familie gemildert.
„Habe es mir nur noch einmal durch den Kopf gehen lassen.
Natürlich trinke ich auch mit. Besonders bei dem guten *Berlinsky*.
Fürchte nur, dass wir, wenn unser Vorrat aufgebraucht ist, nur
noch *Rotkäppchen-Sekt* trinken können." Er schaute Johanna, jetzt
schon wieder besser aufgelegt, provokativ an.
Seine Frau antwortete ihm mit einem ironischen Lächeln. „Und
wenn schon, dann trinken wir halt *Rotkäppchen-Sekt*. Soll gar
nicht so schlecht sein … habe ich gehört."
„Oha, die Dame hat Beziehungen in die DDR, hört, hört!" Roberts
provokativer Gesichtsausdruck forderte sie geradezu heraus.
Johanna hob demonstrativ die Brauen an. „Nein, hat sie nicht.
Aber man kriegt halt so einiges mit, wenn man aufmerksam durch
das Leben geht."
Andreas wurde ungeduldig. „Ihr könntet doch auch noch heute
Nacht im Bett eure spitzfindigen Ost-West-Dialoge fortsetzen. Ich
persönlich würde jetzt mal gern einen kräftigen Schluck auf unser
hoffentlich bald vereinigtes Deutschland trinken. Habe schon
einen ganz trockenen Hals."
Gemeinsam hoben sie die Gläser, die Isabel zur Feier des Tages
sogar mit Untersetzer auf den Tisch gestellt hatte und prosteten
sich zufrieden zu: „Auf den Fall der Mauer.
Auf ein gemeinsames Deutschland."

Schulhof des Schillergymnasiums Köln-Sülz.
Jonas Held schüttelte fortwährend den Kopf. Seine beiden besten
Freunde Elvis und Leo redeten wild gestikulierend auf ihn ein.
„Nein, das musst du dir mal vorstellen!" Leo rang nach Worten.
„Diese irrsinnigen Grenzen durch halb Deutschland fallen
ersatzlos weg. Es gibt keine Todesstreifen mehr. Keine Grenzer,
die dich an der Transitstrecke schikanieren und dir einen Spiegel
unters Auto halten. Was haben sich die unzufriedenen DDR-
Bürger schon alles ausgedacht. Flucht mit dem Luftballon.
Versteckt im Bodenblech von Autos. Schwimmen in der Ostsee.
Oder rennen über den Todesstreifen … zickzack wie die Hasen.
Mehr als fünftausend DDR-Bürger wagten nach dem Mauerbau
1961 einen Fluchtversuch durch die Ostsee. Für fast zweihundert
endete die Flucht tödlich, die meisten, knapp fünftausend Menschen wurden entdeckt, festgenommen und jahrelang eingesperrt
… wegen ungesetzlichem Grenzübertritt.
Die meisten Festgenommenen wurden schon an Land aufgespürt.
Die auf der Flucht Gestorbenen kenterten mit ihren Booten oder
hatten als Schwimmer ihre Kräfte überschätzt. Einige Tote wurden
auch an Dänemarks Strände gespült. Viele wurden von Fischern
gefunden. Nicht wenige Flüchtlinge gelten heute noch als vermisst. Liegen vermutlich irgendwo auf dem Meeresgrund oder
wurden zu Fischfutter. Haben ihren Wunsch nach Freiheit leider
mit dem Leben bezahlen müssen.
Soweit ich es noch weiß, haben bisher neunhundert Flüchtlinge
überlebt und die Flucht ist ihnen auch gelungen. Etwa zwei Drittel
der Flüchtlinge waren vierzehn bis einundzwanzig Jahre alt, etwa
die Hälfte waren Arbeiter."
Jonas sah seinen Freund überrascht und fragend an. „Mensch Leo,
wer hat dir denn das alles so genau gesteckt?"
Leo streckte seinen Zeigefinger aus und stach damit kräftig gegen

Jonas' Brust. „Musst nur den Express lesen. Steht dort alles drin. Wenn die in ihren Berichten auch manchmal übertreiben, die Zahlen stimmen. Darauf kannst du Gift nehmen. Mein Vater sammelt jede Ausgabe und archiviert sie fein säuberlich in seinem Büro. Er hat sogar die legendäre Ausgabe vom FC-Double 1978. Ihr wisst schon, der FC wurde Pokalsieger und Meister, und zwar in dieser zeitlichen Reihenfolge, ... also zuerst Pokalsieger. Sonst ist es ja umgekehrt.

Wenn ich es euch kurz erzählen darf?" Ohne eine Antwort seiner beiden Freunde abzuwarten, fuhr Leo fort. „Es war damals die bisher letzte Meisterschaft für den FC und die war am Schluss noch ziemlich eng. Das Torverhältnis hatte entschieden. Gladbach hatte im letzten Ligaspiel 12:0 gegen Dortmund gewonnen. Mein Vater war damals mit seiner Schwester Sybille sogar im Stadion.

Der FC spielte zeitgleich in Hamburg, gewann auf St. Pauli mit 5:0 und hatte somit drei Tore mehr auf der Habenseite.

Das 12:0-Spiel fand in Düsseldorf statt.

Versteht ihr ... Düsseldorf. Kann ja nur schief gehen. Lasst mich kurz rechnen ... bei einem 16:0 wären die Gladbacher dann sogar Deutscher Meister geworden. Mein Vater und auch meine Tante Sybille waren der Meinung, das Spiel sei manipuliert gewesen. Beweisen konnte man es natürlich nicht. Das heißt dann aber, wenn sie geschummelt hätten, dann auch noch so schlecht, dass es trotzdem nicht gereicht hatte. Nun ja, Schwamm drüber. Der FC wurde Deutscher Fußballmeister ... und geschummelt oder nicht, egal! In Köln floss an diesem Samstag in den Kneipen mehr Kölsch in die durstigen Kehlen als Wasser den Rhein hinunter."

Leo senkte etwas betroffen den Kopf. „1983 nochmal Pokalsieger und das war's dann mit den Erfolgen von unserem FC. Bis heute. Schade."

Jonas und Elvis lächelten mitleidig.

„Aber jetzt bin ich doch vom Thema etwas abgedriftet. Nochmal zurück zur DDR." Leo, dessen Spitzname nicht umsonst *Laber-sack* war, räusperte sich laut. „Das müsst ihr euch mal vorstellen. Allein tausend Grenzpolizisten sicherten die Ostsee vom Land aus. Dazu gab es fünfundsiebzig feste Beobachtungsstellen. Auf der Ostsee selbst waren noch mehr als dreißig Boote und ungefähr achthundert Mann im Einsatz. Die Kapitäne der DDR-Handelsflotten mussten die Flüchtlinge natürlich gegen deren Willen aus dem Wasser holen und ihrer Regierung übergeben. Ebenso die Kapitäne der Fischerboote."

Elvis seufzte. „Gott sei Dank ist das jetzt vorbei. Die letzte Flucht soll sich ja erst Anfang September 1989 ereignet haben. Stand auch groß in der Kölner Rundschau." Mit einem verschmitzten Seitenblick auf Leo fuhr er fort. „Es muss ja nicht jeder nur den Express lesen. Ich kann mich sogar noch an den Namen des Flüchtlings erinnern ... Mario Wachter ... oder so ähnlich. Der machte sich Anfang September mit seinem Trabant von Karl-Marx-Stadt auf und fuhr mit einem festen Plan im Kopf Richtung Ostseeküste. Westlich von Wismar zog er dann seinen Neoprenanzug an und kurz vor Mitternacht stieg er ins kalte Wasser. Als es hell wurde, schwamm er immer noch. Er hätte sich dabei sogar gut gefühlt, gab er später in einem Zeitungsinterview mit der Rundschau an. Tatsächlich hatten ihn zwei DDR-Patrouillenboote passiert, aber sie schienen ihn nicht bemerkt zu haben.

Dieser Mario war nach heutigem Wissensstand wohl der Letzte, der den Eisernen Vorhang auf dem Meer durchbrochen hatte. In neunzehn Stunden legte er achtunddreißig Kilometer zurück, bevor ihn die Besatzung einer Fähre, die damals aus Schweden kam, kurz vor Travemünde aus dem Wasser fischten konnte. Er hatte es geschafft."

Die drei Freunde sahen betreten zu Boden. „Aber er hatte dabei sein Leben riskiert und nur weil er genau das wollte, was wir hier schon lange haben und es manchmal nicht einmal zu schätzen wissen."

„So, jetzt möchte ich mich aber auch am Geschichtenerzählen beteiligen." Jonas baute sich demonstrativ vor seinen beiden besten Freunden auf. „Kennt ihr zwei Schlafmützen eigentlich den Ort Mödlareuth?" Elvis und Leo schüttelten überfragt und etwas dümmlich ihre Köpfe. „Gut, dann kommt jetzt meine

Oststory. Ich kenne sie von meinem Opa, der dort eine Weile gelebt hatte. Passt gut auf, ihr Türstopper! Der kleine Ort Mödlareuth hatte damals ungefähr hundert Einwohner und liegt an der Grenze von Bayern und Thüringen.

Nachdem Deutschland den Ersten Weltkrieg verloren hatte, ging der Westteil Mödlareuths in den neu gegründeten Freistaat Bayern und der Ostteil in das Land Thüringen über. Der Tannbach, der mitten durch den Ort floss, blieb als Grenzverlauf weiterhin bestehen. Aber der war zunächst lediglich eine Verwaltungsgrenze, die das Alltagsleben der Mödlareuther nicht sonderlich beeinträchtigt hatte. Das einzige Wirtshaus und die Schule befanden sich im thüringischen Teil Mödlareuths und wenn man den Gottesdienst besuchen wollte, ging man gemeinsam ins benachbarte bayerische Töpen. Man lebte friedlich miteinander und zog sogar gemeinsam in den Zweiten Weltkrieg. Der war dann, Gott sei Dank, am 9.5.1945 offiziell beendet, nachdem der deutsche Generalfeldmarschall Wilhelm Keitel die Kapitulationspapiere unterschrieben hatte. Hitler hatte sich ja bereits am 30.4.1945, zusammen mit seiner Frau Eva Braun, in seinem Führerbunker in Berlin, das Leben genommen.

Nach Kriegsende erfolgte die Aufteilung Deutschlands in die vier Besatzungszonen. Entsprechend der Londoner Protokolle der Alliierten verliefen die Demarkationslinien weitestgehend entlang der alten Landesgrenzen des Deutschen Reiches von 1937 ...“

„Das wissen wir doch!“, warf Leo augenverdrehend ein. „Hatten wir vor kurzem erst in Geschichte bei Frau Vogeltanz.“

Jonas schnaubte. „Okay, okay. Aber es geht noch weiter. Für die Menschen in Mödlareuth bedeutete die Aufteilung nach dem Krieg, dass der Tannbach die Grenze zwischen Mödlareuth-Ost in der sowjetischen und Mödlareuth-West in der amerikanischen Besatzungszone bildete. Als dann die DDR als eigener Staat und die BRD ebenfalls als eigener Staat gegründet wurden, gehörte der Ostteil Mödlareuths zum Territorium der DDR, der Westteil aber zu dem der Bundesrepublik. Somit waren beide Teile Mödlareuths nicht nur Bestandteil zweier verschiedener Staaten, sondern auch völlig unterschiedlicher politischer, militärischer, wirtschaftlicher und gesellschaftlicher Systeme. Wie schon gesagt, sie lebten vorher jahrelang friedlich und harmonisch miteinander.

Man nannte Mödlareuth inzwischen auch Kleinberlin. Ich glaube jetzt nicht, dass ihr das auch gewusst habt." Jonas schaute seine Mitschüler prüfend an, als es auf dem Pausenhof laut klingelte.

Nachdenklich suchten die drei Freunde ihr Klassenzimmer auf. „Die Geschichte musst du uns aber noch zu Ende erzählen, Jonas. Ist unglaublich. Ich vermute, dass du dir das alles ausgedacht hast und deinen Opa dabei nur vorschiebst", sagte Elvis ungläubig.

Jonas lächelte erhaben. „Den Rest erzähle ich euch auch noch bei Gelegenheit … und ausgedacht habe ich mir schon mal überhaupt nichts."

Um siebzehn Uhr kam Jonas nach Hause. Zusammen mit seiner Schwester Linda, seiner Mutter Carla und deren Lebenspartner Michael wohnte er in einer großen Wohnung in der Berrenrather Straße des Kölner Stadtteils Sülz. Zwar Altbau, aber dafür hatten sie genügend Platz.

Er warf die Schultasche auf's Bett und zog seine Sportsachen an. Seine Mutter stand in der Küche und schnippelte Gemüse klein. Im Vorbeigehen rief er ihr zu, dass er noch in den Beethovenpark zum Joggen gehen würde. Wie an jedem trainingsfreien Tag.

Als er an dem künstlichen Berg im Park vorbeikam, blieb er kurz stehen, machte ein paar Dehnübungen und dachte über die Worte seines Freundes Leo nach. Der künstliche Hügel, den er im Winter schon so oft mit dem Schlitten heruntergefahren war, bestand größtenteils aus Schutt vom Zweiten Weltkrieg. Krieg, so ziemlich das Unnötigste auf der Welt. Immer wieder glimmen in der ganzen Welt die Flammen des Krieges auf. Sogar in diesem Moment wird irgendwo auf der Welt gebombt, geschossen … und natürlich getötet! Und genau daraus entstehen dann Zerstörungen, unsagbares menschliches Leid und völlig unnötige Länderteilungen, wie auch bei uns. Dann bauen die Menschen Mauern und legen sogar noch Stacheldraht obendrauf, damit ja keiner das eigene Land verlassen kann. Man will keine unerwünschten Eindringlinge von außen und sperrt dabei gleichzeitig die eigenen Bürger ein. Zumindest die DDR hat das so gemacht. Und wenn dann doch einer die Freiheit sucht, dann schießt der eigene Landsmann auf ihn. Nur weil es von oben so bestimmt wurde. Und die meinen tatsächlich noch, dass sie richtig gehandelt hätten. Nach dem Gesetz! Aber wessen Gesetz?

Sind von der Rechtmäßigkeit ihren Taten sogar noch überzeugt. Unbeschreiblich!

Jonas lief weiter und steigerte sein Tempo. Er erreichte bald den Äußeren Grüngürtel und lief dann über Rodenkirchen zum Rhein hinunter. Am Ufer ruhte er sich kurz aus und lockerte dabei seine Muskeln und Glieder. Fitness war ihm enorm wichtig.

Das Südstadion tauchte in der Ferne auf. Da musste er vorbeilaufen. Das war sein Ritual. Wenn er es nicht tat, brachte das Unglück. Anschließend machte er sich auf den Rückweg und steuerte wieder die Berrenrather Straße an.

Jonas spielte bereits seit dem achten Lebensjahr bei der Kölner Fortuna. Seine Lieblingsspieler und Vorbilder waren Stephan Engels und Tony Woodcook, die beide vorher über zehn Jahre beim großen FC gespielt hatten. Der Sport liebt seine Helden. Stephan hatte in der abgelaufenen Saison fünfzehn und Tony sogar fünfunddreißig Tore für Fortuna Köln erzielt.

Jonas spielte inzwischen im offensiven Mittelfeld der A-Jugend. Als Offensivspieler einer Jugendmannschaft brauchte man große Vorbilder. Männer wie Engels und Woodcook. Torgaranten. Zu ihnen schaute er auf. Das spornte an. Jonas hatte selbst schon fünfundzwanzig Tore in dieser Saison geschossen. Trotzdem: Der Trainer meinte, er gehöre noch immer in die A-2. Die A-1 sei noch eine Nummer zu groß für ihn. Er tat es zunächst als Unsinn ab, wollte aber alles tun, um dem Trainer zu beweisen, dass er in die erste A-Jugendmannschaft gehörte. Jonas ging nach dem Training noch regelmäßig in den Fitnessraum. Muskelaufbau. Er war zu allem bereit, ihm war nichts zu viel. Sein großes Ziel war die erste Mannschaft von Fortuna Köln und dann einmal … man wird doch wohl noch träumen dürfen … der FC!

Er verehrte besonders den früheren FC-Spieler Heinz Flohe und spielte auch bei der Fortuna dessen Position. Trug natürlich die legendäre Nummer Acht. Heimlich hatte er auch einige Tricks von Flohe einstudiert. Flohe spielte leider nicht mehr aktiv, sondern war inzwischen Trainer beim TSC Euskirchen.

Seine Position beim FC wäre also frei …!? Man wird doch wohl noch träumen dürfen.

Zuhause ging er unter die Dusche und ließ sich anschließend laut stöhnend auf den alten Holzstuhl am Küchentisch fallen.

„Bin völlig erschöpft! Was gibt es zu Essen? Könnte einen Bären vertilgen."

Seine Mutter lächelte erhaben. Noch immer war sie sehr attraktiv, trotz der Schürze um ihre Hüften und den Soßenflecken auf dem Stoff. Sie war eine hochgewachsene, hübsche Frau, deren Schönheit das Alter wenig anzuhaben schien.

„Ja, ja die Kinder. Wenn sie Hunger haben, dann kommen sie an die Quelle. Warte noch, bis Michael kommt. Linda sitzt noch in ihrem Zimmer und macht Hausaufgaben. Da könntest du dir mal eine Scheibe von deiner Schwester abschneiden. Die büffelt schon den halben Nachmittag. Aber der Herr hat ja nur den Fußball im Kopf."

Linda war sechzehn Jahre alt, nur ein Jahr jünger als Jonas. Ging ebenfalls auf das Schiller-Gymnasium und war dort natürlich Klassenbeste. Jonas hielt es mehr mit dem Sport und konzentrierte sich, wie seine Mutter gesagt hatte, auf den Fußball. Er schwamm in der Klasse so mit und war zufrieden, wenn er versetzt wurde.

Man hatte ihm bei der Fortuna schon einen Profivertrag in Aussicht gestellt, … wenn er etwas kräftiger werden würde. Er arbeitete daran und war guter Hoffnung, dass er es eines Tages vielleicht sogar in die Bundesliga schaffen könnte. Eines Tages wird's geschehen …!

Er schaute auf das Foto mit dem Trauerflor am Rand, das auf dem Kamin stand: Der Papa. Der würde auch sagen, er solle am Fußball dranbleiben. Ach, wäre er doch bloß noch hier.

Vor sechs Jahren hatte die Kölner Familie Held einen schweren Schicksalsschlag hinnehmen müssen. Heinz Held, Jonas' Vater, war im Alter von nur achtunddreißig Jahren gestorben. Er hatte bei der Firma Bayer in Leverkusen gearbeitet. In der Entwicklung für Düngemittel.

Wegen des gefährlichen Umgangs mit den verschiedensten Giften, schickt das Pharmaunternehmen seine besonders gefährdeten Mitarbeiter halbjährlich zur gesundheitlichen Untersuchung.

Der Vater kam eines Abends, es war kurz vor Weihnachten 1982, niedergeschlagen nach Hause. Wollte zunächst nicht damit rausrücken. Aber als ihm ein paar Tränen über die Wangen liefen, konnte er es seiner Familie nicht mehr verheimlichen.

Lungenkrebs, der bereits gestreut hatte.

Alle in der Familie versuchten ihn aufzubauen, verwiesen an die heutige ärztliche Kunst und dass es andere auch schon geschafft hätten. Vater lächelte zwar unwirklich, nickte aber seiner Familie trotzdem hoffnungsvoll zu. Die Firma Bayer hatte damals sogar noch einige kostspielige Behandlungen in einem Spezialkrankenhaus bezahlt, aber es war bereits zu spät. Man gab ihm noch fünf oder sechs Monate ... allerhöchstens ein Jahr. Er starb am 11. Juni 1983, genau um 18.00 Uhr. Zwei Kinder, elf und neun Jahre alt, hatten am Grab des Melatenfriedhofes gestanden und nicht begreifen können, was da gerade geschehen war ... und vor allem, wie es jetzt weitergehen sollte ... ohne Vater. War er jetzt wirklich im Himmel? Kann er von dort herunterschauen? Kam er wirklich nie wieder zu seiner Familie zurück?

Wenigstens erhielt Theresa später von Bayer eine monatliche Zuwendung, die ihr über die Runden half. Die Familie konnte ihre Wohnung in der Berrenrather Straße behalten. Aber trotzdem hatte der Konzern ihr den Mann weggenommen. Das Geld konnte ihr weder den Ehemann noch den Kindern ihren Vater ersetzen. Aber sie konnten wenigstens weiterleben und genau das hätte Heinz auch gewollt. Jonas wusste, dass sein Vater viel Zeit gehabt hatte, um intensiv über seinen Tod nachzudenken. In der Tragik seiner schwachen Worte wünschte er sich manchmal sogar lieber einen schnellen Unfalltod! Makabre Worte. Zu dem tragischen Tod von Heinz Held kam noch ein ganz besonderes Ereignis hinzu.

Jonas' Vater war großer FC-Fan und auch langjähriges Mitglied des Kölner Bundesligisten. Ausgerechnet an seinem Todestag gewann der 1. FC Köln im Endspiel gegen den Lokalrivalen Fortuna Köln das DFB-Pokalendspiel mit 1:0, durch ein Tor von Pierre Littbarski. Kurz nach Spielende schlief Heinz Held zufrieden ein. Jonas war fest davon überzeugt, dass sein Vater noch alles mitbekommen hatte. Er konnte zwar nicht mehr sprechen, deutete aber vor dem Spiel, das um 16.00 Uhr angepfiffen worden war, immer wieder nervös auf das Radiogerät. Beim entscheidenden Tor von Litti in der siebenundsechzigsten Minute, meinte Mutter nach langer Zeit sogar wieder ein Lächeln in seinem Gesicht erkannt zu haben.

Seit Heinz Held gestorben war, wurde der 1. FC Köln weder Pokalsieger noch Deutscher Fußballmeister. Es ging eher in die andere Richtung. Zweite Liga!

Aber vielleicht klappte es mal wieder, wenn Jonas beim FC in der Bundesliga spielen würde. Doch Vater könnte sich darüber dann nicht mehr freuen … oder doch? Ist er wirklich im Himmel?

Jonas würde auf jeden Fall sein erstes Bundesligator seinem Vater widmen und wusste, dass der unheimlich stolz auf ihn gewesen wäre. Aber noch war es nicht so weit.

Jonas hatte schon oft darüber nachgedacht. Er arbeitete auch deshalb akribisch an seinem Traum. Ganz besonders natürlich für seinen Bap. Jonas hatte es ihm noch unmittelbar vor seinem Tod versprochen. Dabei hatte Vater mit den Augen geblinzelt, als hätte er es verstanden. Jonas sprach heute noch jeden Abend vor dem Einschlafen mit ihm. Über seine Probleme, seine Ängste und auch über seine Zukunft … und er war felsenfest davon überzeugt, dass sein Bap ihm zuhörte. Auch wenn Jonas keine Antwort bekam.

Vor ungefähr einem Jahr hatte Mutter wieder Jemanden kennengelernt. Sie wollte eigentlich kein Verhältnis mit einem anderen Mann anfangen. Der Schmerz über den Tod ihres Mannes saß sehr tief, aber die Zeit versteht es doch, Wunden zu heilen. Jonas und auch Linda hatten ihr immer wieder zugeredet. Sie sollte doch nicht auf alles verzichten. Vater wäre der Erste gewesen, der ihr das auch geraten hätte, so sehr er sie auch geliebt hatte. Vielleicht gerade deshalb. Aber er war ja nicht mehr da … konnte nicht mehr für sie da sein.

Mutter arbeitete seit vier Jahren wieder in der Redaktion der Kölner Rundschau. Zunächst halbtags. Vor zwei Jahren hatte sie dann auf fünfundsiebzig Prozent erhöht. Die Arbeit machte ihr Spaß. Lenkte sie gleichzeitig von ihrem Schicksal ab.

In den Räumen der Rundschau tauchte dann im Oktober 1988 ein neuer Mitarbeiter auf, der das Büro neben ihr bezog. Man kam sich näher und entwickelte eine zunehmende Sympathie füreinander.

Im Sommer 1989 zog Michael dann bei den Helds ein.

Natürlich kam es anfangs zu gewissen Schwierigkeiten, insbesondere als Michael in Erziehungsfragen eingreifen wollte. Er meinte es nur gut und wollte Carla entlasten. Aber er war nicht der Vater … und sie wussten fast nichts von ihm. Wenn es um sein früheres Leben ging, blockte er; wollte nicht darüber sprechen. Er meinte dazu nur, dass man die Vergangenheit ruhen lassen sollte, da man sie sowieso nicht mehr ändern könnte … bei der Zukunft sei das anders, die könnte man wenigstens noch einigermaßen gestalten.

Inzwischen hatten sich aber die anfänglichen Probleme immer mehr gelockert und man versuchte, sich zusammenzuraufen.

Sahen tatsächlich in der Zukunft ihre neue Hoffnung.

Freitag, 10. November 1989,
Berlin-Köpenick, Ostdeutschland

Die Mauer war gefallen.

Ohne Schießbefehl konnte man von Ost nach West und wieder zurück. Die DDR-Volkspolizisten waren verschwunden, oder sie winkten die Bürger freundlich durch. Es gab keine innerdeutschen Grenzkontrollen mehr. Keine Angst.

An den Grenzen wurden sogar spontane Feste gefeiert. Der Sekt floss in Strömen. Immer mehr Betonstücke aus der Mauer wurden herausgebrochen und als Souvenir mitgenommen. Später sollten viele Mauerstücke in den Souvenirläden von Berlin und Umgebung auftauchen und teuer verkauft werden.

Eine stets erwartete und umkämpfte, aber nie geahnte Freiheit für die Bürger der DDR tat sich auf. Zumindest für viele von ihnen. Natürlich wollten nicht alle ihr Land, in dem sie aufgewachsen waren, verlassen. Immer mehr waren auch Sprechchöre wie „Wir bleiben hier" zu hören. Aber auch ihnen war wichtig, dass die Grenzen jetzt offen sind. Ein unbekanntes Gefühl der Freiheit lebte auf. Plötzlich war der Käfig offen.

„So mein Freund, jetzt holen wir uns mal den Blumenstrauß ab … war natürlich ein Scherz, ich meine selbstverständlich das Begrüßungsgeld. Sind immerhin hundert Westmark. Die hat uns der Westkanzler Kohl ja versprochen. Du weißt ja, dass jeder Bürger der Deutschen Demokratischen Republik schon seit 1970 ein Begrüßungsgeld von dreißig Westmark erhielt, wenn er in die Bundesrepublik einreiste. Dieses Geld konnte sogar zweimal im Jahr beantragt werden."

Lothar sah Dieter, beeindruckt von dessen Wissen, freudig an. Dieter lächelte erhaben und fuhr fort. „Ja, und dann wurde dieses Begrüßungsgeld im vergangenen Jahr sogar auf sage und schreibe hundert Westmark erhöht … aber, es konnte nur noch einmal im Jahr beantragt werden. Man musste zum Abholen nur einen amt-

lichen DDR-Ausweis mitbringen und bekam dann dieses sogenannte Begrüßungsgeld bar auf die Kralle."

Lothar schüttelte ungläubig den Kopf und schaute seinen Freund
Dieter mit Dollarzeichen in den Augen herausfordernd an. „Was?
Wie? Jetzt gehen wir einfach rüber und holen uns die Kohle …
und den Blumenstrauß?"

„Ganz genau, du Schlaftablette, natürlich nicht den Blumenstrauß,
aber das Geld. Jeder DDR-Bürger, ob Baby oder Opa, bekommt
es. Wir müssen, wie schon gesagt, nur rüber nach Westberlin und
kassieren die Wessis ab. Du hast hoffentlich deinen Ausweis griff-
bereit in der Tasche?"

Lothar nickte heftig. „Natürlich. Wir DDR-Bürger müssen den ja
sowieso immer bei uns tragen. Jetzt bin ich sogar richtig froh, dass
ich so einen blauen Ausweis überhaupt besitze." Lothar zwinkerte
Dieter spitzbübisch zu und überlegte kurz. „Gut, wenn das so ist,
dann sollten wir uns das Begrüßungsgeld auf keinen Fall entge-
hen lassen. Ich weiß sogar schon, was ich damit anfangen werde.
Wenn ich den Zaster habe, geht's direkt zum Ku'damm. Als
allererstes besorge ich mir eine LP von den Stones. Und zwar die
funkelnagelneue Steel Wheels. Ein Traum, Alter. Richtig scharfe
Rockmusik!" Lothar überschlug sich fast bei seinen Worten, die
ihm wie ein Wasserfall aus dem Mund sprudelten.

Dieter hob ermahnend den rechten Zeigefinger. „Was heißt LP?
Jetzt können wir uns doch endlichen einen CD-Spieler und CD's
leisten. Das ist die neue Welt, Lothar. Im Westen läuft ja schon
lange alles digital. LP's sind *out*, mein Freund."

„Nein, nein, ich bleibe bei meinen guten, alten Langspielplatten
aus Vinyl. Auch wenn die jetzt, wie du so schön auf Neudeutsch
sagst, *out* sind. Ist mir egal. Du wirst sehen, irgendwann kommen
die wieder. Bei meiner Schallplatte weiß ich, was ich habe. Und
wenn sie knistert, ist das umso schöner. Das gehört sogar dazu."

Dieter nickte zweifelnd. Aber trotzdem kaufe ich mir von meinem
Westgeld die neue *Oh Mercy* von Bob Dylan. Hätte nie gedacht,
dass ich mal so schnell an eine neue Dylanplatte komme."

Lothar entgegnete ihm streng. „Du hast doch gerade noch von

einer CD gesprochen, Dieter."

„Ja, ja, logisch. Habe aber leider auch noch keinen eigenen CD-Player. Muss mich selbst erst an die neue Zeit gewöhnen.

Gut. Dann treffen wir uns morgen Nachmittag, würde sagen, so gegen 14.00 Uhr, und anschließend geht's ab, nicht über die Mauer, sondern mittendurch, direkt in den Westen. Völlig legal und keiner schießt uns hinterher." Er verzog schmerzvoll das Gesicht und griff sich demonstrativ an die Brust, als wäre er im selben Moment von einer Kugel getroffen worden und würde zu Boden taumeln.

Lothar lächelte seinen Freund begeistert an. „Ja, morgen passt prima. Bin schon richtig aufgeregt. Haben sogar trainingsfrei."

Dieter überlegte kurz. „Apropos Training. Da fällt mir etwas Sensationelles ein. Jetzt könnten wir beide ja sogar zusammen bei der Hertha spielen und das große Geld verdienen. Ganz legal, ohne Flucht. Ich kann es immer noch nicht begreifen."

Lothar schüttelte seinen Freund an den Oberarmen. „Mensch Dieter, da kommen ja Möglichkeiten auf uns zu, von denen wir im letzten Monat noch nicht einmal geträumt haben."

Dieter sah ihm tief in die Augen. „Doch! Geträumt habe ich schon immer davon. Aber dass es einmal wahr werden könnte ... ich muss das erst mal verarbeiten."

Dann umarmte er Lothar. Das hatte er bisher noch nie getan.

„Bis morgen früh in der Schule."

„Ja, bis morgen früh, mein Freund.

Ich sage noch Hans Bescheid."

Seine Stimme wurde dabei inbrünstig und war sogar von einer neu gewonnenen, bisher unbekannten Euphorie geprägt.

Freitag, 10. November 1989,
Lutherstadt Wittenberg, Sachsen-Anhalt, Ostdeutschland

Ralph Schad hatte es erst am nächsten Morgen in seinem Klassenzimmer erfahren.

„Die Mauer ist wirklich gefallen? Ich glaube es nicht. Ihr macht Witze. Nein, das kann nicht sein … verarschen kann ich mich selbst." Er schüttelte schnell den Kopf, als müsse er sich in die Wirklichkeit zurückholen; seine rastlosen Augen schauten unsicher umher. Seine Mitschüler redeten wie wild auf ihn ein, allen voran sein bester Freund Markus. „Doch, natürlich, du Hinterwäldler. Wir Ossis sind aufgestanden. Haben uns ja auch lange genug gegen unser Versagerregime gewehrt. Man darf die Macht der Straße nicht unterschätzen. Gruß an unsere Politiker. Die Montagsdemos waren nicht umsonst. Entscheidend war die Demo gestern in Leipzig. Die Regierung hatte schon geplant mit Waffengewalt alles niederzuschlagen. Aber es kamen immer mehr Leute, ungefähr siebzigtausend Menschen versammelten sich auf der Straße und demonstrierten gegen den autoritären SED-Staat. Und, was das Allerwichtigste war, die haben friedlich protestiert. Brüder hört die Signale!"

Ralph hatte sich wieder einigermaßen gefasst. „Ja, gut, wenn's so ist. Aber … was bedeutet das nun für uns?"

Markus Kretzer baute sich jetzt demonstrativ vor ihm auf. „Ich möchte nicht, dass mein bester Kumpel dumm stirbt. Pass mal gut auf, Ralph! Das bedeutet Reisefreiheit, Essen und Trinken was und soviel wir wollen, freie Wahlen, Musik aus der ganzen Welt hören, mehr Geld in der Tasche haben. Westfernsehen legal einschalten. Deutschland wächst jetzt wieder zusammen. Freie Presse und was man auch nicht vergessen sollte, wir können demnächst sogar Westbier trinken, du Schnarchnase!"

Ralph schaute Markus herausfordernd an.

„Westbier?

Aber klar. Natürlich. Genau darauf freut sich unser Neben-
erwerbstrinker natürlich am meisten, wie ich ihn kenne."
Konnte es aber immer noch nicht glauben. Eigentlich war Ralph
mit seinem Leben in Ostdeutschland zufrieden. Er machte mit
seiner Familie regelmäßig Urlaub am Plattensee in Ungarn und
das Ostbier war bestimmt nicht schlechter als das der Wessis.
Er schaute Markus irritiert an. „Unser Radeberger oder Wernes-
gruener kann sich aber überall sehen … äh trinken lassen."
Dabei nickten die anderen Klassenkameraden heftig.
Es klingelte und schon im nächsten Moment betrat Lehrerin Birgit
Wirsching das Klassenzimmer. Die Gespräche verstummten.
Frau Wirsching ging kurz und äußerst sachlich auf die aktuellen
politischen Ereignisse ein, bevor sie dann mit dem eigentlichen
Unterricht begann.
Ralph konnte aber weder der anschließenden Mathestunde, noch
der darauffolgenden Doppelstunde Russisch folgen. Er musste
immer wieder an den Mauerfall denken. Konnte sich nicht vorstellen, wie das Ganze vonstatten gegangen sein sollte. Man durfte
jetzt offensichtlich ohne Probleme vom Osten in den Westen,
einfach so … und natürlich auch jederzeit wieder zurück, wenn
man es wollte. Unglaublich! Was passierte da gerade in seinem
Leben?
Dann dachte er an seine Oma und an seinen Opa in Königshofen,
die er noch nie persönlich gesehen hatte oder sich zumindest nicht
mehr daran erinnern konnte. Er nahm sich fest vor, sie auf jeden
Fall zu besuchen. Sein Vater hatte es ihm immer wieder ausge-
redet. Dass es nicht ginge, wegen der Formalitäten und dass man,
wenn man einen Ausreiseantrag stellte, sofort auf der Liste der
Stasi stehen würde. Die würden dann eine Akte über die ganze
Familie anlegen und alles Private ausspionieren. Das wollte Ralph
natürlich nicht riskieren und hatte sich damit abgefunden, dass es
einfach nicht möglich war. Zum Schutz seiner Familie. Aber jetzt
sah die Sache natürlich ganz anders aus. Man konnte ohne
jegliche Formalitäten, Anträge und Kontrollen in den Westen.
Unvorstellbar.

Erst als er die russischen Worte: *Na segodnya dostatochno* hörte, was soviel wie *genug für heute* bedeutete, nahm Ralph wieder seine Umgebung wahr.

Auf dem Heimweg stand die bereits tief stehende Sonne hinter ihm. Sein Körper warf einen langen Schatten nach vorne, weit über dessen Länge hinaus und verwandelte ihn so in einen Riesen. Tatsächlich fühlte sich Ralph auch in seinem Innersten größer, ja sogar richtig befreit.

Sein Leben in der DDR war ihm eigentlich bisher gar nicht so unangenehm vorgekommen, aber jetzt … ja, von Minute zu Minute steigerte sich seine aktuelle Glückseligkeit. Dachte dabei an Italien, Frankreich, Spanien und insbesondere an Westdeutschland mit einer bisher ungekannten, emotionalen Freude.

Immer wieder kam ihm Königshofen in den Sinn.

Was vorher noch ein unerfüllter Traum war, wurde plötzlich zur Realität. Freiheitsgefühle umgarnten ihn warmherzig.

Um 18.30 Uhr saß Ralph am Tisch der Familie Schad.

Ihr Reihenhaus in der Maiblumenstraße von Wittenberg wurde ihnen damals vom Regime zugeteilt. Es war ein schon etwas älteres aber doch noch ansehnliches Haus. Fast alle Häuser in dieser Straße sahen sich sehr ähnlich. Die graubraune Farbe dominierte.

Aber Ralph war froh, nicht in einem Plattenbau leben zu müssen.

Natürlich war der Mauerfall heute das einzige Thema am Tisch der Familie Schad. Nur Vater wirkte irgendwie anders. Beteiligte sich nur sporadisch an den Gesprächen, sprach nur, wenn er direkt gefragt wurde. Ralph machte sich aber darüber keine weiteren Gedanken, dachte, dass sein Vater halt mal wieder einen schlechten Tag gehabt hatte.

Ärger im Museum.

Hierbei lag Ralph jedoch falsch.

Johanna Zimmermann kam aufgeregt nach Hause und stellte ihre Einkaufstaschen laut krachend auf den Küchentisch.

„Ich weiß gar nicht, wo ich anfangen soll. Ganz Westberlin ist voll. Die Ostler haben uns total überrannt. Damit hätte nicht einmal ich gerechnet. Wir haben zwar vor zwei Tagen den Mauerfall noch mit Sekt gefeiert, aber jetzt …"

Sie schüttelte fortwährend den Kopf. „In vielen Geschäften war schon gegen Mittag alles ausverkauft. Die haben ja mehr Westgeld im Beutel als wir. Und jetzt kommen auch noch die hundert Mark Begrüßungsgeld dazu, die jeder DDR-ler abkassiert. Robert, du hattest wieder mal recht. Finde ich auch etwas übertrieben. Wir müssen uns das Geld immer noch hart verdienen." Sie atmete tief aus, bevor sie ihrem angestauten Unmut weiter Platz machte. „Am Ende unserer Straße hat ja der Immobilienmakler Tim Janitza sein Büro. Ihr werdet es nicht glauben. Die Schlange stand bis auf die Straße hinaus. Die Ostler kaufen uns auf!"

Robert faltete die Berliner Zeitung, die er sich heute Morgen im Osten gekauft hatte, fein säuberlich zusammen. „Ich weiß nicht so recht. Aber du hast recht. Die Stadt hat jetzt nur noch ein Thema. Überall tauchen die Ossis auf. Und wenn sie mal nicht da sind, dann wird zumindest über sie gesprochen. In unserem Polizeipräsidium gab es natürlich auch nur dieses eine Thema. Aber ich habe mich zurückgehalten. Wollte meine Zweifel nicht so offen anmelden … noch nicht! Bei uns wird sich da auch einiges ändern, hoffentlich zum Guten."

Johanna schaute ihn vorwurfsvoll an. „Du kannst bei uns immer noch offen sagen, was du denkst, Robert. Oder meinst du, die Ossis schicken ihre inoffiziellen Mitarbeiter jetzt auch noch zu uns rüber? Die wollen sowieso von ihrem Verrat in der DDR bald nichts mehr wissen, da bin ich mir sicher."

Robert hatte seine Frau bisher selten so in Rage gesehen. Aber es gefiel ihm, wie sie sich aufregte. Dabei war sie im positiven Sinn sie selbst. Er liebte das ernste Spiel ihrer kritischen Augen.

Dann lächelte er seine Ehefrau freundlich an. „Könnte die gnädige Dame im Anschluss an ihre Plenarsitzungsrede auch noch ein Abendessen auf den Tisch zaubern?"

Jetzt lächelte auch Johanna wieder. „Wenn der gnädige Herr Kriminalhauptkommissar mir zur Hand gehen würde und seine Zeitung später liest, geht's natürlich bedeutend schneller."

Sportlich erhob sich Robert, legte die Berliner Zeitung in die Zeitungskiste, die er erst vor einigen Tagen retro-weiß lackiert hatte, und öffnete den Kühlschrank. „Ich bin ja vorrangig für die Getränke zuständig. Ein Bier wirst du heute nicht ablehnen, oder?"

„Oh ja, ein kühles Radler wäre jetzt genau das, was ich brauche, nach der ganzen Aufregung." Johanna nickte zufrieden.

Beim Abendessen ergriff Andi, der sich bisher überhaupt nicht zu der neuen Lage geäußert hatte, nach einer längeren Ruhepause als Erster das Wort. „Habe heute mit einigen Ossis gesprochen. Die waren so etwa in meinem Alter. Ich muss sagen, das sind auch Menschen. Ganz normale Menschen, … genauso wie wir."

Isabel ergänzte sarkastisch: „Und die sprechen sogar dieselbe Sprache. Ich möchte jetzt nach so relativ kurzer Zeit die ganzen Probleme, die eventuell auf uns zukommen, noch gar nicht so sehen, der finanzielle Kram und so weiter.

Mir ist das Menschliche wichtiger, dass wir wieder zusammen sind, dass wieder zusammenwächst, was zusammen gehört.

Irgendwie überwiegt bei mir die Freude … das Glücksgefühl. Ich gönne denen auch die hundert Mark Begrüßungsgeld. Waren ja bisher auch ziemlich arme Schweine. Man hatte sie in ihrem zwangshaft auferlegten System regelrecht eingesperrt."

Die anderen Familienmitglieder schauten Isabel überrascht, aber doch bestätigend, an.

„Ja, Isa hat recht." Robert lächelte seiner Tochter stolz zu. „Das Menschliche geht vor. Und wir gehören zusammen … in einem Land. Wie eine Familie in einem Haus."

Andreas schaute seinen Vater verblüfft an. „Schön, dass du inzwischen auch so denkst. Aber trotzdem kommt da eine ganze Menge auf uns zu. Die Währung muss umgestellt werden. Ich weiß jetzt gar nicht, ob das unserer guten, alten Mark nicht schadet. Aber vielleicht haben wir ja in zehn Jahren eine ganz andere Währung. Ich hoffe dann für ganz Europa.

Für die Ostmark hat man ja bisher nicht einen einzigen Pfennig Westgeld bekommen. Die Ostwährung wollte einfach keiner haben. Beim sogenannten Zwangsumtausch musste man sie ja nehmen. Aber, jetzt aufgepasst, für eine Westmark, also unsere D-Mark, kann man im Moment bis zu dreißig Ostmark bekommen. Das kommt fast einer Inflation der Ostmark gleich.

Dann das nächste Problem: Wir bekommen neue Bundesländer dazu und die brauchen alle Regierungen, Behörden, Meldeämter, Zulassungsstellen und so weiter. Alles muss umgestellt werden … natürlich auf Westniveau.

Vermutlich werden die historischen Städte im Osten jetzt wieder auf Vordermann gebracht. Dort soll es ja inzwischen katastrophal aussehen. Leipzig, Dresden, Potsdam, Schwerin und so weiter. All die Jahre nichts gemacht. Einfach verfallen lassen.

Die Polizei muss völlig umgestellt werden. Und ganz besonders aufpassen müssen wir, dass die Verräter vom Osten jetzt nicht auch noch die hohen Stellen bei der Polizei oder bei der Verwaltung bekommen. Wer entscheidet das dann? Da müssten dann Westpolizisten und Verwaltungsleute in den Osten und denen alles beibringen. Und jetzt kommst du ins Spiel, Papa."

Robert überlegte kurz. „Ja, ich könnte mich dann in den Osten abordnen lassen und die dortigen Kollegen unterstützen. Da hast du recht. Wurde bei uns im Präsidium bereits angesprochen. Man könnte dabei sogar eine Laufbahnstufe höher kommen. Wie ihr wisst, bin ich als Kriminalhauptkommissar im gehoben Dienst und ich nehme an, wenn ich keine kleinen Kinder fresse, dass ich das dann auch bis zu meiner Pensionierung bleiben werde. Wenn ich hier bei uns weiter nach oben kommen wollte, dann müsste ich schon einen Chefposten anstreben. Aber das will ich gar nicht. Ich arbeite lieber im operativen Dienst auf der Straße. Mir graust es schon, wenn ich an die umfangreichen Schreibarbeiten bei meinen Mordfällen denke. Nein, ich bin nicht für den Schreibtisch geschaffen. Aber wenn ich mich für das Projekt, ich nenne es mal Aufbau Ost, bewerben würde und wenn man mich nehmen würde, könnte ich sogar in den höheren Dienst kommen und ich könnte meine Ermittlungstätigkeiten trotzdem auf der Straße fortsetzen. Das heißt natürlich zwangsläufig, dass ich mehr Geld verdienen würde. Nur besteht halt drüben auch die Gefahr, dass ich vielleicht doch mehr Innendienst machen müsste und die DDR-Kripo auf Westniveau umpolen dürfte. Aber das kann man auch am besten in der Praxis lernen." Robert machte eine kurze Pause. „Wenn ich das in Ostberlin machen könnte, wäre es natürlich optimal. Habe aber keine Lust nach Leipzig, Dresden, Halle oder weiß Gott wohin zu fahren."

Die anderen Familienmitglieder blieben bei den lauten Überlegungen des Hausherren zunächst still. Das musste erst durchdacht werden.

Dann lächelte aber Isa ihren Vater verschmitzt an. „Heißt das dann auch mehr Taschengeld?"

„Könnte natürlich sein", machte Robert seiner Tochter Hoffnung. „Aber bevor man die Kuh melken kann, muss man sie erst haben. Bis dahin fließt noch viel Wasser die Havel hinunter."

Robert ging nachdenklich in die Küche und holte sich aus dem Kühlschrank eine weitere Flasche *Berliner Kindl*.

Nachdem er wieder Platz genommen hatte, fuhr Andi fort. Er hob beide Hände senkrecht in die Luft und zeigte dabei mit seinen Zeigefingern in gespielter Wichtigkeit an die Decke. „Aber, was das Allerwichtigste ist und daran hat von euch bisher noch keiner gedacht ..." Er machte wieder eine kurze Pause, um seinen Worten noch einmal das nötige Interesse zu verleihen.

„Jetzt passt mal auf!" Machte eine erneute, gewollte Kunstpause. Dann stellte er erhaben die Frage in den Raum: „Wie geht es mit der Fußballbundesliga weiter?"

Die anderen Familienmitglieder lachten laut auf.

„Nein, im Ernst. Spielen jetzt der FC Carl Zeiss Jena, der BFC Dynamo, Lokomotive Leipzig, der FC Vorwärts Frankfurt/Oder, der FC Karl-Marx-Stadt oder Union Berlin weiterhin in einer eigenen Liga, oder werden sie in unsere Bundesliga integriert? Und wenn ja, nach welchen Kriterien? Europäische Erfolge haben die ja auch nachzuweisen.

In den siebziger Jahren schafften es die DDR-Teams sogar regelmäßig ins Viertel- oder Halbfinale des Europapokals und konnten sich, man höre und staune, auch gegen namhafte Gegner aus Italien, Portugal oder England durchsetzen. Dabei kann man die Magdeburger, Carl Zeiss Jena und die Dresdener Dynamo besonders herausheben, wobei der Finalsieg Magdeburgs im Europapokalwettbewerb der Pokalsieger der größte Erfolg einer DDR-Mannschaft war.

In den achtziger Jahren konnte man dann aber nicht mehr an diese erfolgreiche Zeit anknüpfen. Gut, Jena und Lokomotive Leipzig erreichten jeweils noch das Finale im Pokalsiegerwettbewerb. Jena verlor damals jedoch gegen Dinamo Tiflis und die Leipziger Lokomotive gegen Ajax Amsterdam."

„Was der Herr Sohn alles so weiß, … von seinem Lieblingsthema Fußball und dabei ist der nur Sportschaubundestrainer, spielt nicht einmal selbst Fußball. Wenn es in der Schule auch so wäre …!"

Robert zwinkerte seinem Sohn freundlich zu, so dass der gar nicht dazu kam, sich über die spitze Bemerkung seines Vaters aufzuregen. Unbeeindruckt fuhr Andi mit seinen Ausführungen fort.

„Der Herr Sohn weiß noch viel mehr, zum Beispiel, dass die DDR auch Erfolge bei Länderspielen aufzuweisen hat. Mir fällt da spontan das Sparwassertor ein. Die DDR-Auswahlmannschaft gewann 1974, in der Vorrunde der Fußballweltmeisterschaft, gegen unsere hochgelobte westdeutsche Nationalmannschaft mit 1:0. Da hat der Sepp Maier ganz schön blöd geschaut, als ihm der Magdeburger Jürgen Sparwasser den Ball in die Maschen gedroschen hatte. Wobei, wenn ich mir das aber noch einmal überlege, wäre der Sepp in seinem Tor geblieben, hätte er den Schuss vielleicht sogar halten können. Und bei dem Spiel hatte auch der legendäre Heinz Flohe vom 1. FC Köln mitgespielt. Aber nicht einmal der konnte die Niederlage unserer Nationalmannschaft verhindern."

Es folgte noch eine sehr kontroverse Diskussion, die sich von der Fußballbundesliga bis zur Leichtathletik hinzog.

Die Frage, ob man bei den zukünftigen Olympischen Spielen, nach dem Zusammenschluss von West- und Ostdeutschland, den Medaillenspiegel von der letzten Olympiade einfach verdoppeln könnte, wurde übereinstimmend verneint. Andi versuchte sich sogar an einer Erklärung dafür: „Es ist ja so, dass die DDR den umfassenden Ausbau der Sportförderung schon in den Fünfzigerjahren beschlossen hatte. Aber nicht wegen dem Sport allein, sondern überwiegend, um durch die Erfolge die Überlegenheit der gesellschaftlichen Ordnung zu dokumentieren oder besser gesagt, vorzutäuschen. Denn gerade diese angedachte Überlegenheit ist ja inzwischen völlig in die Hose gegangen."

Die Gespräche setzten sich noch bis gegen Mitternacht fort. Bei der Familie Zimmermann wurde an diesem Abend nicht einmal der Fernseher eingeschaltet. Nur das Radio lief im Hintergrund.

Man wollte auf keinen Fall die neusten Nachrichten verpassen. Noch nie war Politik so spannend.

Montag, 15. Januar 1990,
Köln-Sülz, Nordrhein-Westfalen, Westdeutschland

Michael schaltete das Radio ein und eine hektische Stimme teilte gerade mit, dass Demonstranten in den heutigen Abendstunden die Zentrale des DDR-Ministeriums für Staatssicherheit in der Normannenstraße von Berlin-Lichtenberg gestürmt hatten. Der Mann im Radio sprach weiter davon, dass in Ost-Berlin bürgerkriegsähnliche Zustände herrschten.

Etwa hunderttausend Demonstranten protestierten resolut gegen die DDR-Regierung, die ja immer noch an der Macht war. Man befürchtete, dass das DDR-Regime versuchen würde, Akten zu vernichten, um damit Beweise ihrer dubiosen Machenschaften verschwinden zu lassen. Erst durch die Sicherung und Auswertung der Stasi-Akten, ließe sich rekonstruieren, wie der Geheimdienst im Untergrund tatsächlich gearbeitet und wie er sein Volk überwacht hatte.

Weiter wurde berichtet, dass die von der SED inzwischen zur PDS umgetaufte Partei, mit Hans Modrow an der Spitze, bereits nach kürzester Zeit wackeln würde. Man versuchte noch die Schuld an die Stasi abzuschieben, die aber war ja nur der verlängerte Arm der damaligen SED. Es blieb beim untauglichen Versuch am untauglichen Objekt.

Michael schwitzte bei dieser Meldung. Würde auch er jetzt auffliegen? Würde er sein neues Leben verlieren? Wie lange konnte er noch mit seiner persönlichen Lüge leben? Er hatte einiges aufgegeben, aber auch viel Neues, Positives erfahren. Langsam stellte sich sogar das Gefühl ein, endlich angekommen zu sein. Dann aber auch wieder Zweifel, als wäre er nur vorübergehend Gast bei sich selbst. Getrieben von einer Schuld, die ihn immer mehr zerfleischte.

Carla kam zur Tür herein, ging freudig auf ihn zu und begrüßte ihn liebevoll mit einem Kuss. Er lächelte sie etwas verlegen an. Schaute beschämt zu Boden.

Was hatte er nur getan?

Dann hob er ruckartig den Kopf. Überlegte. Eigentlich wäre es ja gar nicht so schlecht, wenn sie alle Akten vernichten würden.

Er hatte ja inzwischen eine neue Identität und wohnte in Köln. Aber sein schlechtes Gewissen drückte immer mehr. Carla wusste noch nichts von seiner Vergangenheit. Bei Fragen zu seinem früheren Leben konnte er immer wieder geschickt davon ablenken. Aber manchmal halfen nur noch kleine Lügen weiter.

Er fasste sich aber wieder schnell, als Carla ihn fragend anblickte. „Nein nein, alles gut. Habe mir nur ein paar Gedanken über den Fernsehfilm von gestern Abend gemacht. War ganz schön brutal!"

Sie überlegte. „Genau, richtig, heute kommt ja die Fortsetzung. Müssen wir unbedingt anschauen. Ob der Vater tatsächlich seine Frau und die beiden Kinder umgebracht hat?"

Michael lächelte gequält.

Jonas kam fast zeitgleich mit Linda nach Hause. Ging an den Kühlschrank und holte sich eine Karotte heraus. „Man muss sich als zukünftiger Fußballprofi gesund ernähren. Da brauchst du nicht so komisch gucken, leeve Linda."

Seine Schwester lächelte nur gekünstelt und verschwand wortlos in ihrem Zimmer.

Kurz danach klopfte es an ihre Tür. „Herein, aber nur wenn's kein Fußballprofi ist."

Jonas schloss vorsichtig die Tür hinter sich und überprüfte zweimal ob sie auch richtig zu war.

„Muss mal mit dir sprechen, Linda. Aber dir wird es bestimmt auch schon länger aufgefallen sein!"

„Wenn du unseren Fast-Stiefvater meinst, ja schon."

Jonas nickte gedrückt. Ein nachdenkliches Schweigen breitete sich zwischen den beiden Geschwistern aus. Linda setzte sich auf ihren Bürostuhl, schlug die Beine nach oben und überkreuzte sie.

„Ja, als Michael zu uns ins Haus gekommen war, hat er auf mich ganz komisch gewirkt, nicht nur fremd, sondern auch unsicher und ängstlich. Dann wurde es etwas besser und seit Ende letzten Jahres war er wieder, … wie soll ich mich ausdrücken, richtig verschlossen, irgendwie sonderbar halt."

„Ja, stimmt", nickte ihr Jonas bestätigend zu. „Er ist nur noch mit sich selbst beschäftigt. Ob es Mamm auch schon bemerkt hat? Oder täuschen wir uns beide und interpretieren etwas hinein, was so gar nicht stimmt? Es ist ja auch ziemlich schwer für ihn, ich meine, wenn man in eine völlig fremde Familie kommt."

„Nein, der hat etwas. Irgendein Problem oder so. Liegt vermutlich in seiner Vergangenheit, die wir leider noch nicht kennen. Bei einer günstigen Gelegenheit werde ich ihn mal ansprechen … oder du vielleicht?"

Linda schaute ihren Bruder erwartungsvoll an.

Er nickte. „Ja, ich vielleicht, aber meinst du, er sagt uns die Wahrheit, wenn es etwas Größeres ist?" Jonas überlegte. „Ich meine, wenn es etwas ist, das zu seinem Nachteil gelangen könnte, wenn er es erzählt und vielleicht damit unsere ganze Familie durcheinanderbringen oder sogar zerstören würde. Noch schlimmer, auch eine Straftat könnte dahinterstecken. Mutter ist ja eigentlich recht glücklich mit ihm, seit Vater ..." Jonas hielt inne und wischte sich schnell eine Träne aus dem Auge.

Linda schluckte. „Das weiß ich auch nicht … aber einen Versuch wäre es doch wert, oder? Es ist meistens so, dass bestimmte Dinge nicht lange gutgehen und dann irgendwann die Sorgen auf das Glück fallen. Mutter tut mir schon leid. Aber noch wissen wir ja nichts Genaues ... wo er herkommt und was er früher mal gemacht hat."

Jonas nickte. „Ja gut, bei einer günstigen Gelegenheit werde ich mal mit ihm sprechen, … so von Mann zu Mann."

Er lächelte jetzt wieder, öffnete vorsichtig die Tür und verließ nachdenklich Lindas Zimmer.

Montag, 15. Januar 1990,
Berlin-Köpenick, Ostdeutschland

Im Osten Deutschlands war die Zeit der Anarchie angebrochen. Zwischen dem Mauerfall und der Wiedervereinigung erfuhr das Land im wahrsten Sinn des Wortes eine grenzenlose Freiheit. Der eine Staat war fast verschwunden und der andere noch nicht so richtig da. Die provisorische Regierung der DDR erreichte die Bevölkerung aus den gegebenen Umständen nicht mehr und war nur noch mit sich selbst beschäftigt.

Es war eine sonderbare Zeit, in der die Bürger im Osten keine Autoritäten, keine Ämter oder Behörden um Genehmigungen bitten mussten.

Sechzehn Millionen Menschen der DDR stand plötzlich über Nacht die Welt offen. Jeder hatte jetzt die Chance zu tun, was er schon immer tun wollte. Dabei spielte es überhaupt keine Rolle, wie provokativ, verrückt und improvisiert es auch sein mochte. Während man noch in den achtziger Jahren die Spontisprüche des Westens, *legal, illegal, scheißegal,* hörte, wurden sie im Osten jetzt Realität.

Mandy Bauermann machte sich langsam Sorgen. Jacqueline lag schon in ihrem Bett, aber Dieter war immer noch nicht zuhause. Es war inzwischen 21.50 Uhr.

Aber nur zehn Minuten später öffnete sich dann doch noch die Wohnungstür. Dieter versuchte sich so leise wie möglich in sein Zimmer zu schleichen, doch Mandy konnte ihn noch vorher abfangen. „Wo kommst du denn so spät her? Ich habe mir die allergrößten Sorgen gemacht! Sag doch wenigstens Bescheid, wenn du so lange weggehst!" Die kleine, rundliche Frau mit einer viel zu großen Brille und gelocktem, grauem Haar blickte ihren Sohn vorwurfsvoll an. Der versuchte sich krampfhaft an einer Entschuldigung. „Ja Mutti, tut mir leid, aber es hatte sich halt so ergeben. Ich musste unbedingt dahin.

Meine besten Freunde Lothar und Hans waren auch dabei. Wenn man zu dritt ist, kann einem doch nichts passieren."

„Ja schon. Wie, was? Wo musstest du unbedingt hin? Doch nicht schon wieder in den Westen?"

„Nein, wir waren nicht im Westen. Aber bitte nicht böse sein. Ich musste, wie schon gesagt, da hin. Nach der Schule entwickelte sich eine richtige Dynamik unter uns. Jeder wollte dabei sein … und ich natürlich auch. Bin ja fast achtzehn Jahre alt."

Seine Mutter blickte ihn irritiert an. „Ja fast, aber jetzt verstehe ich überhaupt nichts mehr. Sag mir doch endlich, wo du dich bis spät in die Nacht herumgetrieben hast! Du hättest wenigstens nach der Schule kurz hereinschauen und Bescheid sagen können."

Er sah ernst in ihr blasses und ängstliches Gesicht.

Dann antwortete er gedrückt. „In der Normannenstraße."

Sie fuhr mit ihrem Handrücken erschrocken zum Mund und blickte ihren Sohn entsetzt an. „Du … du warst in der Normannenstraße … in der Stasi-Zentrale? Mensch Dieter, noch vor zwei Monaten hätten sie dich dort erschossen." Ihr qualvoller Seufzer hing schwer im Raum.

„Ja, vor zwei Monaten vielleicht, aber doch jetzt nicht mehr. Mir ist ja nichts passiert. Es gab überhaupt keine verletzten Personen. Ich musste einfach dahin, Mutti. Es gibt viele Gründe etwas nicht zu tun, aber wenn es nur einen wichtigen Grund gibt, etwas zu tun, dann … ja dann sollte man es auch machen. Und deshalb bin ich hin."

Dieter sah seine Mutter ernst an.

Sie überlegte kurz und musste sich eingestehen, dass sie in diesem Moment sogar stolz auf ihren Sohn war. Es war ja nichts passiert.

Dann setzten sie sich auf die abgenutzte Eckbank und Dieter begann zu erzählen. „Wir waren so gegen 16.00 Uhr in Lichtenberg, in der Normannenstraße. Da war voll was los. Es waren schon viele Demonstranten dort. Wir gesellten uns einfach dazu und forderten die Wachleute lautstark auf, das Haupttor der Stasi-Zentrale zu öffnen. Die wollten da drinnen doch alle Akten, die sie belasten könnten, vernichten, aber das wollten wir nicht zulassen.

Das war unser politischer Auftrag.

Gegen 17.00 Uhr ist dann Hans, … mein Freund Hans Mühleck, einfach über das Eingangstor gesprungen und stand mitten unter den Volkspolizisten, die das Gelände von innen abriegelten. Die haben nichts gemacht, kannst du dir das vorstellen? Standen nur da und haben uns gewähren lassen. Vor einem Jahr wäre Hans noch gnadenlos zusammengeschlagen worden und für mehrere Jahre in den Knast gewandert, oder wie du schon gesagt hast, sogar erschossen worden. Die Mitglieder des Bürgerkomitees und die Volkspolizisten beschlossen aber, nicht einzugreifen.

Kann natürlich auch sein, dass die Order von ganz oben kam. Deeskalation nennt man so etwas. Als die anderen Demonstranten das erkannten, stiegen immer mehr Leute über den Zaun. So gelangten viele von uns auf das Gelände. Es war eine unheimlich starke Dynamik zu spüren, die sogar befreiend wirkte.

Wir waren plötzlich mittendrin und bogen dann zusammen mit den anderen Leuten nach links ab, zum hell beleuchteten Versorgungstrakt des Komplexes und zum Gebäude der Spionageabwehr. Es kam dabei schon richtig zu tumultartigen Szenen, bei denen sogar Scheiben zu Bruch gingen und auch vereinzelt Möbel aus den Fenstern geflogen sind. Aber, wie ich schon gesagt habe, Gewalt gegen Menschen gab es keine. Die haben uns einfach gewähren lassen.

Nach drei Stunden war alles vorbei und die Demo löste sich auf. Das war's."

Mandy hielt wieder die Hand vor den Mund. Es hatte ihr die Sprache verschlagen. Ihr Sohn war bei einer Demonstration gegen die Stasi dabei gewesen. Gegen den verlängerten Arm der Volksmacht der DDR!

Dass sie so etwas mal erleben würde, hätte sie sich in ihren allerkühnsten Träumen nicht vorstellen können.

Noch vor wenigen Monaten … sie mochte gar nicht daran denken. Jacqueline kam verschlafen zur Tür herein. „Wenn ihr die ganze Nacht weiter so laut seid, dann lasse ich morgen die Schule ausfallen. Da kann doch kein Mensch ein Auge zumachen."

„Mandy lief zu ihrer Tochter, nahm sie behutsam in den Arm und streichelte sie liebevoll. „Ja, Jacqueline, entschuldige bitte, aber mein Sohn war heute bei einer Demo. Ich kann es immer noch nicht fassen. Bin ja froh, dass er überhaupt noch lebt. Nicht auszudenken, wenn ich ihn auch noch verloren hätte, ... wie damals Maik."

Sie dachte wehmütig nach.

Eine dicke Träne lief ihr über das Gesicht. Aber sie war gleichzeitig auch stolz auf ihren Sohn.

Erkannte zum ersten Mal, dass er richtig erwachsen wirkte.

Familie Schad saß gemeinsam am Frühstückstisch.

Ralph war etwas verkatert und seine beiden Schwestern Nora und Dora gerade auf dem negativen Höhepunkt ihrer Pubertät. Die Eltern hatten es deshalb vorgezogen, ihre Kinder zunächst nicht anzusprechen. Man lernte täglich dazu und hatte sich geeinigt, das vorübergehende Problem eher auszusitzen, als irgendwelche guten Ratschläge zu geben, die sowieso peinlich waren oder meistens sogar ungehört versandeten.

Wie sagte Theresa in letzter Zeit immer öfter: „Es ist schwer, einen Kaktus zu umarmen … und oft sogar schmerzhaft."

Aber dennoch musste Herbert das wichtigste Thema am heutigen Tag zur Sprache bringen. Er wandte sich dabei seiner Frau zu, auch um seine Kinder in ihren persönlichen, wie er meinte, hausgemachten Problemen, nicht zu stören.

„Theresa, sollen wir jetzt vor oder nach dem Kirchenbesuch zur Wahl gehen? Bin für beide Möglichkeiten offen. Nur, heute Nachmittag ist es bei mir schlecht. Wie du weißt, haben wir ja im Schwarzen Kloster diesen Empfang."

Seine Frau überlegte. Sie musste gestern sehr früh aufstehen und anschließend lange anstehen, um noch die heißbegehrten Rinderrouladen beim Metzgermeister Haas zu ergattern.

„Ich kann die Rouladen ja gleich nach dem Frühstück anbraten, dann wäre es mir fast lieber, wenn wir erst nach dem Kirchgang zur Urne gehen und damit entscheiden, wie es mit unserer DDR weitergeht …"

Ihr Mann nickte leicht und registrierte ihre Worte mit einem bestätigenden Lächeln, während von den drei Nachkömmlingen kein Kommentar kam. Sie waren doch zu sehr mit sich selbst beschäftigt und löffelten lustlos ihr Müsli aus. Das Ganze berührte sie auch nicht sonderlich, zumal sie ja noch nicht wählen durften.

„Auf jeden Fall werden wir in die Geschichte der DDR eingehen.

Die heutige Wahl wird ... und davon bin ich fest überzeugt, die letzte Wahl zur Volkskammer der DDR sein."

„Und bisher die Einzige, die nach demokratischen Grundsätzen durchgeführt wird!" Alle blickten interessiert auf Ralph, der gerade diesen kritischen Satz von sich gegeben hatte.

„Oha, der Herr Sohn will sich plötzlich auch in unsere politischen Gespräche einmischen. Trotzdem, das muss ich dir lassen, Ralph, du hast natürlich völlig recht. Ich war ja früher auch der Meinung, dass bei den Auszählungen der Wahlurnen alles in Ordnung gewesen wäre, aber inzwischen ist da schon einiges ans Tageslicht gekommen.

Aber wenn mein Sohn schon so schlau ist, dann kann er mir auch noch sagen, welche Partei ich heute wählen soll. Bisher war das ja relativ einfach. Da hätte man das Kreuz hinter der SED schon vorher auf den Wahlzettel drucken können."

Herbert schaute Ralph herausfordernd an.

„Natürlich kann ich dir das sagen. Wenn ihr beiden schlau seid, dann macht ihr euer Kreuz bei der CDU. Die regieren ja zur Zeit auch im Westen und was der Kohl uns schon alles versprochen hat, muss er dann nur noch halten."

Die Eltern waren stolz auf diese weisen Worte ihres Sprösslings.

Nora und Dora kicherten sich nur gegenseitig an.

Sagten aber nichts.

Politik war nicht ihr Ding und außerdem hatten sie gerade andere Probleme. Felix Leon, ein Junge aus der Parallelklasse, hatte ein Auge auf die Zwillinge geworfen. Auf beide!

Auch Nora und Dora waren ihm gegenüber nicht abgeneigt.

Aber zu dritt gestaltete sich die gegenwärtige Situation doch etwas kompliziert.

Sonntag, 18. März 1990,
Köln, Nordrhein-Westfalen, Westdeutschland

Die vier aktuellen Mitglieder der Familie Held gönnten sich eine Auszeit und saßen am späten Sonntagabend gemütlich im Kölner Brauhaus *Zur Malzmühle* am Heumarkt.

Carla hatte den letzten Bissen ihres Lieblingsgerichts *Himmel und Äd* verspeist, als der Zeitungsverkäufer mit einem Stapel druckfrischer Ausgaben vom morgigen Montagsexpress zur Tür hereinkam. Der Express wird in Köln schon am Vorabend verkauft.

Jonas hob die rechte Hand und der kleine Zeitungsverkäufer legte lächelnd ein Ausgabe auf den Tisch.

Vorläufiges Ergebnis der Volkskammerwahl in der DDR: Deutlicher Sieg der CDU war in dicken Lettern auf dem Titelblatt zu lesen. Für weitere Informationen reichte es auf der gesamten ersten Seite nicht mehr. Aber noch für den Witz des Tages, der wie so oft, auch diesmal nicht besonders lustig war.

Jonas blätterte eine Seite weiter. „Jetzt schau mal da hin, die CDU hat 40,8 Prozent erreicht und erzielt damit 163 Mandate. Die SPD schaffte nur 21,9 Prozent und erhält 88 Mandate. Nur 16,4 Prozent der ganz treuen und staatsgehorsamen Ostdeutschen haben die PDS gewählt und die Nachfolgepartei der SED erhält damit noch 66 Mandate. Immerhin! Vielleicht haben einige DDR-Bürger drüben noch nicht mitbekommen, dass die Mauer gefallen ist. Meiner Meinung nach sind das aber immer noch zu viele!"

Er schaute wieder auf seine Zeitung. „Und dann wird's einstellig."

Carla überlegte. „Das mit der PDS, also, dass die noch so viele Stimmen erhalten haben, das verstehe ich wirklich nicht. Wo sie jetzt doch von uns ihre Freiheit und insgesamt ein besseres Leben bekommen. Und wir das Ganze auch noch finanzieren dürfen. Das begreife, wer will. Ich jedoch nicht."

Jonas sah seine Mutter kritisch an. „Ja, das stimmt, Mamm. Denen ist es vermutlich in der DDR gut gegangen. Sie hatten bestimmt gehobene Positionen, wurden in der Kultur und im Sport gefördert und waren als Linientreue mit ihrem Leben zufrieden. Dass das sechzehn Prozent sind, kommt sogar ungefähr hin, aber damit waren dann im Umkehrschluss auch vierundachtzig Prozent unzufrieden oder siehst du das anders, Mamm?"

Sie lächelte ihren Sohn an. „Nein, das leuchtet mir schon ein. Aber jetzt wird zuerst mal der CDU-Politiker Lothar de Maizière zum Ministerpräsidenten gewählt und dann eine Koalition mit der SPD und der Allianz der Freien Demokraten gebildet. So sehe ich es auf jeden Fall. Aber wie sagen wir Kölner? Et kütt, wie et kütt."

Jonas nickte ihr bestätigend zu. „Ja, stimmt. Wird dann aber sowieso nur eine Übergangsregierung werden, bis alles geregelt ist. Anfang Oktober ist ja schon wieder alles vorbei. Ab dann gibt es nur noch ein Deutschland ... und zu den elf aktuellen Bundesländern kommen noch fünf neue Bundesländer dazu."

Jonas stellte sein leeres Kölschglas absichtlich laut zurück auf den Tisch. Der Köbes schaute kurz hoch, nickte ihm freundlich zu, schnappte den Kölschkranz und lief zügig an den Tisch seiner Stammgäste.

Carla zog ihre Augenbrauen nach oben. „Natürlich muss jetzt noch einiges geregelt werden. Ich denke da an die Alliierten, die ja nach dem Zweiten Weltkrieg für die Teilung von Deutschland, und natürlich auch von Berlin, verantwortlich waren. War auch ihr gutes Recht, weil wir den Krieg verloren hatten ... oder besser gesagt der Hitler."

Jonas bedankte sich beim Köbes für das frische Kölsch und nickte seiner Mutter bestätigend zu. „Ja, richtig Mamm und jetzt wird es vermutlich so weitergehen, dass sich die Außenminister der DDR und der BRD, sowie der vier Siegermächte UdSSR, Frankreich, Großbritannien, und USA mal zusammensetzen müssen. Wenn da was schief läuft, dann sieht es schlecht aus mit der Wiedervereinigung. Aber ich persönlich setze da ganz besonders große Hoffnung auf den Generalsekretär des Zentralkomitees der Kommunistischen Partei der Sowjetunion: Michail Sergejewitsch Gorbatschow. Der soll ja ziemlich westfreundlich eingestellt sein."

„Ja, das ist er." Linda, die bisher nur zugehört hatte, schaltete sich jetzt ebenfalls in das hochpolitische Gespräch ein. „Aber auch auf unseren Außenminister setzte ich da große Stücke. Der mit den abstehenden Ohren, mir fällt jetzt sein Name gerade nicht ein, auf jeden Fall hat der ein ganz besonderes Verhandlungsgeschick und wird das schon entsprechend regeln."

„Genscher!" Jonas schaute Linda spitzbübisch an.

„Was ist los, großer Bruder?"

Er legte seiner Schwester beruhigend die Hand auf die Schulter. „Nun pass mal auf, leeve Linda! Wenn du tatsächlich die Klassenbeste der 11 B bist, wie du immer behauptest, dann sollte das Fräulein Schwester wenigstens wissen, dass der aktuelle Außenminister von Deutschland Genscher ... Hans-Dieter Genscher, heißt."

„Natürlich weiß ich, wie der Außenminister der BRD heißt, Herr Oberlehrer. Mir ist nur der Name momentan nicht eingefallen. Aber dazu hat man ja einen großen Bruder ... auch wenn der nur ein mittelmäßiger Schüler ist."

Linda überlegte. „Warte mal lieber Bruder, da fällt mir ein, dass der Genscher ja gar nicht Hans-Dieter, sondern Hans-Dietrich heißt. Wenn man seine schlaue Schwester schon verbessern will, dann aber in Zukunft richtig, leever Jonas."

Noch bevor Jonas seiner Schwester antworten konnte, hob Carla schlichtend die Hände. „Schluss jetzt mit euren Sticheleien. Am besten, wir warten ab, wie es weitergeht. Ich persönlich hoffe ja auf ein gemeinsames Deutschland. Das hätte ich noch vor einem Jahr zwar niemals geglaubt, aber jetzt könnte es tatsächlich soweit kommen ... und ich freue mich sogar drauf. Das Ding läuft auf jeden Fall in die richtige Richtung.

Am ersten März hat der DDR-Ministerrat die Umwandlung von staatseigenen Betrieben in Kapitalgesellschaften beschlossen. Die dazu gegründete Treuhandgesellschaft soll die Umwandlung der Planwirtschaft in eine Marktwirtschaft voranbringen. Ihr wisst hoffentlich, was das heißt?"

Michael, der sich bisher äußerst passiv verhalten hatte, nickte seiner Lebensgefährtin geistesabwesend zu.

Äußerte sich zu diesem Thema überhaupt nicht. Obwohl gerade er einiges dazu hätte beitragen können. Aber gerade, wenn es um die DDR ging, erfasste ihn ein Unbehagen.

Es war ihm momentan einfach nicht möglich, sich auf das was gesprochen wurde zu konzentrieren, geschweige denn überhaupt am Gespräch teilzunehmen.

Er glaubte nicht daran, dass es noch lange gut gehen würde … was seine Situation betraf.

Er war sich auch zunehmend sicherer, dass eine schmerzliche Wahrheit besser war als jegliche Lüge. Er wusste jedoch nicht, zu welchem Preis. Er zweifelte, aber Gutes kann niemals aus einer Lüge entstehen.

Erst auf dem Heimweg blickte er Carla unsicher an.

„Ich muss mit dir reden!" Seine Stimme klang schwach und leicht keuchend. Er musste die Kraft zum Sprechen irgendwo aus der Tiefe schöpfen. „Es ist wichtig für mich … für uns."

Sie nickte. Schaute ihn aber dabei nicht an.

Natürlich hatte auch sie bemerkt, dass sich ihr Lebensgefährte in den letzten Monaten verändert hatte, wie auch heute im Brauhaus, wo er sehr still gewesen war. Gerade er, der ja aus der DDR kam, hätte da einiges zum Gespräch beitragen können.

Aber sie musste vorsichtig sein; wollte ihn nicht gleich wieder verlieren.

Wollte nicht schon wieder einen Mann verlieren.

Aber warum war er gerade heute so still gewesen?

Samstag, 12. Mai 1990,
Lutherstadt Wittenberg, Sachsen-Anhalt, Ostdeutschland

In der Lutherstadt Wittenberg begannen die Frühjahrsferien.

Ralph hatte bereits seinen Koffer aus dem Keller geholt. Er schaute lächelnd zu seiner Mutter. „Mami, könntest du vielleicht jetzt schon meine Wäsche für das anstehende Zeltlager am Wannsee fertig machen? Dann könnte ich schon heute meinen Koffer packen. Mensch, hoffentlich vergesse ich nichts."

Seine Mutter hob leicht lächelnd und erhaben den Kopf. „Liegt alles schon gewaschen und gebügelt auf deiner Kommode. Musst nur die Augen aufmachen, junger Mann."

„Oh, danke, dann kann ich ja alles gleich einpacken. Morgen soll es ja schon losgehen."

Seine Miene verfinsterte sich, als er auf seine beiden Schwestern Nora und Dora blickte, die gerade zur Tür hereingekommen waren.

„Muss ich die beiden Spaßbremsen unbedingt mitnehmen, die könnten doch hier in Wittenberg am Bergwitzsee ..."

Seine Mutter fiel ihm energisch ins Wort. „Das haben wir aber lange und ausführlich genug besprochen. Du nimmst die beiden mit und passt auf, dass deinen Schwestern nichts passiert, oder ihr bleibt alle drei da. Ende der Diskussion!"

Ralph verzog unwirsch das Gesicht, gab sich geschlagen.

„Von mir aus."

Unwillig schaute er mit einem strafenden Blick auf seine beiden Schwestern und verzog sich in sein Zimmer.

„Und ihr macht, was euch Ralph sagt. Es ist das erste Mal, dass ihr Kinder allein in die Ferien fahrt und wenn es nicht klappt, gleich auch das letzte Mal. Verstanden?"

Die beiden Zwillingsschwestern nickten wortlos.

Kicherten sich dabei nur gegenseitig an.

„Eure Sachen liegen gebügelt auf den Betten und die Koffer stehen daneben.

Einpacken müsst ihr aber schon selbst … und jetzt ab in eure Zimmer.

Habe mit Vater noch was zu besprechen, das nicht unbedingt für eure Ohren bestimmt ist."

Nora und Dora kicherten jetzt noch lauter und verzogen sich dann mit schnellen Schritten in ihre Gemächer.

„Herbert, leg doch mal deinen Wochenspiegel zur Seite!

Ich würde dir gerne einen Vorschlag machen, der nur uns beide betrifft … ohne die Kinder, die wir jetzt ja versorgt haben."

Der Wittenberger Museumsdirektor, der in diesem Moment einen äußerst interessanten Bericht über das Goethehaus in Weimar gelesen hatte, faltete die dicke Zeitung umständlich zusammen.

Theresa schaute ihren Mann freundlich an. „Es ist zwar ziemlich kurzfristig, aber wenn die Kinder morgen ins Zeltlager fahren, könnten wir doch die Zeit nutzen. Ein Tapetenwechsel würde uns bestimmt nicht schaden."

„Ja aber …"

„Kein aber. Am Montag ist dein geliebtes Luthermuseum sowieso geschlossen und wenn wir noch einen Tag oder vielleicht sogar zwei Tage dranhängen, könnten wir doch mal in den Westen fahren. Habe dabei an den Main-Tauber-Kreis gedacht. Wir waren ja seit ewigen Zeiten nicht mehr dort und jetzt, wo die Grenze wieder offen ist, könnten wir doch den längst überfälligen Besuch bei deiner Mutter in die Tat umsetzen? Die würde sich bestimmt freuen. Der ganze schriftliche Kram mit Ausreiseantrag und so, ist ja inzwischen nicht mehr nötig. Du hast immer gesagt, dass das für deine Position zu gefährlich sei … aber jetzt."

Herbert zuckte zusammen.

Suchte verzweifelt nach einer Ausrede.

Überlegte.

Schaute dann seine Ehefrau treu wie ein Hund an. „Ja, aber wenn wir schon mal sturmfreie Bude haben, sollten wir es doch ausnutzen und einfach daheimbleiben. Zu zweit allein im Haus … wenn du verstehst, was ich meine."

Lächelte seine Frau jetzt sogar provokativ an.

Die ging aber nicht auf seine zweideutige Bemerkung ein. „Och, Mensch Herbert! Das ganze liebe Jahr verbringen wir doch in unserem Haus. Ich brauche mal ´ne Luftveränderung. Will das Leben genossen sein oder will es Arbeit? Von mir aus beides, aber dann in einem gesunden Verhältnis."

Ihn überkamen plötzlich Bauchkrämpfe. Fühlte sich als unvollkommener Mensch, dem Zorn und der eigenen Schwäche gleichzeitig unterworfen. Seine Persönlichkeit teilte sich, im ersten Moment sah er sich immer wieder in einer Sackgasse, dann wischte er sich mit der Hand übers Gesicht, als könne er dadurch sein Gehirn zu einer Lösung anregen. „Aber wir könnten doch auch an die Ostsee fahren. Wismar wäre sehr schön."

Theresas Gesichtszüge wurden ernst. „Möchte nur wissen, weshalb du nicht in unsere alte Heimat willst. Mich würde schon einmal interessieren, wie es in Unterbalbach und Königshofen heute aussieht. Besonders die Tauber-Franken-Halle, wo wir uns damals bei dem Golden-Earring-Konzert kennengelernt haben." Sie schwelgte in Erinnerungen. „Du standest zufällig direkt neben mir und bei *Radar Love* hat es dann gefunkt, … wenn du dich überhaupt noch daran erinnern kannst."

Herbert lächelte jetzt wieder. „Natürlich kann ich mich noch daran erinnern. Du hast immer wieder sehr provokativ zu mir herüber geblinzelt und dann habe ich es einfach gewagt und dich spontan in den Arm genommen. So, als würden wir beide uns schon ewig kennen. Und … zu meinem Erstaunen hast du es geschehen lassen. Diesen Moment werde ich niemals im Leben vergessen. Du warst schon ein heißer Feger … äh, bist es natürlich auch heute noch!"

Theresa lächelte glücklich in sich hinein und stellte sich das damalige Geschehen noch einmal bildlich vor.

Herbert hob die rechte Hand und schaute seine Frau eindringlich an. „Apropos Konzert. Am Wochenende spielen Crosby, Stills, Nash & Young in Leipzig. Im Vorprogramm soll sogar ein begnadeter Nachwuchskünstler auftreten. Er heißt Harald Leber und macht allein mit seiner Gitarre und seiner Mundharmonika

Musik zu seinem Gesang. Unplugged. Soll sehr gut sein.

Da könnten wir doch hinfahren! Das wäre doch so ähnlich, wie damals in der Tauber-Franken-Halle … und dieser Musiker Harald Leber soll sogar aus dem Main-Tauber-Kreis kommen, habe ich gerade zufällig im Wochenspiegel gelesen.

Theresa nickte. „Ja, prima, gute Idee. Das könnten wir natürlich auch machen. Du hast mich überzeugt.

Ich weiß jetzt gar nicht, ob Neil Young auch wieder mit dabei ist. Beim legendären Konzert am Brandenburger Tor anlässlich des Mauerfalls, im November 1989, glänzte er jedenfalls mit Abwesenheit. Sind ja immer wieder zerstritten, die Herren.

Aber auch Crosby, Stills und Nash machen meiner Meinung nach ohne Herrn Young eine sehr gute Musik. Ok, gebongt.

Wir verbringen aber dann gleich das gesamte Wochenende in Leipzig, … wenn du noch genug Kleingeld hast?"

Herbert fiel ein Stein vom Herzen. Er stand auf, nahm die Hände seiner Frau und schaute sie dann treu ergeben an. „Ich liebe dich, Theresa! Vergiss das nie, egal was passiert."

Sie erhob sich nachdenklich.

Auf dem Weg in die Küche schüttelte sie verwirrt den Kopf. „Egal was passiert!", wiederholte sie leise. „Was meinte er wohl damit? Manchmal redet mein geliebter Mann schon einen rechten Blödsinn raus. Nun ja, so sind sie halt, die Männer." Schüttelte erneut den Kopf und machte sich an den Abwasch.

Freute sich aber schon auf das Konzert in Leipzig. War gespannt auf Harald Leber, den sie bisher noch nicht gehört hatte.

Crosby, Stills, Nash und eventuell Young sind ja begnadete Einzelkönner. Sie liebte die Country- und Folkrockband mit den mehrstimmigen Gesangsharmonien, die ja bereits im legendären Woodstock dabei war.

Besonders gefiel ihr das Lied *Teach your children well.*

Vielleicht auch deshalb, weil es in der letzten Strophe des Liedes *Teach your parents well* heißt.

Dienstag, 15. Mai 1990,
Berlin-Köpenick, Ostdeutschland

Dieter nahm drei Stufen auf einmal. Plötzlich öffnete sich die Wohnungstür im achten Stock.

„Äh, Dieter. Entschuldigung. Hast du mal fünf Minuten? Muss dringend mit dir reden!" So leise und gediegen, fast unterwürfig, hatte Fritz Stark noch nie gesprochen. Bisher hatte ihn Dieter nur motzend erlebt. Stark hatte sich über Gott und die Welt aufgeregt und war nur am Mosern. Was war denn mit dem dicken Fritz los? Es kam ihm fast unheimlich vor.

Fritz Stark räusperte sich. Sein Blick war reumütig und leise, geradezu kraftlos. Ganz anders als sonst. „Nun, wir wohnen doch schon viele Jahre zusammen in einem Haus und, naja, ich habe mich bisher nicht sehr höflich benommen, … euch gegenüber. Das hing mit meinem Beruf zusammen … und jetzt, ja jetzt schäme ich mich dafür. Aber ich musste doch auch von was leben und es ist mir meistens richtig vorgekommen, was ich getan habe … tun musste. Aber in den vergangenen Monaten hat sich so viel verändert in unserer … Deutschen Demokratischen Republik."

Im ersten Moment wollte er bei diesen Worten stramm stehen, verzichtete aber dann gedrückt darauf.

Dieter setzte sich erwartungsvoll auf eine Treppenstufe oberhalb der Wohnung von Fritz Stark und sah in dessen ängstliches Gesicht. Auf der Stirn von Stark hatten sich inzwischen dicke Schweißperlen gebildet. „Nun, jetzt kann ich einfach nicht mehr so weiterleben und bitte euch, … deine ganze Familie um Entschuldigung. Ich … ich habe euch verraten. Mehrmals. Aber ich wollte das nicht, … musste es tun."

Dieter sah ihm ernst in die Augen.

„Stasi?"

„Ja."

„IM?"

„Ja.

Aber sie hatten mich dazu gezwungen. Es war ein Ausrutscher … damals. Und dann hatten sie mir die Sache mit dem Ladendiebstahl angehängt. Wurde stundenlang verhört. Ich hatte aber wirklich nichts gestohlen. Dann stellten sie mich vor die Wahl: Gefängnis oder Zusammenarbeit. Ich wollte nicht in den Knast. Aber die hätten mich trotzdem da reingesteckt, obwohl ich völlig unschuldig war.

Die Verkäuferin, die mich damals beschuldigt hatte, hat sich später sogar bei mir entschuldigt. Sie hätte mich mit einem anderen Mann verwechselt. Aber da war es bereits zu spät. Ich war voll im Geschäft. Aussteigen war nicht mehr möglich. Wenn man da drinsteckt, dann wird man mit der Zeit immer härter, ja, man verachtet seine Mitmenschen sogar, obwohl die ja auch nichts dafürkönnen. Man steht auf der anderen Seite und meint, man ist bei den Guten, verstehst du? Trotzdem musste man immer verdammt gut aufpassen, das geringste Zögern oder nur ein ängstlicher Blick hätten mich schon verraten können. Wenn man da mal dabei war, gab es, wie schon gesagt, nur noch eine Richtung und das war die absolute Parteitreue."

Stark machte eine gewollte Pause. Versuchte den Aufruhr seiner Emotionen zu zähmen. Schnappte dabei sichtbar nach Luft.

Dieter nickte betroffen. Er hatte jetzt schon fast wieder Mitleid mit dem Mann, der sich plötzlich ganz anders offenbarte.

„Eigentlich hätte ich das alles deinem Vater erzählen müssen, aber er ist ja nicht mehr da und deshalb wollte ich es dir sagen, sozusagen als männlichem Oberhaupt der Familie. Jetzt, nachdem die Mauer gefallen ist, hat mich das immer mehr zerfressen.

Kann nachts überhaupt nicht mehr richtig schlafen. Habe sogar Albträume von mir selbst als Verräter."

Dieter überlegte. „Wissen Sie etwas von meinen Vater, ob er überhaupt noch lebt oder wo er damals hingegangen ist?"

„Ja, etwas schon, aber leider nicht alles."

Dieter stand auf und stellte sich demonstrativ vor den Mann, den er um einen Kopf überragte.

„Was wissen Sie von ihm?"

Der Dicke schaute sich unsicher um und bat ihn dann gedrückt, in seine Wohnung mitzukommen.

Dieter folgte ihm zögerlich und schloss vorsichtig die Tür. Stark bot ihm einen Stuhl in der spartanisch eingerichteten Küche an und setzte sich ihm gegenüber.

„Nun es war so, dein Vater wollte damals, es war der 1. 9. 1988, in einem Lkw versteckt, in den Westen flüchten.

Das konnte nachträglich alles über die Fa. Steiner ermittelt werden. Selbst ich wusste es zunächst nicht. Der Fahrer, ein gewisser Herr Neumann, soll sich sehr unsicher verhalten haben. War an der Grenzstelle auffällig nervös. Die gefälschten Lieferscheine sind den Grenzposten sofort ins Auge gestochen. Die Grenzer wollten ihn schon aus dem Fahrzeug ziehen, als der Fahrer plötzlich Gas gab, eine Absperrung und die Grenzschranke durchbrach, und davonfuhr. Sofort sprangen die Volkspolizisten in ihren Lada, um dem Lkw zu folgen. Aber das Dienstfahrzeug sprang einfach nicht an." Stark überlegte laut. „Bei einem Trabant wäre das mit Sicherheit nicht passiert ...

Aber jetzt weiter! Die Grenzer telefonierten dann noch wie wild nach Unterstützung. Es kamen noch andere Polizeikräfte dazu, aber es war zu spät. Der Lkw war spurlos verschwunden. Eine solche Niederlage bringt die SED natürlich nicht in der Zeitung, geschweige denn im Radio oder im Fernsehen. Man schweigt das einfach tot. Aber was mich dann auch gewundert hat, im Westfernsehen kam ebenfalls nichts über diese Flucht der beiden Männer aus der DDR. Das ist alles, was ich weiß.

Auf jeden Fall wurde dein Vater nicht erschossen. Soweit kann ich dich beruhigen. Aber wo er jetzt ist, weiß ich leider auch nicht. Wir haben, ... äh hatten ja auch Spitzel in der BRD. Aber die konnten auch nichts rauskriegen. Ich vermute, dass er irgendwo bei einer privaten Familie untergetaucht ist.

Vermutlich hat er auch seinen Namen geändert. Da genügt ja schon eine Teiländerung und man findet ihn nicht mehr im System. Sag es bitte auch deiner Mutter und deiner Schwester. Ich werde mich auch persönlich bei den Beiden entschuldigen und hoffe, dass sie die Entschuldigung überhaupt annehmen werden. Ich weiß, was ich alles falsch gemacht habe … ich weiß es. Es tut mir alles so leid, zumal deine Mutter eine ganz liebe Frau ist. Ich habe die Partei über meine Mitmenschen gestellt und das war falsch." Der Mann brach in Tränen aus.

Dieter wollte ihn beruhigen. „Sie werden, wie auch ich, sicher die Entschuldigung annehmen, Herr Stark. Wir haben das alles doch gar nicht gewusst."

Er gab ihm noch die Hand und verließ etwas gedrückt die kleine, dunkle Wohnung. Dann dachte er aber an seinen Vater.

Dieter riss wenig später die Eingangstür auf und stürmte in die Küche. „Mutti, Mutti, Vati lebt! Vati lebt!"

Mandy ließ den Teller fallen, den sie gerade abtrocknen wollte. Er zersprang in tausend Teile auf den harten Steinfliesen.

„Was sagst du da, Junge? Was ist mit Maik und woher …?"

Jacqueline kam, überrascht von dem ungewohnten Geräusch, aus ihrem Zimmer gerannt. „Was ist denn bei euch los? Polterabend?"

Dieter lief auf seine Schwester zu und umarmte sie. „Jacqueline, Vati lebt. Ich habe gerade mit dem dicken Fritz Stark gesprochen. Ihr wisst ja, der komische Kauz der direkt unter uns wohnt. Mir hat's fast die Sprache verschlagen, der war tatsächlich IM bei der Stasi. Aber jetzt, nachdem die DDR mehr oder weniger endgültig in sich zusammengefallen ist, jetzt will er reinen Tisch machen. Hat sich bei mir hundertmal entschuldigt und dann erzählt, dass Vati die Flucht in die BRD auf jeden Fall überlebt hat, … so wie Herr Stark gesagt hat, sogar unverletzt.

Er lebt also! Gott sei Dank!"

Mandy atmete tief durch. „Bist du sicher, dass er dir die Wahrheit gesagt hat?" Dieter überlegte kurz. „Doch, bin mir ganz sicher. Der wollte reinen Tisch machen und bereut jetzt seine bisherigen Spitzelgeschichten.

Er war fix und fertig; hat sogar geheult."

Mutter setzte sich schwerfällig auf den abgenutzten Küchenstuhl.

Jaqueline nahm auf der Eckbank Platz. „Dann wissen wir jetzt wenigstens, dass Vati nichts passiert ist … aber warum hat er sich dann immer noch nicht gemeldet? Vor allem jetzt in den letzten Monaten."

Mandy ergänzte sichtlich aufgeregt: „Ja, da wurde unser Telefon mit Sicherheit nicht mehr überwacht und abgehört … hoffe ich zumindest. Aber vielleicht wollte er auf Nummer Sicher gehen, eben um uns nicht zu gefährden. Man weiß ja immer noch nicht genau, wie's weitergeht. Gibt es die DDR morgen überhaupt noch?" Unweigerlich ergriff sie wieder eine lähmende Angst.

Dieter nahm seine Mutter in den Arm. „Das weiß ich auch nicht, Mutti. Aber glaube mir, es wird alles gut. Glaube es mir. Er kommt wieder zurück! Er lebt! Irgendwann wird er wieder vor unserer Tür stehen." Dieter wusste in diesem Moment noch nicht, wie recht er damit hatte.

Am selben Abend, um 20.00 Uhr, schaute Hans-Joachim Friedrichs mit ernstem Blick in die Kamera und damit gleichzeitig in unzählige ost- und westdeutsche Wohnzimmer. „Hier ist das Erste Deutsche Fernsehen mit der Tagesschau. Guten Abend, meine Damen und Herren.

Mit der Einführung einer gemeinsamen Währung und der Aufhebung der Grenzkontrollen ist die Einheit Deutschlands seit heute, Null Uhr, praktisch vollzogen.

Der neu entworfene Staatsvertrag über die Wirtschafts-, Sozial- und Währungsunion zwischen der Bundesrepublik Deutschland und der Deutschen Demokratischen Republik tritt am 1. Juli 1990 offiziell in Kraft."

Die Familie Bauermann saß gemeinsam vor dem Fernsehgerät. Nur Maik fehlte. Wie seit langem schon.

Das Westfernsehen wurde inzwischen völlig legal eingeschaltet. Empfangen konnte man es ja schon immer.

Bereits kurz nach Mitternacht und dann den ganzen Tag über, war es turbulent zugegangen. Überall wurde Geld umgetauscht. Die Deutsche Bank in Westberlin glich einer Markthalle. Jeder wollte die D-Mark. Sie war nun das zukünftig gültige Zahlungsmittel für ganz Deutschland. Der Umtauschkurs wurde gestaffelt, je nach Alter und Vermögen. Bürger, die älter als sechzig Jahre waren, durften bis zu sechstausend DDR-Mark umtauschen, der Rest bis zu viertausend DDR-Mark. Kinder bis vierzehn Jahre konnten ihr Sparguthaben ebenfalls umtauschen. Aber nicht mehr als zweitausend DDR-Mark. Der Umtausch sollte jeweils zu einem für die DDR-Bürger sehr günstigen Kurs von 1:1 erfolgen.

Löhne, Gehälter, Stipendien, Renten, Mieten und Pachten sowie weitere wiederkehrende Zahlungen wurden ebenfalls zum Kurs von 1:1 umgestellt. Größere Sparguthaben wurden zum Kurs 2:1 gewechselt, Schulden wurden halbiert.

Nach der Tagesschau schaltete Mandy den Fernseher aus und sah ihren Sohn Dieter ernst an. „Aber jetzt zu dir. Es juckt mich schon den ganzen Tag, Freundchen. Warum war mein Herr Sohn heute Morgen nicht in der Schule? War schon wieder eine Demo in der Normannenstraße?"

Dieter atmete kräftig durch. „Nein. Aber ich dachte, wir wollen heute die Einheit feiern und nicht irgendwelche Nebensachen ansprechen."

„Nebensachen?" Mandy stand auf und machte einen großen Schritt auf Dieter zu, um ihrer Entrüstung den gebührenden Ausdruck zu verleihen, hielt dann aber inne und setzte sich nachdenklich auf ihren Platz zurück.

Dieter versuchte sich an einer Erklärung. „Ja, gut, das alles geht schon sehr turbulent zu. Wir haben ja zurzeit mehr oder weniger eine Anarchie … oder besser gesagt, bisher gehabt. Die alte DDR-Regierung liegt am Boden und eine Übernahme der West-Regierung erfolgt zwar schrittweise, aber das muss sich alles erst einspielen und kann noch ..." Mandy unterbrach ihn mitten im Satz. „Aber, mein lieber Dieter, die Schule sollten wir doch weiterhin ernst nehmen. Du brauchst sie für deine Zukunft. Alles fällt uns jetzt mit der Grenzöffnung trotzdem nicht in den Schoß."

Dieter nickte schuldbewusst. Seine Mutter hatte schon recht.

Er begann zu erzählen. „Es war so: Um Mitternacht öffnete die Deutsche Bank eine ihrer Filialen am Alexanderplatz, wie ihr

sicherlich auch gewusst, oder spätestens gerade in den Nachrichten gesehen habt. Ich musste da einfach hin. Habe mich still
und leise davongeschlichen. Hatte mich ja auch mit meinen
Kumpels Lothar und Hans verabredet. Normalerweise, so hatten
wir zunächst gedacht, wären wir dann spätestens um 02.00 Uhr
wieder in unseren Betten gewesen und keiner hätte etwas bemerkt.
Aber der Andrang war so gewaltig, dass ein riesengroßer Tumult
entstand, Polizisten versuchten den Ansturm irgendwie in den
Griff zu bekommen.
Aber Fehlanzeige. Scheiben wurden eingedrückt, Menschen klam-
merten sich hilflos aneinander.
Der Sprecher der Deutschen Bank, Hellmut Hartmann, versuchte
dann die Menschenmassen zu beruhigen. Habe noch seine Worte
im Ohr: 'Wir weisen Sie darauf hin, dass heute keiner nach Hause
geht, ohne seine D-Mark zu bekommen. Wir haben genügend
davon da.' Wir wollten natürlich unbedingt auch unser Geld
tauschen und irgendwann, es war aber schon gegen 04.00 Uhr,
sind wir dann drangekommen", erklärte Dieter entschuldigend.
„Ja, und jetzt habe ich das hochgelobte Westgeld in meinem
Geldbeutel. Fühlt sich wirklich außergewöhnlich gut an." Er legte
das ungewohnte Zahlungsmittel stolz auf den Tisch. Mandy und
Jacky nahmen die Scheine prüfend in ihre Hände.
Dieter sah seine Mutter und seine Schwester eindringlich an. „Ihr
müsst euer Westgeld auch noch holen, bevor unsere alte Ostmark
gar nichts mehr wert ist."
Mandy seufzte laut. „Mein Sohn!" War dabei aber gleichzeitig
stolz auf ihren Dieter.
Auch Jacky sah ihren Bruder respektvoll an.

Carla war totenblass.

Sie schüttelte fortwährend den Kopf.

„Nein, ich kann es einfach nicht glauben. Du … du bist verheiratet und du hast mir das die ganze Zeit verheimlicht? Michael, das ist wie eine Lüge, nein, schlimmer noch, das ist Vertrauensbruch. Wir haben zusammen gewohnt und in einem Bett geschlafen. Du bist Teil unserer Familie geworden. Wir haben dir vertraut, wie … wie einem richtigen Ehemann und Vater."

Mit weinerlicher Stimme sprach sie weiter. „Und du heißt gar nicht Michael, sondern Maik und du hast … du hast zwei Kinder … in der DDR, in Berlin-Köpenick. Vermutlich warten deine Frau und deine Kinder täglich auf ein Lebenszeichen von dir. Die hast du damit ebenfalls betrogen."

Sie schluchzte immer mehr und ergänzte dann trocken: „Wie auch mich."

Er konnte ihr nicht in die Augen sehen. Blickte zeitlos auf den Boden. „Liebe lässt sich nicht erklären. Man kann Gefühle nicht erzwingen."

Sein Herz begann zu hämmern. „Das leidenschaftliche Verlangen nach Leben und Liebe, nach einem Geborgensein und nach Freiheit, … das habe ich erst bei dir kennengelernt, Carla.

In der DDR haben wir doch nur funktioniert. Meine Ehefrau Mandy war eine sehr treusorgende Frau, aber mehr als Mutter. In den letzten Jahren hatte sich unsere Beziehung immer weiter abgeflacht. Wir hatten mehr nebeneinander gelebt als miteinander. Dieser stupide Tagesablauf dominierte immer mehr unser Leben. Ich konnte den Sozialismus eines Tages nicht mehr ertragen. Ja, ich habe nicht nur dich, sondern auch Mandy angelogen. Das stimmt. Habe versprochen, sie und die Kinder nachzuholen. Das war von Anfang an eine Lüge. Habe am Schluss nur noch den treu sorgenden Ehemann gespielt. Es war alles so eingefahren. Ich wusste manchmal nicht, weshalb ich überhaupt lebte ... und wofür? Ja. Natürlich war ich stolz auf meine Kinder. Mein Sohn Dieter wird voraussichtlich mal ein sehr erfolgreicher Fußballer. Schafft bestimmt den Sprung in die erste Mannschaft von Union Berlin. Könnte dann irgendwann sogar mal in der gesamtdeutschen Bundesliga spielen. Das Zeug hätte er, wie schon gesagt, dazu. Und meine Jacqueline ist ein ganz besonders hübsches Mädchen. Aber es hat einfach nicht mehr gepasst ... und meine Kinder sind ja fast erwachsen und inzwischen selbstständig." Er griff sich stöhnend an die seitliche Schläfe. „Hoffentlich zerbrechen sie nicht, wenn sie das alles erfahren. Aber ich konnte nicht mehr und wollte nicht mehr. Ich wusste damals auch, dass die Flucht mich das Leben kosten kann, aber das habe ich riskiert. Ich wollte nur noch weg, ... weg von dieser verlogenen DDR, weg von diesem spartanischen Leben. Ich war lange Zeit ein Verehrer von Karl Marx und Friedrich Engels, aber was dieser Ulbricht, der Stoph oder der Honecker und wie sie alle heißen, aus deren Ideologien gemacht haben, war mir einfach zuwider. Wenn man in einem Land nur eine Partei wählen kann, dann kann doch einiges nicht stimmen. Ich war, wie gerade angedeutet, auch mal Sozialist, aber heute sehe ich mich als überzeugten Demokraten. So wie ihr hier in Köln lebt, das wurde immer mehr zu meinem Ideal. Dieses freie Leben, wo man sagen und tun kann was man will und kein Spitzel hinter der Wand steht, der alles genau aufschreibt und es detailliert seiner Regierung meldet, die dann die Wohnung verwanzt. Ich wollte immer mein freies Leben in einem freien Land leben. Dafür habe ich jetzt ein großes Opfer gebracht. Meine Frau ... und was mir wirklich sehr weh tut, ... meine Kinder. Aber ich wollte dir meine Geschichte weitererzählen und eines verspreche ich dir, ich werde dich nie mehr anlügen. Am Anfang hatte ich das Gefühl, dass ich es tun musste, um mich zu schützen. Aber je besser ich dich kennengelernt und ... ja, geliebt habe, umso schwerer wurde es für mich." Michael machte eine kurze Pause und sah Carla reuevoll an. Dann fuhr er gedemütigt fort. „Es war zusammen mit meinem Freund Herbert

Neumann alles genaustens geplant. Er wollte auch *rübermachen*!
Herbert war Lkw-Fahrer in unserer Firma.
Wir hatten die Flucht in den Westen auf den 1. September 1988
festgelegt. Ich hatte zuvor den Zielort der Ladung für Herberts
Lkw auf den Frachtpapieren, ... naja, etwas geändert. Wie jeden
Morgen ging ich auf Arbeit zu meiner Firma, begrüßte meine
Sekretärin und hielt mich kurz im Büro auf. Meiner Sekretärin
habe ich dann gesagt, dass ich einen Außentermin hätte und ver-
mutlich heute nicht mehr ins Büro zurückkommen würde. Dann
lief ich unbemerkt in die Garage und versteckte mich in dem Lkw,
der von Herbert Neumann gefahren wurde.
Wir hatten das Fahrzeug in nächtelanger Arbeit so präpariert, dass
ich ungesehen, unterhalb der Fahrerkabine, mitfahren konnte.
Zwei Personen in einem Lkw wären zu auffällig gewesen.
Herbert kam zehn Minuten später zu seinem Fahrzeug und klopfte
dreimal auf die Motorhaube. Ich klopfte zweimal zurück.
Dann ließ er den schweren Diesel an und fuhr los.
Mir wurde es immer heißer, ich schwitzte innerhalb weniger
Minuten mein Hemd durch. Bei jedem Schlagloch schmerzte mein
Steißbein unerträglich. Hatte ja kaum Platz in meinem engen
Versteck. Es stank nach Diesel und verbranntem Öl.
Du kannst mir glauben, in der DDR gibt es jede Menge Schlag-
löcher. Aber ich musste da durch und konnte so die Schmerzen,
immer mein Ziel vom Westen, von der Freiheit vor Augen, irgendwie aushalten. Später habe ich die Schmerzen dann gar nicht mehr
wahrgenommen.
Als wir an den Grenzübergang Marienborn kamen, spürte ich
schnell, dass irgendetwas nicht stimmte. Habe zwar die Grenzpolizisten nicht gesehen, doch ich konnte alles hören. Plötzlich
ging es richtig hektisch zu.
Herbert wurde gefragt, wer den Frachtschein ausgestellt hat und
dass er aussteigen und sofort zur Grenzwache mitkommen soll. Er
wusste natürlich was jetzt auf uns zukommen würde und tat das
einzig Richtige. Er trat unvermittelt auf das Gaspedal und fuhr los.
Mir hat es dabei einige weitere Knochen verbogen. Dann hörte ich

einen lauten Schlag. Er durchbrach mit dem Lkw den Schlagbaum und fuhr mit Vollgas davon. Wenn er das nicht getan hätte, dann würden wir beide heute in irgendeinem Gefängnis im Osten sitzen … und ich hätte dich niemals kennengelernt." Er schaute Carla dankbar an. „Komischerweise sind die Grenzpolizisten uns nicht gefolgt. Warum kann ich dir beim besten Willen nicht sagen. War schon etwas seltsam. Ihre Autos wären ja viel schneller gewesen als unser alter Diesel. Herbert fuhr dann in einen Wald bei Helmstedt und wir warteten dort etwa drei Stunden. Wir haben das Fahrzeug mit Zweigen vollständig abgedeckt. Ich konnte mir endlich die Füße vertreten und mich wieder richtig bewegen.

Danach fuhren wir nur noch auf Nebenstraßen weiter. Über Braunschweig und Bielefeld bis nach Essen. Dort haben wir in der Nähe der dortigen Zeche Zollverein, in einer einfachen Gaststätte, ein billiges Zimmer bezogen und zunächst mal drei Tage abgewartet.

Anschließend haben wir uns bei der westdeutschen Behörde gemeldet und mussten einige Formalitäten über uns ergehen lassen. Bekamen einen sogenannten Laufzettel, den wir abarbeiten mussten.

Weder in der Presse noch im Westfernsehcn wurde etwas über unsere Flucht veröffentlicht … zu unserer eigenen Sicherheit.

In der Krupp Gussstahlfabrik hatten wir dann Arbeit bekommen. Wir mussten uns amtlich bei der Stadt Essen anmelden. Es hatte zwar einige Wochen gedauert, aber da wir im Arbeiterwohnheim von Krupp neben einem Arbeitsplatz auch einen festen Wohnsitz nachweisen konnten, haben wir neben dem Gesundheitspass sogar einen Personalausweis der BRD bekommen. Erst als ich den in der Hand hielt, fühlte ich mich endgültig richtig sicher. Meinen blauen DDR-Ausweis habe ich freiwillig abgegeben. Er wurde vor meinen Augen geschreddert. Das war wie eine Befreiung für mich.

Bei Krupp haben wir für DDR-Verhältnisse gutes Geld verdient. Dabei mussten wir jedoch oft an die Schmerzgrenze gehen und die manchmal sogar überschreiten.

Ich schaute mich immer wieder nach einer leichteren Arbeit um und bekam dann mal, mehr zufällig, die Kölner Rundschau in die Hand. In der Zeitung befand sich eine Stellenanzeige, in der ein Redaktionsmitarbeiter gesucht wurde.

Den Rest kennst du."

Mit kaum verhohlener Verachtung sah ihn Carla an. Sie brauchte jetzt etwas Zeit. Was er getan hatte, war nicht zu entschuldigen. Aber ihn jetzt sofort aus der Wohnung werfen, das wollte sie auch nicht. Sie konnte es nicht. Im Zwiespalt ihrer Gedanken hielt sie inne, als würde Vergangenes in ihr wach, das längst abgetan war.

Er atmete hörbar.

Sah sie entschuldigend an. Seine Hände zitterten.

Gedrückt sprach Michael weiter. „Ich weiß, dass ich nicht ehrlich zu dir war. Natürlich wollte ich gleich am Anfang darüber reden und dir alles gestehen. Aber dann habe ich es immer wieder hinausgeschoben. War regelrecht zu feige dazu.

Zu meiner Entschuldigung kann ich nur sagen, dass du mir von Anfang an so unheimlich viel bedeutet hast und ich Angst hatte, dich zu verlieren. Ich habe mir immer wieder in allen Versionen vor-gestellt, wie du wohl reagieren würdest, wenn du erfährst, dass ich ein verheirateter Familienvater bin. Ich hatte so große Angst."

Carla sah ihm eindringlich in die Augen. „Ja, das verstehe ich auf der einen Seite schon, aber Ehrlichkeit hat viel mit Vertrauen zu tun und in einer Beziehung ist Vertrauen mit das Wichtigste. Ich habe dir immer vertraut. Jetzt weiß ich nicht mehr, ob ich das noch kann." Michael senkte betroffen den Kopf. Nach einer kurzen Pause schaute er Carla an. „Aber ich hätte noch eine Bitte an dich. Ich möchte es deinen Kindern selbst sagen. Sie sollen es von mir persönlich erfahren und sich dann ihre Meinung bilden. Es ist mir wichtig … sehr wichtig. Sie haben sich bestimmt schon längere Zeit Gedanken über meine Vergangenheit gemacht."

Sie nickte. Michael stand auf und fasste demütig nach ihrer Hand. Carla zog sie ruckartig zurück und blickte ihm streng in die Augen.

Samstag, 23. Juni 1990,
Berlin-Köpenick, Ostdeutschland

Mit einem knallroten Kopf und schmerzverzerrtem Gesicht legte Mandy laut stöhnend den Hörer auf die Gabel. Dicke Tränen liefen über ihr Gesicht. Es überkam sie eine seltsame Mischung aus Traurigkeit und Wut. All die Zuversicht, die sie immer wieder empfunden hatte, fiel wie ein Kartenhaus in sich zusammen. „Nein, nein, nein! Das darf doch alles nicht wahr sein!"

Dieter und Jacqueline saßen wehmütig auf dem Sofa und sahen die Mutter mit ängstlichen Blicken fragend an. Sie hatten einiges von dem Gespräch mitbekommen. Zwar nur bruchstückhaft, aber sie konnten den Inhalt des Telefonats bereits teilweise erahnen. Maik hatte sich gemeldet. Nach fast zwei Jahren!

„Mutti was ist los?

Was ist genau passiert? Vati geht es doch gut, oder? Was ist mit ihm?" Die Fragen der Kinder prasselten auf sie hernieder. Sie wollten von ihrer Mutter hören, was wirklich geschehen war.

Mandy musste sich setzen. Senkte enttäuscht ihren Blick. Dann schaute sie verächtlich hoch. „Es ist so schlimm. Ihr könnt es euch nicht vorstellen. Ja, Vati geht es gut." Sie ergänzte: „Viel zu gut."

„Aber was ist denn jetzt genau los? Nun sag schon, Mutti!"

Mandy schüttelte ungläubig den Kopf. „Wenn er jetzt da wäre, dann würde ich ihm mit der Faust mitten ins Gesicht schlagen."

Dieter hielt seine Mutter mit beiden Händen an den Oberarmen. „Mutti bitte, was ist denn los?"

Sie schluchzte laut. „Maik … Vati hat uns verlassen. Er kommt nie mehr zu uns zurück nach Köpenick und … er hat … er hat eine andere Frau und dazu auch gleich noch zwei andere Kinder. Ein Junge und ein Mädchen. Er hat uns praktisch komplett ausgetauscht. Das ist jetzt das endgültige Ende von unserer Familie. Warum nur, warum?"

Dieter und Jacqueline senkten beide gleichzeitig die Köpfe. Sie hatten es zwar bereits geahnt, konnten es aber einfach nicht glauben. Schon oft hatten sie von ihrer Mutter den Eindruck, dass sie es allein einfach nicht schaffen würde, nicht schaffen könnte, nachdem Maik weggegangen war. Immer öfter stand Melancholie in ihren Augen, hauptsächlich dann, wenn sie meinte, ihre Kinder würden es nicht bemerken.

Für längere Zeit war absolute Stille in dem kleinen Wohnzimmer. Dann versuchte Dieter seinen Zustand irgendwie in Worte zu fassen. „Ja, aber er hatte doch gesagt, dass er uns nachholt … nach seiner Flucht damals. Er wollte nur noch alles regeln und jetzt … wir werden ihn nie mehr wiedersehen? Ich fühle mich im Moment richtig hintergangen."

Jacqueline sah ihre Mutter fragend an. „Dann hat er uns nur etwas vorgespielt, uns von Anfang an betrogen. Warum macht der das? Er ist doch unser Vater."

Mandy schüttelte immer wieder den Kopf. „Er hat am Telefon nur gesagt, dass einem meistens etwas dazwischen kommt … vor allem das Leben. Aber das glaube ich ihm nicht. Er hatte das von Anfang an geplant, wie du gesagt hast, Jacky. Hat uns schändlich angelogen." Sie verzog verächtlich das Gesicht.

Immer wieder schluchzte sie laut. Konnte einfach nicht glauben, was da im Moment auf sie einstürzte.

Dieter tobte innerlich. Wutentbrannt lief er davon. Nebenan hörte man seine Zimmertür laut zuschlagen. Für ihn war im Moment eine Welt zusammengebrochen.

Jacqueline umarmte ihre Mutter. „Es ist schlimm, aber wir haben doch noch uns."

Mandy blickte ihrer Tochter tief in die Augen. „Ich liebe ihn doch noch. Er gehört zu mir. Natürlich hat er mich betrogen, auf das Schlimmste sogar. Läuft einfach weg und meldet sich nicht mehr. Doch ich will ihn nicht aufgeben. Ohne Maik, … das … das würde mir auf Dauer das Herz brechen. Wenn ich könnte, würde ich ihn zurückholen." Sie schluchzte laut.

Jacqueline dachte nach. Wollte ihrer Mutter helfen, unbedingt helfen.

Aber wie?

Sonntag, 1. Juli 1990,
Berlin-Charlottenburg, Westdeutschland

Auf dem Weg zur Deutschen Einheit wurde am 1.7.1990 die D-Mark auch als offizielles Zahlungsmittel in der DDR eingeführt. Die Mark der DDR war damit endgültig Geschichte.

„So, jetzt haben die auch noch unser Geld. Meine Frau haben sie ja schon."

Robert Zimmermann lächelte zweifelhaft in sich hinein. Johanna war an diesem Abend nicht zuhause. Sie hatte in der Charité Nachtdienst. Die Krankenschwester hatte sich in dem großen und weltbekannten Krankenhaus, das sich ja in Ostberlin befindet, vor vier Wochen kurzentschlossen beworben und schon vergangene Woche ihre neue Stelle angetreten.

Robert nahm als Familienoberhaupt standesgemäß die Fernbedienung vom Tisch und zappte, nachdem er zusammen mit seinen beiden Kindern die Tagesschau angesehen hatte, die Fernsehprogramme durch. Die Kinder waren es inzwischen gewohnt, dass ihr Vater das Abendprogramm bestimmte. Zumindest was das Fernsehprogramm betraf.

Robert blieb dann gebannt bei einer Sendung über die Weimarer Republik hängen. Es wurde berichtet, dass nach dem verlorenen Ersten Weltkrieg sich immer mehr Aufstände von Matrosen, Soldaten und Arbeitern von Kiel aus über ganz Deutschland erstreckten. Sie forderten eine freie Republik und die Abdankung von Kaiser Wilhelm II. Wollten keine Monarchie mehr haben.

Am 9.11.1918 überschlugen sich dann die Ereignisse, als die revolutionäre Bewegung Berlin erreichte … neunter November?

Kaiser Wilhelm II., der sich immer mehr in die Ecke gedrängt fühlte, hatte kurz zuvor Prinz Max von Baden zum Kanzler ernannt. Der erklärte aber anschließend eigenmächtig die Abdankung des Kaisers und übertrug dem Sozialdemokraten Friedrich Ebert sein eigenes Amt als Kanzler. Noch an diesem Tag wurde um 12.00 Uhr vom SPD-Vorstandsmitglied Philipp Scheidemann, vor dem Reichstag in Berlin die Deutsche Republik ausgerufen. Er kam dabei dem Führer des Spartakusbundes, Karl Liebknecht, um zwei Stunden zuvor, der um 14.00 Uhr vom Balkon des Berliner Schlosses die Freie Sozialistische Republik Deutschland ausgerufen hatte.

Ein guter Bericht, dachte Robert.

„Der neunte November ist ja ein ganz besonderes Datum, da war ja auch unsere offizielle oder halboffizielle Grenzöffnung", sagte Robert dann anschließend laut zu seinen beiden Kindern. Die waren aber inzwischen mit ihren Zeitschriften beschäftigt und interessierten sich im Moment nicht allzu sehr für die deutsche Geschichte nach dem Ersten Weltkrieg.

Robert dachte an seine Frau. Er selbst überlegte immer noch, ob er als Kripobeamter auch den Schritt in den Osten wagen sollte. Die interne Ausschreibung lag ganz oben auf seinem Schreibtisch. Momentan ging es jedoch noch nicht, da er gerade als Leiter der *Soko Jagdschloss* beschäftigt war.

Der Mord an einem siebzehnjährigen Mädchen sollte schnellstmöglich aufgeklärt werden. Die Leiche der jungen Frau wurde am neunundzwanzigsten Juni stark entstellt am Ufer der Havel, im Bereich vom Jagdschlosspark, in der Nähe von Klein Glienicke, entdeckt. Das Mädchen war aber zu diesem Zeitpunkt schon zwei oder sogar drei Tage tot.

Sie hatten bereits ermitteln können, dass der Fundort nicht der Tatort war. Es gab einige Hinweise, insbesondere eine dicke Blutspur auf einem scharfkantigen Bordstein, die eindeutig darauf hinwies, dass das Mädchen direkt in der Mitte der Glienicker Brücke zu Tode gekommen war. Der Leichenfundort befand sich aber bereits auf der Westseite und somit im Bezirk Berlin-Wannsee und nicht mehr in Potsdam, beziehungsweise Brandenburg.

Nach der Tat musste der Täter, oder eventuell auch die Täterin, die junge Frau offensichtlich über das Brückengeländer in die Havel geworfen haben.

Durch die vorläufige Obduktion der Rechtsmedizin konnte festgestellt werden, dass die junge Frau vermutlich bereits tot war, bevor sie in den Fluss geriet und somit nicht, wie zunächst angenommen wurde, ertrunken war.

Ein aufmerksamer Bürger hatte der Polizei bereits vor dem Leichenfund zwei Blutspuren gemeldet. Die erste Blutspur konnte der jungen Frau inzwischen zugeordnet werden. Die zweite Blutspur befand sich direkt am Metallgeländer der Glienicker Brücke. Sie war mit der ersten Blutspur aber nicht identisch und konnte auch bisher niemandem zugeordnet werden. Die naheliegendste Vermutung wäre, dass sie vom Täter selbst stammte. Dann müsste es zwischen den beiden Personen jedoch zu einer körperlichen Auseinandersetzung, bei der Blut geflossen war, gekommen sein.

Nach dem Grenzfall lief auch die Zusammenarbeit mit der Ostpolizei grundsätzlich wesentlich unkomplizierter ab, was noch vor einem Jahr ein Ding der Unmöglichkeit oder zumindest nur unter erschwerten Bedingungen möglich gewesen wäre.

Das Motiv des Täters liegt jedoch noch völlig im Unklaren. Ein Sexualdelikt konnte aber ausgeschlossen werden.

Kriminalhauptkommissar Robert Zimmermann hatte zwar schon Kontakte mit den Behörden der DDR geknüpft, jedoch gestalteten sich die Ermittlungen noch etwas schleppend, da im Osten trotz der Grenzöffnung gerade alles im Umbruch war. Die gewünschte Unterstützung von dort konnte sich Zimmermann nicht erhoffen. Die Kollegen aus dem Osten hatten zwar ihre handschriftliche Vermisstendatei abgeglichen, hierbei jedoch leider keinen Treffer gelandet. Alle aktuell Vermissten seien über vierzig Jahre alt. Eine junge Frau würde derzeit nicht gesucht, wurde auf ein Ersuchen hin berichtet.

Robert würde nächste Woche selbst einmal die zuständige Dienststelle in Potsdam aufsuchen und die Vermisstenakten gründlich durchsehen.

Zusätzlich wollte er noch zwei Sokomitglieder nach Ostberlin und Potsdam schicken um die dortigen Schulen zu überprüfen.

Bei den bisherigen polizeilichen Nachfragen in den Westberliner Schulen konnten sie leider noch keinen Erfolg verbuchen.

Wenn sie wussten, um wen es sich bei dem getöteten Mädchen handelte, wären sie einen großen Schritt weiter und man könnte in deren Umfeld ermitteln.

Bei Tötungsdelikten im Familien- oder Bekanntenbereich ist die Aufklärungsquote am höchsten. Jedoch mussten sie sich beeilen und die aktuell bekannten Informationen schnellstmöglich verarbeiten.

Bei der Mordkommission spricht man von den entscheidenden ersten achtundvierzig Stunden ... und die waren gerade abgelaufen! Momentan tappte die Soko Jagdschloss noch völlig im Dunkeln.

Andreas und Isabel blätterten immer noch in ihren Zeitschriften. Andreas im *Motorrad* und Isabel im *Girl*.

Die beiden Schüler des Schillergymnasiums Charlottenburg hatten inzwischen jeweils ihren Discman neben sich liegen und hörten über Kopfhörer Musik. Bei Andreas lief gerade *Still got the Blues* von Gary Moore, während Isabel den Schlager *Ich verzeih dir* von Veronika Fischer hörte.

Als Veronika Fischer ausgesungen hatte, und Lisa Stansfield mit *This is the right time* begann, schaltete Isa auf Stopp und nahm vorsichtig den Kopfhörer von ihren Ohren. „Übrigens, Paps. Da soll doch ein Mädchen in der Havel ertrunken sein. Du hast doch in deinem Präsidium bestimmt davon gehört. Ein Mitschüler von mir hat da eine ganz komische Geschichte erzählt. Das Mädchen soll nämlich aus dem Osten stammen und im Westen ihren Vater gesucht haben, der schon seit längerer Zeit *rüber gemacht* hat, wie die drüben sagen."

Robert wurde hellhörig. Schaltete den Fernseher sofort leiser.

Mit überraschter Miene schaute er seiner Tochter fragend ins Gesicht. „Wie, was? Das hört sich ja höchst interessant an. Habe gerade zufällig an den Fall gedacht. Ertrunken ist sie zwar nicht, aber wie heißt denn dein Mitschüler?"

„Ups! Das wollte ich eigentlich gar nicht sagen. Nicht, dass du ihn dann gleich verhörst und ich Ärger in der Schule bekomme.

Außerdem kann das auch nur dummes Angebergerede sein. Habe keine Ahnung woher er seine Informationen hat."

Robert sah seine Tochter eindringlich an.

„Nein, keine Angst.

Werde die Sache äußerst diskret behandeln. Dein Name taucht dabei nicht auf. Habe zur Zeit eine gute Kollegin in der Soko, Polizeioberkommissarin Nadine Rumm, die kriegt so was sehr gut hin."

Seine Logik war von verblüffender Schlichtheit, weshalb Isabel noch zögerte. „Aber wenn ...“

„Keine Bange Töchterlein, deine Sicherheit geht mir über alles, das weißt du. Es wäre das Letzte für mich, wenn meine Tochter wegen mir Ärger bekommen würde."

„Michel Bauer", sagte Isa schließlich.

Robert nahm einen Kugelschreiber und schrieb den Namen auf die Fernsehzeitschrift *Gong*, die zufällig neben ihm lag.

„Vielen Dank, Isabel.

Meine Kollegin Nadine macht morgen eine Befragung in eurer Schule und wird dann, eher zufällig, auch mit dem Michel sprechen. Du verstehst?"

„Ja, aber der Michel kann auch Eins und Eins zusammenzählen."

„Das glaube ich ja, aber Nadine kommt von einer ganz anderen Dienststelle. Sie ist der Soko nur vorübergehend zugeordnet und macht ansonsten in Köln Dienst. Glaube mir, die macht das sehr geschickt. Ich tauche dort überhaupt nicht auf.

Wir müssen sowieso noch an einigen Schulen in der näheren Umgebung Befragungen durchführen. Es könnte ja eine Schülerin schon längere Zeit fehlen.

Zufällig haben wir eure Schule bisher noch nicht überprüft. Aber wenn das stimmt, dann hätten wir wenigstens einen Namen.

Und außerdem bist du ja nicht die Einzige, die Michel Bauers Geschichten gehört hat, oder?"

„Nein, die ganze Klasse weiß davon."

„Siehst du, da kommt doch niemand auf dich. Nur weil du einen Vater bei der Kripo hast, musst du es doch nicht gewesen sein.

Der Kreis der üblichen Verdächtigen ist da viel zu groß."

Isabel nickte zufrieden. Hatte aber doch noch leichte Zweifel. „Okay, von mir aus. Bin jetzt ziemlich müde. Gute Nacht, Paps." Sie stand auf und gab Andi, der von all dem nichts mitbekommen hatte, einen Klaps auf den Hinterkopf, grinste ihn verschmitzt an und verabschiedete sich mit einem kurzen Handzeichen.

Ihr Bruder schüttelte nur den Kopf über das für ihn im Moment nicht nachvollziehbare Verhalten seiner Schwester und vertiefte sich wieder in einen Langstreckentest der Yamaha TR 1.

Robert Zimmermann lag schon längere Zeit im Bett, als er immer noch über den Hinweis seiner Tochter halblaut nachdachte.

„Vielleicht ist das sogar der Schlüssel zur Lösung des Falls. Seit der Grenzöffnung suchen fast täglich Leute ihre Angehörigen im Westen … oder umgekehrt natürlich auch im Osten. Ist irgendwie naheliegend, dass da was dran ist."

Aber jetzt wünschte er sich erst mal ein paar Stunden traumfreien Schlaf.

Nur ein paar Minuten später schlief er zufrieden ein.

Ganz traumfrei war seine Nacht jedoch nicht. Nur träumte er nicht von seinem aktuellen Mordfall, sondern von Hans und Sophie Scholl.

Er selbst druckte gerade illegal in einer versteckten Hinterhofwohnung Flugblätter gegen den Faschismus, als zwei uniformierte Männer der *Waffen-SS* den Raum betraten ...

Sonntag, 8. Juli 1990,
Lutherstadt Wittenberg, Sachsen-Anhalt, Ostdeutschland

Endlich Sommerferien.

Fast zwei Monate schulfrei.

Erst am dritten September war wieder Unterricht. Aber nicht für Nora und Dora. Sie hatten die zehnte Klasse abgeschlossen und waren gerade dabei herauszufinden, wie es nach der Schule bei ihnen weitergehen sollte. Über ihre zukünftige Berufswahl waren sie sich deshalb noch nicht schlüssig, da sie beide eigentlich das Gleiche machen wollten aber unterschiedliche Interessen hatten.

Dadurch gestaltete sich der Findungsprozess äußerst schwierig. Was die eine vorschlug, lehnte die andere kategorisch ab. Dann kam noch die aktuelle Situation mit Felix Leon dazu, in den sie beide verschossen waren. Die Schmetterlinge in ihren Bäuchen wurden immer größer.

Ralph hatte inzwischen ein Jahr auf der Erweiterten Oberschule zugebracht und muss jetzt noch ein weiteres Jahr pauken. Dann hätte er sein Abitur in der Tasche.

Wollte anschließend ein Studium beginnen, eventuell etwas mit Kunst machen … wie sein Vater.

Um überhaupt auf die Erweiterte Oberschule zu kommen, mussten natürlich seine Eltern politisch mit der Parteilinie übereinstimmen. Das war bei Herbert und Theresa selbstverständlich der Fall.

Aber jetzt, nach der anstehenden Wende, sollte sich politisch und natürlich auch im Schulsystem einiges ändern.

In der DDR gab es seit 1946 nur die Einheitsschule. Erst 1959 wurde die allgemeinbildende Polytechnische Oberschule eingeführt. Jeder Schüler und jede Schülerin war verpflichtet, die POS, wie sie abgekürzt genannt wurde, zu besuchen. Im Bereich der Polytechnik wurden bereits zur Schulzeit verschiedene Berufe vorgestellt. Sie vermittelte somit in einer zehnjährigen Ausbildung auch praktische Unterrichtsanteile.

Ferner wurde erklärt, in welchen Betrieben man arbeiten konnte oder welche Studienmöglichkeiten es gab. In der damaligen DDR wurde der Polytechnik ein wesentlich höherer Stellenwert eingeräumt als in der BRD.

Grundsätzlich blieben die Klassenverbände von der ersten bis zur zehnten Klasse zusammen. Alle Kinder und Jugendliche lernten dort gemeinsam. Auch wurden die Klassen nicht nach Leistung oder Begabung getrennt. Man wollte alle Schülerinnen und Schüler zu einem qualifizierten Schulabschluss führen. Dieser Abschluss entsprach im Groben dem Mittleren Schulabschluss in der BRD.

Das alleinige Bildungsmonopol hatte in Ostdeutschland der Staat. Volksbildungsministerin der DDR war von 1963 bis 1989 Margot Honecker, die Ehefrau des Staatsratsvorsitzenden. Somit waren die Bildung und der Staat selbst praktisch in einer Hand. Im Jahr 1990 wurde dann den Schulen natürlich immer mehr der westdeutsche Stempel aufgedrückt.

Im Juli übernahm die DDR zuerst die westdeutsche Handwerksordnung und im Anschluss auch das Berufsbildungsgesetz der BRD. Dadurch gab es neue Prüfungshoheiten, neue Kompetenzen und auch neue Einrichtungen in den neuen Bundesländern.

Grundsätzlich existierten vorher in der DDR und in der BRD zwei völlig verschiedene Konzepte zur Familienpolitik.

Im Westen war es üblich, dass beruflicher Erfolg wichtig war, um mit dem entsprechenden Einkommen seinen Lebensunterhalt bestreiten zu können. Sollte dies der Fall sein, konnte man auch an einen Kinderwunsch denken. Obwohl gerade die Kinder den vorher erreichten Wohlstand und auch die Spontanität stark beeinträchtigen können.

Im Osten dagegen stand die berufliche Stabilität nicht unbedingt im Zusammenhang mit der Familiengründung. Wurde ein Kind geboren, kam es bereits nach wenigen Wochen in eine staatliche Betreuung, die sogenannte Kinderkrippe. Die Betreuung wurde überwiegend vom Staat finanziert. Die Eltern mussten lediglich fünfundzwanzig Ostmark im Monat bezahlen. Die Einrichtungen für die Kinderbetreuung waren zwischen sechs und neunzehn Uhr geöffnet. Sehr viele Kinder befanden sich somit zehn oder mehr Stunden in der Krippe, dem Kindergarten oder später in der Schule. Ihre Mütter arbeiteten, wie die Männer auch, in Vollzeit, also in der Regel nahezu neun Stunden am Tag.

Teilzeitstellen gab es in der DDR grundsätzlich nicht.

Nora und Dora hatten es auch deshalb mit der Berufswahl bisher nicht besonders eilig gehabt. Der Staat würde es schon regeln. In der DDR gab es ja keine statistisch signifikante Arbeitslosigkeit.

Dann machen sie halt irgendwas …

Aber man war jetzt im Umbruch. Inzwischen wurde immer mehr auf Westniveau umgestellt. Jedoch auch darüber machten sich die Zwillinge keinen Kopf. Einfach mal abwarten, wie das im Westen so anläuft. Wird schon alles gutgehen.

Ralph, der eigentlich bisher mit seinem Leben in der DDR zufrieden war, dachte da schon intensiver über seine Zukunft nach. Wollte aber die neuen Möglichkeiten, die sich ihm jetzt im freien Westen boten, reiflich und gründlich überlegen. Könnte dann sogar statt dem Trabi einen Ford Escort RS Turbo fahren oder eine Kawasaki Zephyr. Die Fahrzeuge könnte er bald in einer Auto- oder Motorradwerkstatt kaufen und dann sofort mitnehmen. Ohne jahrelange Wartezeit.

Unglaublich!

Aber zunächst wollte er einmal dieses Westdeutschland, das Land der unbegrenzten Möglichkeiten, persönlich kennenlernen.

Aus einer spontanen Idee heraus, die ihre Entstehung einer größeren Menge Alkohol in Form von Bier zu verdanken hatte, wurde immer mehr ein konkreter Plan. Zusammen mit seinem besten Freund Markus Kretzer wollte er in den Sommerferien Westdeutschland per Anhalter bereisen. Das war jetzt tatsächlich möglich.

Natürlich war den Eltern das Vorhaben zu gefährlich. Sie waren strikt dagegen und hatten sogar finanzielle Angebote gemacht, wenn sie sich das aus dem Kopf schlagen würden, jedoch konnten sich Ralph und Markus letztendlich durchsetzen.

Einen finanziellen Zuschuss gab es trotzdem, aber sie mussten sich jeden Tag telefonisch melden und auch das hochheilige Versprechen ablegen, dass sie immer auf sich aufpassen würden.

Schon morgen sollte es losgehen.

Das erste größere Etappenziel war der Main-Tauber-Kreis, die ehemalige Heimat von Ralphs Eltern. Er wollte unbedingt Königshofen, die Kleinstadt an der Tauber, kennenlernen. Dort war sein Vater aufgewachsen und er selbst lebte ja bis zu seinem zweiten Lebensjahr auch in Tauberfranken. Außerdem könnten die beiden Tramper bestimmt bei Ralphs Großeltern übernachten, die er leider noch nie in seinem Leben persönlich gesehen hatte.

Zumindest konnte er sich nicht mehr daran erinnern. Lediglich ein paar Bilder von Vaters altem Familienalbum hatte er ab und zu angeschaut. Vermutlich würde er sie gar nicht mehr erkennen, zumal das letzte Bild gut zwanzig Jahre alt war.

Vater selbst wollte seine Eltern in Königshofen nie besuchen. Er meinte auf die entsprechenden Fragen von Ralph nur, dass er keine Genehmigung bekäme, in den Westen zu reisen. Das sei halt leider so und er wollte auch seine gute Stellung im Luthermuseum zu Wittenberg nicht gefährden. Als Kind war Ralph oft darüber traurig gewesen, zumal er somit auch seine Großeltern mütterlicherseits, die in Unterbalbach gewohnt hatten und beide bereits vor zehn Jahren verstorben waren, nie besuchen durfte.

Ralph verzichtete auf eine vorherige Information an seine Königshöfer Großeltern. Auch sein Vater und seine Mutter sollten von dem Vorhaben nichts erfahren.

Von seinen Großeltern wusste er nur, dass sie Marie Luisa und Otto Schad hießen und in Königshofen, in der Nähe der Bundesstraße 290, wohnten. Aber er würde sie zusammen mit Markus schon finden.

Es sollte eine Überraschung werden.

Ralph wusste hierbei natürlich noch nicht, wie recht er hatte.

Aber eine große Überraschung sollte dabei auch auf ihn selbst warten.

Montag, 9. Juli 1990,
Berlin-Charlottenburg, Westdeutschland

Im Besprechungsraum des Polizeipräsidiums Berlin-Charlottenburg, am Kaiserdamm 1, herrschte ein reges Stimmengewirr. Erst als Kriminalhauptkommissar Zimmermann mit schnellen und lauten Schritten den Raum betrat, verstummten die Gespräche der Sokomitglieder langsam.

„So Herrschaften, der Wochenbericht ist fällig. Zusammenfassend möchte ich gleich mal vorgreifen. Eine Auflösung unserer Soko ist noch lange nicht in Sicht. Wir werden uns auf jeden Fall noch einige Zeit gegenseitig ertragen müssen.

Aber jetzt erst mal zu den bisherigen Erkenntnissen. Nadine, wenn du uns nochmal deine letzten Ermittlungen schildern könntest."

Die junge Kriminaloberkommissarin, die gerade im Rahmen ihres Umlaufes für den Höheren Kriminaldienst nach Berlin abgeordnet war, stand zügig auf, nachdem sie die vor ihr liegenden Notizblätter geordnet hatte. Dann blickte sie forsch hoch. „Ja, wie ihr alle wisst, war ich zusammen mit dem Kollegen Matthias Volk am vergangenen Freitag im Gottfried-Keller-Gymnasium. Wir müssen ja in allen Schulen von Berlin eine Befragung durchführen, ob eine Schülerin vermisst wird."

Sie zwinkerte dem Kollegen Zimmermann lächelnd zu.

„Dabei haben wir *rein zufällig* von einem Michel Bauer erfahren, dass er gehört habe, es würde sich bei der Toten um eine Schülerin aus dem Osten handeln, die ihren Vater suchen wollte. Der sei noch vor der Grenzöffnung in den Westen geflohen. Es war sehr schwierig, diese Aussage aus dem Schüler herauszubekommen. Am Anfang hat er total blockiert ... aber ihr kennt ja alle mein Vernehmungsgeschick."

Sie schaute provokativ hoch, während ein lautes Raunen durch den Raum ging.

Die Oberkommissarin lächelte leicht und sortierte sich dann wieder. „Aber ich konnte beim besten Willen nicht mehr aus ihm

101

herausbringen."

„Soviel zum Thema Vernehmungsgeschick." Der laute Zwischenruf kam von Kriminalhauptmeister Clemens Wesslein, der sich lachend umschaute.

Nadine ignorierte jedoch die Bemerkung. „Nur einmal", fuhr sie unbeeindruckt fort, „hat er sich noch verplappert und was von Köpenick gefaselt, aber ziemlich leise und undeutlich. Auf Nachfrage wollte er das dann auch nicht mehr bestätigen. Vielmehr stellte er es als Nichtigkeit hin … oder er wollte einfach nicht.

Zusammen mit Matze Volk bin ich dann sofort nach Köpenick gefahren. Ist ja, wie ihr alle wisst, inzwischen kein Problem mehr. Die Grenzstellen sind total verwaist. Man fährt da einfach durch."

Die Kollegen nickten übereinstimmend.

Für die Berliner war es immer noch ungewöhnlich, dass man jetzt ohne jegliche Kontrolle und Formalitäten zwischen dem Westen und dem Osten hin- und herfahren konnte. Auch der lästige Zwangsumtausch war inzwischen natürlich weggefallen.

Nadine schaute kurz auf ihr Manuskript. „Ja, in Köpenick gibt es zum Glück nur zwei Polytechnische Oberschulen, eine in der Luisenstraße und eine weitere in der Amtsstraße. Eigentlich sind ja im Osten bereits Sommerferien. Aber da sich diese Schulen inzwischen einem starken Wandel in Richtung Westniveau unterzogen haben, waren noch viele Lehrer im Gebäude. Zum Beispiel wurde dort Russisch abgeschafft und auf dem neuen Lehrplan stand bereits Englisch. Die ehemaligen Russischlehrer sollen jetzt in der englischen Sprache geschult werden. Aber das nur nebenbei."

Die Oberkommissarin schaute in die zum Teil gelangweilten Gesichter ihrer Kollegen, bevor sie sich laut räusperte und ihren Vortrag fortsetzte. „Zurück zu unseren Ermittlungen. In der POS Luisenstraße haben wir dann erfahren, dass bisher niemand unentschuldigt gefehlt habe. Jedoch sei ein Geschwisterpaar bereits seit Montag, dem fünfundzwanzigsten Juni, krankgemeldet. Dabei handele es sich um Dieter und Jacqueline Bauermann aus

102

Köpenick.

Leider sei bisher die Folgekrankmeldung und eine Nachfrage bei den Eltern bezüglich einem vorzulegenden ärztlichen Attest untergegangen. Der derzeitige formelle Umbau von der POS des Ostens in eine westliche Schule habe einfach zu viel Zeit in Anspruch genommen.

Der Lehrer, Herr Otto Strecker, ein ganz freundlicher und sehr sympathischer Mann, machte einen ziemlich gestressten Eindruck. Möchte nicht in seiner Haut stecken. Was der zur Zeit alles mitmachen muss. Normalerweise wäre er schon in den Sommerferien und könnte in der Badehose am Plattensee liegen. Aber die müssen jetzt alle Vorgaben, die im Stundentakt von unserem Westdeutschen Kultusministerium bei denen hereinflattern, sofort umsetzen. Die Lehrer drüben haben es bestimmt nicht leicht. Gut, nicht unser Problem. Zurück zum Fall!

Als nächstes haben Matze und ich dann natürlich die Adresse von dieser Familie Bauermann aufgesucht. Natürlich war niemand zuhause. Wir mussten also die Zeit überbrücken. Da Matze demonstrativ beide Hände über seinen Bauch gleiten ließ und ich diese Botschaft natürlich sofort verstanden habe, sind wir dann zunächst mal essen gegangen."

Ein lautes Lachen der Kollegen machte die Runde. Die Kriminalbeamten drehten sich demonstrativ zu Matze Volk um, der in der letzten Reihe saß.

Erheiterung erzeugte ein weiterer Zwischenruf von Kriminalhauptmeister Clemens Wesslein. „Ja, ja. Wenn der Matze Hunger hat, dann müssen die Ermittlungen zurückstehen. Da versteht er keinen Spaß."

„Stimmt. Aber jetzt kommt's. Das muss ich euch unbedingt noch erzählen, wenn es auch nicht zum Fall gehört. So als kleine Erheiterung nebenbei." Nadine blickte lächelnd in die Runde. „Matze hat dann in einer Ostberliner Eckkneipe ein Jägerschnitzel bestellt. Uns Westdeutschen läuft ja schon bei dem Gedanken an ein schönes Stück unpaniertes oder notfalls paniertes Kalbs- oder Schweinefleisch mit Pilzsauce und Pommes das Wasser im Mund zusammen. Aber ihr hättet Matzes Gesicht mal sehen sollen, als er das Jägerschnitzel auf seinem Teller betrachtete, das ihm die Kellnerin gerade auf den Tisch gestellt hatte. Er musste erst mal enttäuscht schlucken und schüttelte fortlaufend den Kopf. Dann rief er die Kellnerin herbei und erklärte ihr abwertend, dass er das da auf seinem Teller ganz sicher nicht bestellt habe.

Die Bedienung, eine selbstsichere Ostberlinerin, erklärte ihm in einem barschen Ton, dass er genau das bestellt habe und es sich hier zweifelsfrei um ein Jägerschnitzel handle. Sie sei vom Fach und dies sei bei Weitem nicht das erste Jägerschnitzel, das sie serviere. Allein heute habe sie schon weit über zwanzig Jägerschnitzel an den Mann gebracht ... oder an die Frau. Die Leute seien bisher alle ausnahmslos zufrieden gewesen! Dann lief sie borniert weg und hob ihr Kinn demonstrativ an.

Aber: Auf Matzes Teller lagen tatsächlich ein paniertes Stück Jagdwurst mit Spirelli-Butternudeln und Ketchup, sowie einer Mehlschwitze und ein winziges Blättchen Oregano. Das Ganze ist nämlich dort drüben ein ... Jägerschnitzel.

Aber ich muss zur Ehrenrettung der DDR-Küche sagen, mein Mutzbraten, den ich mir bestellt hatte, mundete vorzüglich. Auf meinem Teller befand sich ein faustgroßes Stück Fleisch aus der Schweineschulter, das mit Salz, Pfeffer und Majoran gewürzt und mariniert war.

Die Bedienung meinte, dass es sogar auf Birkenholz gegart sei. Dazu gab es Brot, Sauerkraut und Senf. Ein wahrer Genuss!"

Einige Kollegen bekamen tatsächlich große Augen bei Nadines abschweifenden Erzählungen, obwohl sie erst kurz zuvor gefrühstückt hatten.

„Äh, Nadine, wir haben einen Fall zu bearbeiten, ... nur so nebenbei." Kriminalhauptkommissar Zimmermann sah seine junge Mitarbeiterin streng an.

„Ja, Entschuldigung, Robert. Bin ja auch schon fertig. Essenstechnisch meine ich. Gut, dann weiter." Sie schaute wieder auf ihre Unterlagen und fand anschließend in einen dienstlichen, kühlen Tonfall zurück. „So gegen 14.00 Uhr haben wir dann noch einmal bei Bauermanns geklingelt.

Tatsächlich war inzwischen jemand daheim. Eine kleine, etwas dickliche Frau öffnete und schaute uns überrascht an.

Auf meine Frage bestätigte sie, dass sie Mandy Bauermann heiße. Ihr ging es offensichtlich nicht besonders gut und sie hatte total verheulte Augen.

Haben ihr nur gesagt, dass wir eine Mitteilung von der Schule bekommen hätten, da ihre beiden Kinder seit ungefähr zwei Wochen unentschuldigt fehlen würden und dass man sie leider bisher telefonisch nicht erreicht habe. Zwar liege der Schule eine Krankmeldung vor, jedoch fehlen noch die Folgekrankmeldung und das ärztliche Attest. Darüber, dass wir von der Westberliner Polizei waren, machte sich Frau Bauermann keine Gedanken.

In ihrem kleinen und einfach eingerichteten Wohnzimmer haben wir dann einiges erfahren.

Immer wieder einem Weinkrampf unterworfen, erzählte sie, dass ihr Mann im September 1988 in den Westen geflohen sei. Er habe ihr versprochen, dass er seine Familie nachholen würde, sobald er im Westen Arbeit und eine Wohnung gefunden habe.

Anschließend habe sie von ihrem Mann aber nichts mehr gehört, kein Lebenszeichen, keine noch so kleine Mittcilung, gar nichts … bis zum 23. Juni 1990. Er habe sie an diesem Tag zum ersten Mal, nach fast zwei Jahren Funkstille, wieder angerufen und ihr dann mitgeteilt, dass er sie verlassen werde und auch nicht mehr zurückkommen wird.

Er habe im Westen eine andere Frau mit zwei eigenen Kindern gefunden. Damit hat er seine komplette Familie aus dem Osten gegen eine neue Familie im Westen, … ja, man kann es so sagen, ausgetauscht.

Frau Bauermann war völlig durch den Wind. Erst war ihr Mann weg und dann, kurz nachdem sie erfahren hatte, dass er nicht mehr zurückkommt, auch noch ihre beiden Kinder. Eine Vermisstenanzeige ihrer Kinder habe sie bisher nicht erstattet, denn ihr Sohn Dieter habe sich irgendwann telefonisch gemeldet und ihr mitgeteilt, dass sie sich keine Sorgen machen solle.

Sie seien unterwegs nach Köln und wollten ihren Vater dort aufsuchen und zurückholen.

Sie habe es zwar am Telefon versucht, konnte ihre Kinder aber nicht von diesem abenteuerlichen Vorhaben abbringen. Insgeheim habe sie auch gehofft, dass ihre Kinder mit ihrem Mann wieder zurückkommen würden und dann alles gut wäre.

Fast jede Nacht träume sie von Maik mit den Kindern. Hand in Hand kämen die drei lachend auf ihr Haus zugelaufen. Aber als sie in dem Traum auf ihren Mann und die Kinder zugehen wollte, hätte sie sich nur in der trägen Langsamkeit eines Traumzustandes bewegen können. Wäre dabei, trotz aller Bemühungen, überhaupt nicht richtig vorwärts gekommen, erzählte sie weiter. Genau an dieser Stelle des Traums sei sie dann immer wieder aufgewacht.

Schon komisch. Ziemlich blauäugig, die Frau.

Aber gut!

Von unserem Mordopfer habe ich ihr natürlich nichts erzählt, sonst hätten wir sie ja gleich in die Psychiatrie begleiten müssen.

Aber auf dem alten Fernsehapparat stand ein Bild von einer jungen, hübschen Dame. Ohne, dass ich fragen musste, sagte mir Mandy, dass es sich bei dem Bild um ein Portrait ihrer Tochter Jacqueline handele. Sie war richtig stolz auf ihre Tochter, wie man dabei heraushören konnte. War auch tatsächlich ein sehr hübsches Mädchen … nur wir haben sie halt anders gesehen. Ich war mir deshalb nicht ganz sicher, ob es sich bei der Toten tatsächlich um Jacqueline handelte, da die Wasserleiche doch sehr stark aufgedunsen und entstellt gewesen war.

Habe dann, als Frau Bauermann mit Matze kurz in Jacquelines Zimmer war, das Bild heimlich fotografiert und inzwischen bereits an unsere KTU weitergegeben. Die wollten uns eventuell heute noch Bescheid geben.

Aber vom Gefühl her meine ich schon, dass sie es ist!"

Clemens Wesslein stieß seinen Nebensitzer lachend an. „Hast du gehört, die Frau Oberkommissarin hat Gefühle. Die muss sie sich aber im höheren Dienst abschminken."

Montag, 9. Juli 1990,
Köln-Sülz, Nordrhein-Westfalen, Westdeutschland

Michael saß schon eine halbe Stunde zuvor im Bier- und Weinhaus Vogel am Eigelstein, das seiner Meinung nach mehr Flair hatte als die Tourilokale am Heumarkt, Alter Markt oder unten am Rhein. Obwohl er sich selbst immer wieder gerne am Rheinufer aufhielt. Der Fluss strahlte eine gewisse Ruhe aus, die er verinnerlichen konnte. Ja, der Rhein hatte für ihn sogar eine befreiende Wirkung. Dort konnte er über alles nachdenken, auch über seine Heimat, die DDR und über seine Familie, die er in Köpenick zurückgelassen hatte. Die Kinder vermisste er schon. Die Liebe zu Mandy war inzwischen auf dem Nullpunkt angekommen. Er konnte nichts mehr für sie empfinden.

Auch als sie noch zusammen waren, hatten sie immer wieder lange Phasen des Schweigens und der Distanz gehabt. Ihre Ehe war im Lauf der Zeit hinter den Alltagspflichten verflacht.

Dann fiel ihm wieder Carla ein, auf die er ja hier wartete.

Am siebzehnten Mai hatte er sie zum letzten Mal gesehen. Nachdem er ihr alles gestanden hatte, hielt sie es doch für besser, wenn er erst mal in ein Hotel ging.

Sie müsste das alles verarbeiten und könnte jetzt so schnell nicht sagen, wie es weitergehen sollte. Sie hatte recht; ihre Beziehung war auf einer Lüge aufgebaut worden. Ein gemeinsames Leben ohne Vertrauen, das geht schon mal gar nicht. Er hätte es ihr sagen müssen. Aber wer eine Lüge lebt, tut dies in der Regel eher still und heimlich … und leidet dabei.

Seit dem siebzehnten Mai wohnte Michael somit schon im Cerano City Hotel, in der Nähe des Hauptbahnhofs Köln. Von seinem Zimmer aus war sogar der Dom zu sehen. Aber der konnte ihm im Moment auch nicht helfen. Es kam ihm so vor, als hätte die Zeit in den letzten Wochen ihre Bedeutung verloren. Er hatte zwar kurz überlegt, wieder zurück nach Köpenick zu gehen, zu seiner eigentlichen Familie, verwarf diesen Gedanken dann aber wieder sehr schnell. Er konnte einfach nicht.

Gestern, am Sonntagabend, hatte er es dann gewagt und Carla, nach langer und intensiver Überlegung, angerufen.

Er konnte sie sogar überreden, sich mit ihm zu treffen.

Sie hatte zugesagt.

20.00 Uhr hatten sie ausgemacht.

Michael schaute auf seine Armbanduhr. 20.08 Uhr! Er trug immer noch seine Glashütte Quarz, obwohl sie ihn regelmäßig an die DDR erinnerte. Aber er liebte diese Uhr, die er damals für einhundertfünfzig Ostmark erworben hatte. Mandy war die Uhr viel zu teuer gewesen. Sie hatte ihm damals schwere Vorwürfe gemacht. Er würde das Geld zum Fenster hinauswerfen und sie müsse jede Mark umdrehen, bevor sie sie ausgeben konnte.

Der Köbes stellte Michael unaufgefordert das zweite Kölsch auf den Tisch. Er schaute ihn kurz an und nickte dann zufrieden. Michael wusste inzwischen, dass man in Köln kein Bier bestellte, sondern man bekam es vom Köbes zugeteilt.

Im Köln hießen die Kellner alle Köbes. Ein unentschuldbarer Fehler wäre es, bei einer Getränkebestellung *Ober* zu rufen oder gar mit den Fingern zu schnippen. Das wäre in der Domstadt die Lizenz zum Verdursten!

Köbes ist die kölsche Form von Jakob. Ein gewisser Jakob Fischer, der zu der Zeit lebte, als die Erzbischöfe in Köln noch das Sagen hatten, soll der Namensgeber für den Köbes gewesen sein. Es ist ja nicht unbekannt, dass die Kirchenmänner gerne dem Bier zugesprochen haben. Damals wie heute. Einem dieser Erzbischöfe genügten die üblichen Brauereien nicht mehr und er wollte in Köln zusätzlich eine Altbierbrauerei eröffnen. Die Kölner Brauer wehrten sich aber vehement gegen dieses Vorhaben und man kam zu dem Entschluss, dass ein Wetttrinken zwischen einem Altbiertrinker und einem Kölschtrinker veranstaltet werden sollte.

Sollte die Kölschfraktion als Sieger hervorgehen, wird in Köln keine Altbierbrauerei eröffnet. Sollte sie aber verlieren, dann müssten die Kölner Brauer diverse Altbierbrauereien in ihrer geliebten Stadt dulden. Der Kölner Erzbischof aktivierte zu diesem

Wettstreit einen stadtbekannten Säufer aus Düsseldorf, der beim Wetttrinken noch niemals verloren hatte. Die Kölschfraktion der Brauer fand zunächst lange keinen geeigneten Gegner, bis sich der besagte Jakob Fischer, ein kleiner, aber drahtiger Brauereigeselle aus Köln, meldete. Man wurde sich sehr schnell einig und der entscheidende Wettstreit konnte stattfinden.

Irgendwann, weit nach Mitternacht, fiel dann der Düsseldorfer Trinker volltrunken von Stuhl, während Jakob noch genüsslich sein Kölsch austrinken konnte. Somit war das Thema Altbier in Köln im wahrsten Sinne des Wortes vom Tisch.

Inzwischen gibt es in Köln aber tatsächlich einige kleinere Altbierbrauereien. Die Zeiten ändern sich!

Zum Gedenken an diese *kühne Tat* des Jakob Fischer wurden ab sofort alle Brauereigesellen in Köln Köbes genannt. Der Name ging anschließend auch auf die Kellner der Domstadt über.

Ob das alles so wahr ist, weiß man nicht ganz genau. Eine zweite Sage erzählt, dass die Köbesse Pilger waren, die von ihrer Reise nach Santiago de Compostella auf dem Jakobsweg in Köln Rast machten und sich als Kellner etwas Geld dazu verdienten.

Michael dachte über die beiden Geschichten nach und rätselte, welche wohl die Richtige sei, um die Wartezeit zu überbrücken. Dann schaute er wieder zum Eingang. Es kamen immer wieder Leute herein, aber leider war Carla bisher nicht dabei gewesen. Hatte sie es sich doch anders überlegt und wollte tatsächlich nichts mehr von ihm wissen? Was sollte er dann machen? Zurückgehen in die DDR?

Michael saß hinten im FC-Zimmer und schaute sich gerade ein Bild der FC-Meistermannschaft von 1978 an. Daneben hing eine originale Ausgabe vom Kölner Express.

Darauf stand in großen Buchstaben: *12:0 Traumsieg für Gladbach, aber Köln ist Meister!*

Köln steht Kopf!

Als er seinen Blick von der Wand abschweifen ließ, erkannte er sie.

Sein Herz schlug schneller.

Carla war gerade durch die Tür hereingekommen und sah sich suchend um. Wie immer war sie makellos gekleidet.

Michael wusste, dass sie für ihre Kleidung genauso viel Sorgfalt aufwandte, wie für jedes andere Details in ihrem Leben.

Er stand blitzartig auf, lief ihr zügig entgegen und begrüßte sie freudig, aber distanziert, per Handschlag.

Geleitete sie anschließend vornehm zu seinem Tisch. „Bitte, nimm Platz! Darf ich dir ein Kölsch bestellen?"

Sie nickte leicht verlegen.

Der Köbes stellte seinen Bierkranz auf dem Tisch ab, entnahm elegant ein Kölsch und stellte es mit einem Lächeln auf den Deckel, den er fast zeitgleich Carla zugeworfen hatte.

„Schön, dass du gekommen bist. Trinken wir erst mal einen Schluck. Du wirst sicher Durst haben", sagte Michael.

Carla lächelte nur. Sie sah ihn an und errötete leicht, als sich ihre Augenpaare kreuzten.

Michaels inneres Unbehagen wurde dadurch etwas gemildert.

„Wie geht es dir?" Diese einfältige Frage bereute er schon im nächsten Moment.

Sie atmete tief durch. „Wie soll es einer alleinerziehenden Mutter gehen, die sich auch noch, … ja, ich möchte es so direkt sagen, die sich auch noch betrogen fühlt?

Oder wäre ausgenutzt das treffendere Wort?"

Michael atmete tief aus und sah Carla schuldbewusst an.

Seine weißen Hände umklammerten unsicher das Kölschglas. „Glaube es mir, die letzten Wochen waren die Hölle für mich. Die Schuldgefühle zermürbten mich immer mehr. Ich habe an alles gedacht …" Er zögerte. „Auch an Selbstmord. Wäre kein Problem gewesen; der Bahnhof ist nicht weit von meinem Hotel weg. Da fahren genügend Züge.

Carla, glaube mir, es war die schlimmste Zeit in meinem Leben, nachdem du mich an die frische Luft befördert hattest. Noch schlimmer als die Zeit in der DDR mit all den Einschränkungen und der politisch angeordneten Staatstreue. In Köpenick hatte ich wenigstens noch … ja, eine Familie. Hier bin ich völlig allein. Um

110

das etwas einzuschränken, habe ich die Abende oft in diversen Kneipen verbracht. In Köln sagt man ja, dass jeder, der in der Kneipe neben dir sitzt, kurze Zeit später dein Freund ist. Aber da habe ich leider nur Saufkumpane gefunden und Touristen, keine Freunde. Muss also nicht immer stimmen, was man sich so erzählt. Lag aber vielleicht auch an mir, da ich eigentlich nie gut drauf war. Dann habe ich allen Mut zusammengefasst und meine Frau Mandy in Köpenick angerufen."

Carlas Augen weiteten sich. „Du hast was?"

„Sie angerufen."

„Deine Frau?"

„Ja. Natürlich habe ich gewusst, dass ich ihr mit meiner Nachricht das Herz endgültig breche, und so war es dann auch, aber ich will nicht mehr zurück in die DDR ... und auch nicht zu ihr. Ich kann nicht und ich werde nicht mehr zurückgehen. Es war mir wichtig, ihr das persönlich zu sagen. Zwar am Telefon, aber persönlich."

Er schaute Carla tief in die Augen. „Ich will zu dir. Zu dir ... und bitte glaube es mir, auch zu deinen Kindern. Habe sie inzwischen ins Herz geschlossen und würde alles für sie tun. Ich weiß, dass sie mein Verhalten in letzter Zeit irritiert hat. Aber ich möchte ihnen das erklären. Zumindest möchte ich es versuchen. Du und deine beiden Kinder, das ist mein neues Leben. Ich möchte dich nicht drängen, aber bitte, bitte überlege es dir, ich kann ..." Er brach mitten im Satz ab und bekam feuchte Augen.

Atmete tief durch. „Vielen Dank, dass du überhaupt gekommen bist." Er schaute sie treu an und wirkte dabei sogar demütig, formulierte Liebesschwüre genauso wie seine Verzweiflung. Nach der kurzen gemeinsamen Zeit in ihrer Wohnung hatte er in den letzten Tagen immer mehr das Verlangen gehabt, sie wiederzusehen. Bei ihr zu sein ... sie zu berühren oder ganz einfach ihre Nähe zu spüren. Eine ungezähmte, heftige Sehnsucht erfasste ihn. In der Redaktion konnte Maik sie zur Zeit ebenfalls nicht sehen, da Carla auf unbestimmte Zeit im Außendienst arbeitete.

Sie legte kritisch die Stirn in Falten und dachte nach. Eigentlich ist er ja ein guter Kerl. Sie spürte, dass zwischen ihnen immer noch etwas da war, etwas lebte. Er hatte sie zwar sehr enttäuscht, aber wie er ihr so gegenübersaß und seine Gesichtszüge ergeben und unsicher, aber gleichsam hoffnungsvoll zuckten, konnte sie ihn einfach nicht fallen lassen. Für einen winzigen Moment huschte bei der Erinnerung an ihr kurzes, gemeinsames Leben sogar Freude über ihr Gesicht.

Als sie dann wieder sprach, war ihre Haltung gütig und gleichsam würdevoll. „Die Zeit mit dir war, … ja sie war tatsächlich die schönste Zeit in meinem Leben ... nach der schweren Krankheit und dem Tod von Heinz."

Sie hielt kurz inne und dachte an ihren verstorbenen Mann.

Vergleiche wollte sie aber in diesem Moment nicht heranziehen. Dann sah sie Michael kritisch an. „Wenn du nur ehrlich gewesen wärst. Aber gut! Manchmal ist es sogar etwas zu einfach dem anderen eine Schuld zuzuweisen. Oft ist es dabei nur das Aufeinandertreffen von Zufällen … von dummen Zufällen.

Ich muss mir das alles noch einmal überlegen und möchte es auch zuerst mit den Kindern besprechen."

Michael nickte hoffnungsvoll.

„Vielen Dank, Carla."

Er schaute sie dankbar an.

Sie hatte ihm damals bereits auf den ersten Blick gefallen, als er sie in der Betriebskantine gesehen hatte.

Ihr empfindsames, waches Gesicht mit den großen runden Augen. Ihr langes blondes Haar, das auf das Sorgsamste gepflegt war, rahmte ihr freundliches Gesicht förmlich ein. Sie strahlte Anmut und Herzlichkeit aus. Sie war die Frau, die er immer gesucht hatte! Er spürte überschwängliche Freude bei ihrem Erscheinen, ein Gefühl der Verlorenheit, wenn sie ging und verzehrende Schmerzen bis zum Wiedersehen.

Carla trank ihr Kölsch aus, und reichte ihm die Hand zum Abschied. Ihr gefühlvoller Händedruck und ihr zartes Lächeln gaben ihm Hoffnung.

„Soll ich dich noch begleiten oder nach Hause …?"

„Nein, danke", unterbrach sie ihn. „Ich nehme die KVB."

Als Carla aus seinem Sichtfeld verschwunden war, lief ihm eine Träne über das Gesicht.

Er konnte jetzt nur noch hoffen, dass nicht alles vorbei war und er sie wieder zurückgewinnen konnte. Michael dachte an sein Leben im Osten. Die Mauer ging nicht nur mitten durch das Land, sondern auch mitten durch die Menschen, die dort lebten. Er wollte und konnte nicht mehr in die DDR zurück.

Der Köbes stellte ihm ein weiteres Kölsch auf den Tisch.

Michael registrierte es nicht und schaute lange ins Leere.

Die Welt um ihn herum verschwamm. Er nahm die anderen Gäste in dem Lokal überhaupt nicht mehr wahr.

Dann erkannte er überrascht das volle Kölsch vor ihm und trank es in einem Zug aus.

Michael dachte immer wieder über das soeben stattgefundene Gespräch nach. Es war zwar kurz, aber etwas hatte ihm Hoffnung auf eine zweite Chance gegeben: Carla hatte heute ihr teures Parfüm aufgelegt. Jenes, das er so mochte. Er versuchte es noch mit seiner Nase aufzunehmen, doch es hatte sich inzwischen leider verflüchtigt.

Aber die Erinnerung daran blieb.

Dienstag, 10. Juli 1990,
Berlin-Charlottenburg, Westdeutschland

Kriminalhauptkommissar Zimmermann kam mit einem Zettel in der Hand ins Büro, während seine Kollegin Nadine Rumm schon am Schreibtisch saß, und sich intensiv mit den Akten für die *Soko Jagdschloss* befasste.

„Gute Arbeit Nadine, wir haben einen Treffer. Leider ist die Tote tatsächlich … Jacqueline Bauermann aus Berlin-Köpenick."

Die junge Kriminaloberkommissarin seufzte laut auf. „Ach du liebe Zeit. Die arme Mandy. Die tut mir so leid. So viel Schicksal kann doch ein Mensch gar nicht ertragen."

Zimmermann nickte sichtbar betroffen. „Ja, und jetzt haben wir beide auch noch die unliebsame Aufgabe, die Todesnachricht an Mandy Bauermann zu überbringen. Das machen wir gleich heute Nachmittag."

Nadine nickte gedrückt. „Eine der schwersten Aufgaben im Leben eines Polizeibeamten, … oder einer Polizeibeamtin."

„Stimmt, Nadine. Wenn ich mir vorstelle, dass irgendwann vor meiner Wohnung die Polizei stehen würde und mir so etwas mitteilt … ich … ich könnte den Kollegen einfach nicht glauben … würde sie eher erwürgen wollen. Im Mittelalter wurde der Bote einer schlechten Nachricht tatsächlich umgebracht."

Zimmermann überlegte und blickte starr aus dem Fenster. Er hatte sich immer wieder vorgenommen, die Traurigkeit eines Falles nicht allzu nah an sich herankommen zu lassen. Gleichzeitig wusste er aber auch, dass jedes Negativerlebnis irgendwo in der eigenen Psyche einen Kratzer hinterließ. Er atmete tief durch und wandte sich wieder seiner Mitarbeiterin zu. Konzentrierte sich auf seine Arbeit. „Gibt es eigentlich etwas Neues von der Obduktion? Die Herrschaften von der Rechtsmedizin lassen sich ganz schön viel Zeit." Er schaute Nadine fragend an und schickte ein breites Lächeln hinterher.

Seine Mitarbeiterin machte eine kurze Kunstpause. „Ja … und

114

nein! Ich lese gerade den aktuellen Obduktionsbericht von unserem Forensiker, Dr. Hans-Jürgen Kunde.

Jacqueline, … jetzt wissen wir ja sicher, dass sie es ist, erlitt demnach tatsächlich bereits beim Aufprall auf die Bordsteinkante tödliche Kopfverletzungen. Dr. Kunde drückt sich da immer etwas vorsichtig aus. Auf jeden Fall war sie bereits tot, als sie in die Havel gefallen ist … nein, das geht ja gar nicht. Sie muss von irgendjemanden in den Fluss geworfen worden sein … vermutlich von ihrem Mörder … oder von ihrer Mörderin." Sie hob ruckartig den Kopf und starrte Zimmermann fragend in die Augen, als erwarte sie eine Bestätigung ihrer Rückschlüsse. Da sich ihr Kollege aber nicht zu ihren Darlegungen äußerte, fuhr sie fort. „Jacqueline hatte im Halsbereich leichte Würgemerkmale, die aber nicht zum Tod geführt haben können. Als Todeszeitpunkt wurde hier der siebenundzwanzigste Juni bestätigt. In den späten Abendstunden bis Mitternacht, steht im Bericht. Ansonsten nichts Außergewöhnliches. Doch, halt hier! Die Gerichtsmediziner um Dr. Kunde haben an der Kleidung der Leiche eine Fremdspur gefunden. Die Auswertung gestaltet sich aufgrund der langen Liegezeit im Wasser aber äußerst schwierig. Dr. Kunde ist auf diesem Gebiet ja bekanntlich eine Kapazität. Er arbeitet gerade an einer Rekonstruktion. Dazu muss er aber ganz besonders zeitaufwendige und auch komplizierte Auswertungspraktiken einsetzen. Dann erst kann er uns das endgültige Untersuchungsergebnis mitteilen."

Zimmermann nickte jetzt seiner Mitarbeiterin kritisch zu. „Ja, dann müssen wir wohl noch ein paar Tage abwarten."

„Aber es gibt auch sonst noch eine Neuigkeit. Die Kollegen unserer Soko, die gerade nach dem Bruder von Jacqueline suchen, waren sehr erfolgreich."

KHK Zimmermann schaute seine Kollegin neugierig und ernst an. „Ja, dann raus mit der Sprache, Frau Rumm!"

Nadine räusperte sich. „Eine heiße Spur führt zum Bahnhof Zoo. Dort soll sich der Bruder von Jacqueline aufgehalten haben. Ist aber schon eine Weile her … irgendwann Ende Juni. Soll ziemlich heruntergekommen gewesen sein und versucht haben, Gras zu kaufen. Er habe aber dann bald kein Geld mehr gehabt und soll sogar einen Dealer gelinkt haben, der ihm jetzt natürlich nichts mehr verkauft. Die Kollegen haben Verbindung mit einem unserer Informanten am Zoo aufgenommen. Der hat zugesagt, dass er sofort anruft, wenn dieser Dieter Bauermann dort auftaucht. Er käme immer wieder zu unregelmäßigen Zeiten an den Zoo."

„Und wie ist man auf den Bauermann gekommen?"

„Ja, das ist noch einmal eine ganz kuriose Zufallsgeschichte. Die meisten Drogenkunden, wie natürlich auch die Verkäufer, agieren ja im Milieu mit einem Pseudonym, wie auch Jacquelines Bruder. Er gab sich ironischerweise den Namen Mauermann, und jetzt pass auf, … weil er ja der Mann sei, der durch die Mauer gekommen war." Sie erwartete jetzt ein starkes Gelächter ihres Kollegen, aber der schüttelte nur missbilligend den Kopf.

„Und gerade vor unserem Informanten, mit dem er auf dem Berliner Ku'damm einige Dosen Bier geleert hatte, brüstete er sich, dass sein Pseudonym gar nicht so weit von seinem richtigen Namen entfernt sei. Man müsse nur den ersten Buchstaben austauschen. Wollte sich einen Spaß daraus machen. Nach dem dritten Versuch hatte unser Informant schon den richtigen Namen erraten. Da auch die Beschreibung passte, die uns Mandy Bauermann gegeben hatte, war alles andere kein Problem mehr. Wir müssen ihn jetzt nur noch antreffen und dann können wir ihn befragen."

Zimmermann stockte.

„Du … du meinst, er hat seine eigene Schwester umgebracht?"

Nadine wurde blass.

„Ich meine gar nichts.

Aber möglich ist alles."

Mittwoch, 11. Juli 1990,
Main-Tauber-Kreis, Westdeutschland

Sie waren gerade mal zwei Tage unterwegs gewesen, als sie an der Autobahnraststätte *Ob der Tauber West* aus dem orangefarbenen Ford Capri stiegen. Am Heck des Fahrzeugs befand sich ein Emblem des 1. FC Köln; der Geißbock, der gerade zum Sprung über den Dom ansetzt ... oder sich darauf stützt. Der Fahrer hatte während der gesamten Fahrt bis ins kleinste Detail von seinem Kölner Lieblingsverein berichtet. Während Ralph, als begeisterter Fußballfan, gespannt zugehört hatte, fühlte sich Markus eher gelangweilt von diesem Thema und hatte die Fahrt sinnvoll für ein Schläfchen genutzt.

Die beiden Jugendlichen waren zwar sehr früh in Wittenberg aufgebrochen, fuhren dann aber zwei Tage kreuz und quer durch Deutschland. Letztendlich kamen sie gegen 18.00 Uhr doch noch zur Raststätte *Ob der Tauber* an der A 81. Den Rest nach Tauberbischofsheim wollten sie zu Fuß gehen. Gegen 19.30 Uhr erreichten sie dann die Kreisstadt des Main-Tauber-Kreises.

Da es leider in Tauberbischofsheim keine Jugendherberge gab, beschlossen sie, sich unten an der Tauber eine Übernachtungsmöglichkeit zu suchen.

Das Thermometer zeigte noch achtundzwanzig Grad an.

Nachdem sie in einem türkischen Imbiss den ersten Döner ihres Lebens verspeist hatten, holten sie sich noch an der Tankstelle in der Mergentheimer Straße einige Flaschen Distelhäuser Landbier und liefen zufrieden in Richtung ihrer angedachten Übernachtungsstelle. Unter der Tauberbrücke am Stadtrand fanden sie einen geeigneten Schlafplatz. Saßen dann gemütlich am Fluss und tranken genüsslich ihr Bier. Sie waren dabei in einer richtigen Urlaubsstimmung und genossen es, in einem eigentlich fremden Land zu sein. „Hätte mir vor einem Jahr alles vorstellen können, aber dass wir beide mal im Westen fröhlich zusammensitzen und keine Angst vor der Polizei haben müssen, das hätte ich mir in tausend kalten Wintern nicht erträumt." Ralph prostete Markus freundschaftlich zu. „Und das Bier schmeckt nicht einmal schlecht. Könnte mich sogar an das Gesöff dauerhaft gewöhnen." Markus blickte mit angemessener Hochachtung auf das Etikett der Distelhäuser Brauerei. Die kleine Ortschaft Distelhausen lag gerade mal ein paar Kilometer tauberabwärts von ihrer Übernachtungsstelle entfernt.

Sechs Bier später. „Für mich ist das alles Neuland, aber du bist ja fast ein Einheimischer." Markus lächelte bei seinen Worten auf jene wohlwollende, wissende Art, die er ausgesprochen lustig fand. Er beobachtete aufmerksam Ralphs Verhalten und wartete gespannt auf dessen Reaktion.

„Rede kein Blech daher, Markus! Ich bin mit zwei Jahren zusammen mit meinen Eltern in den Osten ausgewandert und seither mit Sicherheit kein einziges Mal wieder im Westen gewesen."

„Doch bist du!"

„Nein, bin ich, wie schon gesagt, mit absoluter Sicherheit nicht. Das kannst du mir glauben. Großes Indianerehrenwort."

Markus sah Ralph spitzbübisch an. „Doch bist du! Jetzt mit mir."

Ralph schlug seinem Freund mit der flachen Hand gegen die Brust. „Arschloch!"

Die beiden Freunde lachten laut auf und prosteten sich erneut freundschaftlich zu. Nach einigen weiteren ähnlich belustigenden Gesprächen, und nachdem alle Bierflaschen fein säuberlich ausgetrunken waren, gähnte Ralph demonstrativ. „So, ich bin jetzt aber ziemlich müde. Werde mich mal in aller Ruhe mit meinem Schlafsack auseinandersetzen."

„Aber ich könnte nochmal kurz zur Tanke hochgehen und …"

„Nein, Markus mir reicht's. Irgendwann muss auch mal Schluss sein. Mit dir wird man ja noch zum Alkoholiker."

Markus hob entschuldigend beide Hände hoch. „Nein, nein, ich will dich zu nichts zwingen. Und morgen geht's dann zu deiner Großmutter?" Ralph kratzte sich in einer gespielten Geste der Neugier am Kopf. „Ja, da bin ich schon gespannt, ob mein Vater wirklich so fromm war, wie er bisher immer getan hat."

Mittwoch, 11. Juli 1990,
Berlin-Charlottenburg, Westdeutschland

„Was wollt ihr von mir? Ich habe euch doch nichts getan. Bin nur spazieren gegangen und dann packt ihr mich plötzlich und ohne jeglichen Grund. Bin doch kein Schwerverbrecher. Lasst mich los, ich kann allein gehen. Und wenn ihr mir weiter blöd kommt, rufe ich sofort meinen Rechtsanwalt an. Das ist mein gutes Recht."
Kriminalhauptkommissar Robert Zimmermann lief den beiden Polizeibeamten entgegen, in deren Mitte ein junger Mann widerwillig trabte und dabei immer wieder von den Kollegen nach vorne geschubst wurde.
Zimmermann bedankte sich bei den Polizisten, die den Jungen nach einem entsprechenden Hinweis am Bahnhof Zoo abgeholt hatten. Noch im Flur bot Zimmermann dem jungen Mann freundlich einen Kaffee an. Böser Bulle, lieber Bulle!
Der Junge nickte und folgte Zimmermann in sein Büro.
„So, setz dich erst mal und dann klären wir alles in Ruhe … ohne Geschrei. Ob du einen Rechtsanwalt brauchst, sehen wir dann. Wenn du der Meinung bist, dass du schon jetzt einen hinzuziehen willst, hier steht das Telefon und daneben liegt eine Liste mit allen Strafverteidigern in der Gegend."
Zimmermann sah dem jungen Burschen eindringlich ins Gesicht. Der nickte wieder und schaute sich dann unsicher um. Sein Blick blieb an einem Wimpel von Hertha BSC hängen, als der Polizist zu sprechen begann. „Meine Name ist Zimmermann, Hauptkommissar Zimmermann. Du bist zwar kein Schwerverbrecher, aber Cannabis anzukaufen ist halt immer noch verboten, wie auch der Besitz. Wir sind hier nicht in Holland, junger Mann. Aber jetzt fangen wir mal ganz von vorne an. Wie heißt du …? Oder soll ich *Sie* sagen."
„Nein. *Du* ist mir lieber, … ist schon recht."
„Gut, dann kannst du mir als erstes mal deinen Namen sagen."
„Ich heiße Mauer … äh Bauermann, Dieter Bauermann."

„Geboren am …?" Zimmermann lächelte freundlich und sah den jungen Mann auffordernd an.

„Am 15. April 1972."

„Dann bist du … Moment … ja, schon 18, also volljährig … und wo geboren?"

„In den DRK-Kliniken, Berlin-Köpenick."

„Deine Eltern heißen?"

„Maik und Mandy Bauermann."

„Hast du noch Geschwister?"

Dieter versuchte nach dieser Frage mehrmals den Kloß in seinem Hals hinunterzuschlucken. „Ja, eine Schwester, Jacqueline. Sie … sie ist ein Jahr jünger als ich."

Zimmermann schwieg einen Moment, dann fragte er in einem harten Ton: „Wann hast du deine Schwester Jacqueline zum letzten Mal gesehen?"

Dieter zitterte. Seine Persönlichkeit teilte sich, im ersten Moment sah er sich in einer Sackgasse, dann aber blickte er den Kriminalkommissar entrüstet an. „Warum, was ist mit ihr? Weshalb fragen Sie nach Jacky? Ich nenne sie meistens Jacky. Jacqueline ist mir zu lang. Aber warum …?"

Der Hauptkommissar fiel ihm ins Wort. „Ganz ruhig, wir wollen uns nur ein Bild von deiner Familie machen. Weshalb du hier bist, weißt du ja inzwischen."

Bauermann nickte ihm zögerlich zu. Dabei schien er kurz geistig abwesend zu sein.

Die Sekretärin, die ohne anzuklopfen den Raum betreten hatte, stellte zwei Tassen Kaffee auf den Schreibtisch und verschwand wieder diskret.

Dieter nahm einen kräftigen Schluck und hätte sich dabei fast den Mund verbrannt.

Dann hob er abweisend die Hand.

„Aber Jacqueline hat mit Drogen überhaupt nichts zu tun, dafür lege ich meine Hand ins Feuer."

Zimmermann zog die Brauen kritisch nach oben und pflichtete ihm bei. „Natürlich hat sie nichts mit Drogen zu tun, aber wir suchen sie, da sie ja noch minderjährig ist. Sie ist schon lange nicht mehr in ihrer Schule erschienen … und du auch nicht. Und, wie gesagt, da sie noch minderjährig ist, gilt sie bei der Polizei als vermisste Person. Bei dir ist das etwas anders. Da du bereits achtzehn Jahre alt bist, würdest du nur dann als vermisste Person angesehen werden, wenn eine besondere Gefahrenlage für dich bestehen würde.

Kannst du mir sagen, wo sich Jacqueline aufhält oder wann du sie zuletzt gesehen hast?"

Dieter blickte den Kommissar ängstlich an.

„Ist schon etwas länger her. Wir saßen am Bahnhof Zoo fest und hatten fast kein Geld mehr. Dort haben wir dann zufällig von einem Fest in Wannsee gehört, auf dem jedes Getränk nur eine Mark kosten sollte. Das konnten wir uns gerade noch leisten und ich bin mit Jacky dorthin gegangen. Ja, und auf diesem Fest hatte sie dann so einen Typen kennengelernt und plötzlich war sie verschwunden. Habe sie sofort überall gesucht, aber leider nicht mehr gefunden."

Dieter schaute den Kommissar unsicher an. „Kann man Ihnen trauen?"

Zimmermann lächelte vornehm. „Natürlich kann man mir trauen. Bin selbst Familienvater und habe zwei Kinder. Sie sind ungefähr in eurem Alter."

„Aber Sie sind ein Bulle!"

„Auch Bullen sind Menschen. Vielleicht sogar bessere Menschen als ihre Kundschaft. Manche Kollegen sagen, dass wir die Guten sind, aber soweit möchte ich gar nicht gehen. Es ist bei der Polizei auch wie im Leben da draußen auf der Straße. Ein Geben und ein Nehmen. Du kannst mir glauben, dass Polizisten eigentlich ganz normale Menschen sind."

Dieter nickte. Hatte inzwischen sogar etwas Vertrauen zu dem Mann gewonnen, der ihm gegenübersaß. Aber trotzdem. Er konnte ihm nicht die ganze Wahrheit sagen. Einen kurzen Moment dachte er zwar daran, verwarf aber den Gedanken sofort wieder. Dann begann er mit seiner Geschichte und wandte dabei die bekannte

Vernehmungstaktik an, viel zu erzählen, aber dabei trotzdem nicht alles preiszugeben.

Dieter räusperte sich laut. Dann begann er mit seiner Aussage. „Es hatte alles viel früher angefangen. Wir waren eigentlich eine ganz normale Familie ... in der DDR. Waren zwar nicht reich, aber Hunger leiden mussten wir auch nicht und wir hatten immer ein Dach über dem Kopf. Die Eltern hatten Arbeit und wir, Jacky und ich waren, naja, ... mittelmäßige Schüler. Ich selbst spiele, besser gesagt spielte, sogar recht erfolgreich Fußball bei den Junioren der *Eisernen*, Union Berlin, bis dann ..." Seine letzten Worte erstarben in einem heiseren Flüstern. Dieter hielt kurz inne und zog sein Gesicht in ärgerliche Falten. „Ja, bis dann mein Vater, es war der 1. September 1988, *rüber gemacht* hatte. Sie wissen schon, über die Grenze in den Westen geflohen. Wir hatten dann lange Zeit Hoffnung gehabt, dass er uns irgendwie und irgendwann nachholen würde. Aber er meldete sich nicht mehr bei uns. Sie können sich doch schon vorstellen, was das für meine Mutter bedeutete.

Sie rechnete mit dem Schlimmsten. Nachts war sie oft von Albträumen gebeutelt aufgewacht und hatte laut geschrien. Mutter hatte immer wieder geträumt, dass er an der Grenze erschossen wurde. Sie musste viel durchmachen. Am schlimmsten war die Ungewissheit."

Zimmermann verzog mitfühlend sein Gesicht.

„Dann kam dieser Anruf, der uns alle völlig aus der Bahn brachte. Er machte alles noch viel schlimmer. Es war am 23. Juni 1990. Vater, der erst an diesem Tag, seit seiner Flucht, ein Lebenszeichen von sich gab, sagte am Telefon zu meiner Mutter, dass er nicht mehr zurückkommen werde und eine neue Frau gefunden habe. Und dazu gleich zwei neue Kinder. Mutter heulte nur noch ... und dann kam Jacky auf die Idee, ihn zu suchen und ihn wieder zurückzubringen. Wenn er uns, seine Kinder sehen würde und wir mit ihm sprechen könnten, dann musste er doch wieder zurückkommen ... hatten wir gedacht. Das war der Plan. Die Grenzen waren ja inzwischen offen und die Mauer bekam täglich mehr Löcher. Jacqueline bat mich um Mithilfe, sie konnte Mutter nicht so leiden sehen; wollte ihr unbedingt helfen. Die Idee war eigentlich verrückt und von vorneherein zum Scheitern verurteilt, aber eine Familie muss doch zusammenhalten!"

Der Hauptkommissar nickte verständnisvoll.

Dieter nahm einen Schluck von seinem Kaffee, der inzwischen gut abgekühlt war. Dann erzählte er in gefasstem Ton weiter. „Wir haben dann zwei Tage später, am fünfundzwanzigsten Juni, frühmorgens, unsere Wohnung verlassen. Mutter glaubte, dass wir in die Schule gehen würden, wir wollten aber unseren Vater suchen. Jacky hatte in den Briefkasten unserer Schule eine von ihr gefälschte Krankmeldung geworfen.

Zuvor hatte sie noch am Morgen einen Zettel auf die Kommode gelegt: *Mach dir keine Sorgen, Mutti. Wir müssen das tun. Dieter und ich fahren nach Köln und holen Vati zurück.*

Ich habe Mutter irgendwann später dann noch einmal telefonisch Bescheid gegeben, dass es uns gut geht und wir unseren Vater wieder zurückbringen würden."

Zimmermann schüttelte irritiert den Kopf. „Ja, aber woher wusstet ihr, wo sich euer Vater befand?"

„Mutter hatte uns erzählt, dass Vater jetzt in Köln wohne.

Das hatte er ihr am Telefon gesagt. Wir wollten mit dem Zug dorthin fahren und gingen zunächst mal nach West-Berlin zum Bahnhof Zoo. Leider hatte unser Geld nicht für zwei Fahrkarten gereicht. Bin dann dort mit ein paar Jungs ins Gespräch gekommen und wir haben einige Flaschen Westbier geleert. Einer hatte mir dann ein paar Gramm Marihuana angeboten. Er hatte mir erklärt, dass es sich um astreine Ware handle, die man noch gut strecken und locker die dreifache Summe rausholen könne.

Ich bekam Dollarzeichen in den Augen, ohne das Ganze zu hinterfragen. Habe ihm dann gleich fünf Gramm für fünfundzwanzig Mark abgekauft.

Wir brauchten doch das Geld für unsere Fahrkarten.

Einer der Jungs vom Bahnhof Zoo hatte meiner Schwester dann schöne Augen gemacht und sie war ziemlich schnell hoffnungslos in ihn verliebt. Der Schönling hatte ihr auch Geld versprochen und sogar einen Zwanziger zugesteckt.

Sie ist anschließend mit ihm weggegangen. Erst spät in der Nacht kam sie zurück. Jacky war bei ihrer Rückkehr ziemlich durcheinander, wollte mir aber nicht sagen, was genau vorgefallen war. Sie heulte immer wieder. Ich konnte mir nur erklären, dass der Typ sie enttäuscht und eventuell sitzengelassen hatte.

Ich blieb dann die restliche Nacht mit ihr zusammen in der Nähe des Bahnhofs. Wir haben in einer dunklen Ecke gepennt.

Am frühen Morgen hatte ich dann einen Typen getroffen, der angeblich mein Marihuana für wenig Geld strecken konnte.

Später versuchte ich dann das Zeug loszuwerden. Aber außer einem jungen Stricher, der mir ein halbes Gramm abgekauft hatte, war nichts mehr an den Mann zu bringen. Der Stricher hatte sich anschließend sogar noch beschwert, da es sich seiner Meinung nach um schlechte Ware gehandelt habe."

Dieter schaute den Kriminalkommissar eindringlich an.

„Sie haben mir gesagt, dass ich besser wegkomme, wenn ich ehrlich bin. Ich vertraue ihnen.

Halten Sie ihr Wort?"

„So wie ich es dir gesagt habe."

Zimmermann lächelte Dieter vertrauensvoll an.

„Aber jetzt bräuchte ich eine Beschreibung von dem Typen, mit dem deine Schwester in der Nacht weggegangen war."

Dieter überlegte. „Ja, der war ungefähr einsachtzig groß, trug eine dunkelblaue Schlaghose, ein kariertes, offenes Hemd und darunter ein Che-Guevara-Shirt. Hatte lange, blonde, gelockte Haare, halt so einer, auf den die Mädchen schnell hereinfallen.

Er hatte auch einen komischen Spitznamen. Nur fällt mir der im Moment nicht mehr ein. Irgendwas mit Sonne … Sonnenschein, oder so ähnlich."

Zimmermann nickte Dieter zufrieden zu. „Und wie ging es anschließend weiter?"

„Als wir dann kein Geld mehr hatten, wollte Jacky ein paar Tage bei McDonald's am Zoo arbeiten und hatte dort deshalb mit dem Geschäftsführer gesprochen. Der war nicht abgeneigt, sie einzustellen. Er hatte uns am Abend sogar nach Wannsee zu dem besagten Fest gefahren. Davon habe ich Ihnen ja bereits erzählt.

Zimmermann nickte. „Ja, aber warum seid ihr nicht einfach nach Köpenick zu eurer Mutter zurückgefahren?"

„Nein, das wollten wir auf keinen Fall. Wir haben uns gegenseitig geschworen, dass wir Vater zurückholen würden. Für uns gab es kein Zurück ohne unseren Vater. Deshalb habe ich auch, wie ich schon gesagt habe, Mutter angerufen und ihr Bescheid gesagt. Inzwischen waren ja auch im Osten Sommerferien und wir verpassten nichts mehr in der Schule."

Zimmermann schaute Dieter mit einem nachdenklichen Blick an. „Na gut, und was war dann auf dem Fest bei Wannsee genau los?"

Dieter überlegte erneut, ob er jetzt die Wahrheit sagen sollte, entschloss sich aber dann doch dagegen. Seine Angst war einfach zu groß. Außerdem würde er sich dabei ja selbst in Schwierigkeiten bringen. Er neigte verlegen den Kopf. „Wir sind zunächst nur herumgelaufen. Ich habe dann dort so einen Jungen getroffen, den ich schon mehrmals am Bahnhof Zoo gesehen hatte. Mit dem bin ich ins Gespräch gekommen.

Jacky wollte sich auf dem Fest umschauen und lief weiter. Sie wurde ziemlich schnell von einem anderen Jungen angesprochen. Ich hatte sie aber ständig im Auge. Sie setzte sich dann zusammen mit dem Typen an einen Tisch, an dem schon viele Leute saßen.

Da mich der Bekannte, den ich getroffen hatte, irgendwann um ein Bier angebettelt hatte, ging ich zur Getränkeausgabe und kaufte zwei Flaschen … für zwei Mark.

Als ich zurückkam, waren der Typ und Jacky verschwunden.

Ich lief sofort zu dem Tisch und fragte, wo die beiden hin sind. Einer von den Leuten grinste mich blöd an und deutete dann in Richtung Glienicker Brücke.

Ich lief auch sofort in diese Richtung." Dieter senkte in gespielter Enttäuschung seinen Kopf. „Konnte die beiden aber nicht mehr antreffen."

„Und wann ist deine Schwester dann wieder aufgetaucht?"

Dieter schaute nachdenklich aus dem Fenster, so dass er dem

Kommissar nicht in die Augen sehen musste. „Überhaupt nicht mehr. Ich habe vermutet, dass sie bei dem Typen, mit dem sie weggegangen war, irgendwo übernachtet hat und dann vielleicht zu dem McDonald's-Fritzen gegangen ist, um am nächsten Tag mit ihm zum Bahnhof Zoo zu fahren. Ich habe angenommen, dass sie dort ihre neue Stelle antreten wollte. Bin dann gleich am nächsten Tag dorthin. Sie war aber nicht da. Ich musste davon ausgehen, dass wir uns verloren hatten oder sie wieder zurück nach Köpenick gegangen war. Ich habe sie nicht mehr gefunden." Dieter zog kräftig die Luft ein. Seine sonstigen Gedanken gehörten ihm ganz allein und er meinte auch, dass er Jacky mit seinen Lügen beschützen müsste.

Zimmermann starrte Dieter an, als könne er mit einem eindringlichen Blick diagnostizieren, ob er tatsächlich die Wahrheit gesagt hatte. Konnte das eben Gehörte nicht so richtig nachvollziehen. Er schüttelte unmerklich den Kopf und besann sich wieder auf seine Routinearbeit. „Und wie sah der Typ aus, mit dem deine Schwester in Richtung Glienicker Brücke verschwunden ist?"

Dieter dachte nach. „Das kann ich gar nicht mehr so genau sagen. Von dem war ich immer gut zehn Meter entfernt und er saß an einem Tisch mit vielen anderen Leuten. Er hatte schulterlange schwarze Haare und ein blaugestreiftes T-Shirt an. Mehr konnte ich nicht erkennen … oder ich weiß es nicht mehr."

KHK Zimmermann hatte sich Notizen gemacht. Dann überlegte er kurz, ob er Dieter vom Tod seiner Schwester erzählen sollte. Hatte dabei aber das Gefühl, dass ihn die Nachricht im Moment zerstören würde. Erst gestern hatte er zusammen mit Nadine Frau Bauermann die Todesnachricht von Jacqueline überbracht.

Er hatte jetzt nicht schon wieder die Kraft dazu.

Gleichzeitig vermutete Zimmermann, dass auch Dieter einiges mehr wusste, als er bisher ausgesagt hatte.

„Danke! Du kannst gehen, Dieter. Hier ist meine Karte.

Eine Bitte habe ich aber noch.

Wenn du den Blonden mit den gelockten Haaren siehst oder den anderen Typen vom Wannseefest, den mit den schwarzen Haaren,

dann melde dich bitte bei mir. Könnten wichtige Zeugen sein …"
Oder sogar mehr. Den Zusatz sprach er aber nicht mehr laut aus.
Dieter nickte dem Kommissar unsicher zu. „Ja, mache ich."

Er nahm anschließend die Visitenkarte mit einer Geste entgegen, die bei Kriminalhauptkommissar Zimmermann zunächst den Eindruck erweckte, dass er sie gleich auf der Straße in den nächsten Papierkorb werfen würde. Aber vielleicht hatte er sich bei dieser Vermutung auch getäuscht. Konnte den Jungen noch nicht richtig einschätzen. Glaubte aber grundsätzlich an das Gute in ihm.

„Und dann noch etwas, Dieter, wenn du irgendwann mal ein Problem hast, ruf mich an. Ich werde dir helfen, soweit es in meiner Macht steht … und die Angelegenheit mit deinem Rauschgiftdeal werde ich zunächst mal klein halten.
Versprochen! War mit Sicherheit auch dein erstes Mal."

Dieter lächelte leise und erhob sich langsam von seinem Stuhl. Dabei kämpfte er mit sich selbst, ob er dem Kriminalkommissar doch noch die ganze Wahrheit sagen sollte. Entschied sich dann aber endgültig dagegen und verließ gedrückt das Dienstzimmer des Polizeipräsidiums Berlin-Charlottenburg.

Schaute vor dem Verlassen des Dienstraumes noch einmal zurück.

„Danke!" Dieter sah Zimmermann eindringlich in die Augen. Sein Blick hatte etwas Beruhigendes … wie die Umarmung eines alten Freundes. Er hatte das Gefühl, dass er ihm vertrauen konnte.

„Auf Wiedersehen, Herr Kommissar … Hauptkommissar."

Zimmermann war sich jetzt sicher, dass der Junge die Visitenkarte behalten würde … und dass sie sich nicht zum letzten Mal gesehen hatten.

Obwohl er immer noch den Verdacht hatte, dass ihm Dieter Bauermann einiges verschwiegen hatte, glaubte Zimmermann nicht mehr daran, dass er mit dem Mord an seiner eigenen Schwester etwas zu tun hatte. Erstens fehlte ihm das Motiv und zweitens war Dieter Bauermann definitiv kein Mörder. Das sagte ihm seine polizeiliche Erfahrung und vor allem seine Menschenkenntnis, die ihn bisher noch nie im Stich gelassen hatte.

Donnerstag, 12. Juli 1990, am Vormittag,
Main-Tauber-Kreis, Westdeutschland

„Guten Morgen!
Das ist Polizeiobermeisterin Mirtschink und ich bin Polizeihauptmeister Schreiber.
Allgemeine Kontrolle.
Bitte mal die Ausweise, aber ganz vorsichtig, keine hektischen Bewegungen."
Noch müde rieben sich Ralph und Markus die Augen. Dann erst registrierten sie, wer da vor ihnen stand: Ein mittelgroßer westdeutscher Polizist mit seiner Kollegin, die ihn um gut einen Kopf überragte.
„Was, äh ja, Moment bitte."
Ralph musste sich erst sortieren. Als er in seinen Rucksack griff, öffnete der Polizeibeamte sein Pistolenholster und umfasste wachsam die Griffschalen seiner Dienstwaffe.
Ralph kramte ein abgegriffenes Ausweisdokument heraus und streckte es dem Polizeibeamten vorsichtig entgegen. Der ließ seine rechte Hand an der Dienstwaffe und nahm den blauen Ausweis in seine linke Hand. Aufmerksame Sicherungshaltung!
Dann wandte er sich Markus zu, der immer noch nicht so richtig begriffen hatte, was da gerade abging.
„Wenn der andere Herr auch so freundlich wäre, uns seinen Ausweis zu zeigen, wären wir wirklich dankbar." Die hübsche Polizeibeamtin sah Markus eindringlich in die Augen.
Der lächelte jetzt entspannt zurück. „Natürlich zeige ich Ihnen meinen Ausweis. Sehr gerne. Sie müssen wissen, dass ich bisher noch nie einen Wessibullen … äh Westpolizisten, … oder eine Westpolizistin gesehen habe."
Die Polizeiobermeisterin lächelte erhaben.
„Dann haben wir beide ja heute Premiere. Ich habe noch nie einen Ossi … äh Ostdeutschen kontrolliert. Jetzt zeigen Sie mir aber bitte auch Ihren Ausweis, junger Mann!"

128

Markus griff in seine Gesäßtasche und zog dann vorsichtig seinen Ausweis heraus.

Stolz reichte er ihn der jungen Polizeibeamtin.

Der ältere Kollege gab ihr auch den Ausweis von Ralph und sie lief, die Dokumente visuell prüfend, zum Streifenwagen. „So, mal sehen, mit wem wir es hier zu tun haben", sagte sie dabei halblaut zu sich selbst, während sie den Funkhörer in die rechte Hand nahm und die Sprechtaste drückte.

Als sie zurückkam, lächelte sie Ralph und Markus schon etwas freundlicher an. Mit einem Seitenblick zu ihrem Kollegen und der Mitteilung, dass alles in Ordnung sei, händigte sie den jungen Männern die Ausweise wieder aus.

Polizeihauptmeister Schreiber nahm die rechte Hand wieder von seiner Pistole und schloss das Holster. „Und was haben die Herren heute noch so vor?"

„Wir? Ach ja, wir wollen nach Königshofen. Dort ist ein Besuch bei meinen Großeltern schon lange überfällig. Anschließend werden wir noch das Liebliche Taubertal erkunden, das hier immer wieder auf vielen Werbeschildern sehenswert angepriesen wird. Heute ist erst unser dritter Tag im goldenen Westen."

Die Polizisten nickten schmunzelnd und verabschiedeten sich von den beiden jungen Männern.

Beim Weggehen drehte sich der ältere Polizeibeamte noch einmal um. „Wildes Campen ist bei uns eigentlich verboten. Aber heute wollen wir mal ein Auge zudrücken und euch in eurer Freiheit in unserem … goldenen Westen nicht einschränken. Eigentlich freuen wir uns ja mit euch, dass ihr jetzt da seid. Ihr wart ja lange genug in der DDR eingesperrt, … obwohl eigentlich niemand die Absicht hatte, eine Mauer zu bauen."

Ralph und Markus lächelten unsicher und nickten bestätigend.

Dann stiegen die beiden Polizisten in ihr Dienstfahrzeug und fuhren langsam weg.

„Das war mal eine humane Kontrolle. Die waren ja richtig nett. Unglaublich!" Markus war im Osten eine schärfere und bürokratischere Gangart bei Polizeikontrollen gewohnt.

Ralph nickte ihm erleichtert zu. „So, jetzt gehen wir aber hoch zur Bundesstraße und halten uns ein Auto an.

Dann geht's ab nach Königshofen. Bin schon sehr gespannt auf Oma und Opa."

Ralph überlegte. „Hoffentlich sind sie nicht krank oder sogar im schlimmsten Fall … schon gestorben."

Sie standen erst wenige Minuten an der stark befahrenen Bundesstraße 290, als ein Auto abbremste und kurz hinter ihnen anhielt. Es handelte sich um einen alten VW T1 mit der Aufschrift *Metzgerei Müller, Königshofen.* Mit dem Fahrer, Metzgermeister Alfred Müller saß selbst am Steuer, entwickelte sich sehr schnell ein interessantes Gespräch. „So so, dann kommt ihr beide also aus dem Osten und wollt unseren Westen erkunden. Da gibt es bei uns schon einiges zu sehen." Der Metzgermeister überlegte. „Wie hast du nochmal gesagt, dass du heißt?"

„Gesagt habe ich es zwar noch nicht, aber mein Name ist Schad, Ralph Schad."

Herr Müller sah Ralph, nachdem er seinen Namen wiederholt hatte, eindringlich an. Ralph hatte sogar den Eindruck, dass der Fahrer dabei richtig erschrocken sei.

„Eine Familie Schad gibt es auch in Königshofen. Das heißt, es gab mal eine Familie mit diesem Namen. Aber die Schadsoma, die wohnt noch in unserem beschaulichen Ort. Sie hatte mal einen Sohn. Wie hieß der noch?" Der Metzgermeister zog nachdenklich die Stirn nach oben.

„Herbert?" Ralph schaute seinen Fahrer fragend an.

Der Metzgermeister nickte heftig. „Ja, richtig. Natürlich. Herbert Schad. Aber der ist schon vor vielen Jahren ganz plötzlich weggegangen. Quasi in einer Art Nacht-und-Nebel-Aktion. Jetzt fällt es mir wieder ein. War eine ziemlich heikle Sache damals … aber woher weißt du seinen Namen? Du hast doch eben erzählt, dass du aus dem Osten kommst."

Ralph schluckte. Sein Gesicht überzog sich mit einer unübersehbaren Röte. „Weil ..." stotterte er, „weil er mein Vater ist."

„Was? Herbert Schad ist dein Vater?

Das kann doch nicht … doch, wäre schon möglich. Der Herbert war damals plötzlich weg ... mir seiner Frau und dem Kleinkind. Nach und nach hat man dann schon erfahren, weshalb der so schnell die Fliege gemacht hatte. Kann aber auch viel Spekulation dabei gewesen sein. Aber was danach mit ihm passiert ist, weiß man nicht mehr. Das Thema Herbert Schad war damals zwar lange Zeit Ortsgespräch gewesen, aber irgendwann hatte es sich dann verflüchtigt und man hat im Lauf der Jahre überhaupt nicht mehr von ihm und seiner Familie gesprochen."

Ralph wurde neugierig. „Aber was ist denn passiert, damals? Über was wurde da gesprochen? Ich habe überhaupt keine Ahnung ...“

Der Metzgermeister fuhr in eine Seitenstraße und hielt an. „So, wir sind da. Ihr könnt aussteigen. Wir sind in Königshofen.“

Ralph ließ nicht locker. „Aber was war denn um Gottes Willen los? Was war mit meinem Vater? Ist etwas mit ihm passiert?“

„Junge, ich möchte dir nichts Falsches erzählen. Du weißt ja, wie das ist. Die Leute reden und denken sich bestimmte Sachen dazu, die anschließend vom Nächsten als sichere Wahrheit weitergegeben werden. Mit diesem Getratsche möchte ich nichts zu tun haben. Steigt bitte aus! Ihr wolltet nach Königshofen und da sind wir jetzt. Wenn ihr zufällig Hunger habt, dann kann ich euch die belegten Brötchen, die meine Frau und meine Tochter sehr schmackhaft zubereiten, empfehlen … wenn ihr wollt mit Gurke. Sogar die Polizisten holen sich oft ihr Vesper bei uns. Übrigens, deine Oma wohnt direkt an der nächsten Einmündung. Da vorne, das gelbe Haus.“

Metzgermeister Müller zeigte auf ein älteres Gebäude, das seit langem nicht mehr renoviert worden war und insgesamt schon etwas heruntergekommen wirkte. Die beiden jungen Männer bedankten sich für die Fahrt. „Auf Ihre belegten Brötchen … mit Gurke, werden wir gerne demnächst zurückkommen“, versprach Markus dem Metzgermeister. „Zufällig haben wir immer Hunger. Dann nahmen sie ihre Rucksäcke und liefen erwartungsvoll in Richtung des älteren Hauses, das ihnen der Metzgermeister gezeigt hatte. Ralph wurde dabei immer nervöser.

Der Gartenzaun vor dem Haus, der einmal weiß lackiert gewesen sein musste, würde dringend einen neuen Anstrich benötigen. Ralph öffnete vorsichtig das Gartentor. Dabei überkam ihn ein seltsames Gefühl, so als würde sich sein Magen umstülpen.

Markus schaute in den etwas verwilderten Vorgarten. „Da fehlt wohl der Mann im Haus."

Die beiden jungen Burschen standen unsicher vor der großen Eichentür. Rechts daneben befand sich ein Klingelknopf mit einem unlesbaren Schriftzug. Ralph atmete tief durch, dann hob er langsam seine rechte Hand und drückte vorsichtig mit dem Zeigefinger auf die Klingel.

Als sich auch nach dem zweiten Versuch nichts tat und aus der Wohnung kein Geräusch zu hören war, nahm Markus seinen Freund an der Hand und wollte ihn wegziehen. „Da ist niemand zuhause und wer weiß ob hier überhaupt noch jemand wohnt. Komm wir gehen und holen uns erst mal beim Metzger Müller ein paar belegte Brötchen mit Wurst … und Gurke. Oder wir gehen in die einladende Gaststätte da vorne. Da steht *Gasthaus zur Gans* auf dem Werbeschild der Distelbrauerei. Das Bier soll dort ganz besonders süffig sein."

Als ihn Ralph fragend anschaute, lächelte er verschmitzt und fügte erklärend hinzu: „Hab ich mal gelesen."

„Warte Markus, noch ein Versuch und dann gehen wir in die Kneipe und frühstücken. Versprochen!"

Kurz nachdem er zum dritten Mal geklingelt hatte, hörten sie tatsächlich von innen leise Schritte langsam auf die Tür zugehen. Die Haustür öffnete sich knarzend und eine ältere Dame mit schneeweißem Haar und einem faltigen, aber freundlichen Gesicht, stand vor ihnen. Sie sah Ralph fragend an. „Ja was ist denn mit dir los, hast du wieder deinen Schlüssel vergessen?" Dann schaute sie zu Markus. „Wen hast du denn heute dabei? Den jungen Mann habe ich ja noch nie gesehen. Ist der vielleicht sogar aus Lauda? Du weißt ja, dass wir Königshöfer auf unsere Nachbargemeinde nicht immer gut zu sprechen sind. Aber jetzt steht nicht dumm rum, wie die Ölgötzen. Komm rein, Toni … und nimm deinen Freund gleich mit, auch wenn der aus Lauda ist."

„Äh Moment!" Ralph räusperte sich.

„Mein Freund ist nicht aus … aus Lauda und ich, … ich heiße gar nicht Toni."

Die ältere Dame war schon wieder im Hausflur und drehte sich, nachdem sie Ralphs Worte noch im Weggehen gehört hatte, langsam um. „Wie, was? Rede keinen Blödsinn, Junge. Natürlich heißt du nicht Toni, aber ich habe dich noch nie Anton genannt und jetzt kommt endlich rein und stellt euch nicht so an. Für mich warst du schon immer der Toni und wirst es auch bleiben. Mein Toni … auch wenn du deine Stimme verstellst."

Die Frau drehte sich erneut von den beiden jungen Männern weg und lief weiter in Richtung Küche. Da sie die Eingangstür einladend offenstehen ließ, folgten ihr Ralph und Markus unsicher ins Haus. Dabei schauten sie sich fragend an. Sie konnten das Verhalten der Frau nicht einordnen. Irgendetwas stimmte da nicht. Wer war Toni?

Überraschend flink lief die alte Dame in ihre Küche und machte sämtliche Schubladen auf und dann wieder zu. „Ich muss doch irgendwo meine Brille hingelegt haben, ohne sie bin ich ja fast blind."

Die beiden Jungs standen inzwischen an der Küchentür und sahen die alte Frau ratlos an. Sie kam Ralph so greisenhaft vor, als wäre sie schon über hundert Jahre alt. Er spürte, dass diese Frau sehr viel Arbeit und Mühe hinter sich gebracht hatte … und vor allem viele Sorgen. Aber sie war ihm vom ersten Augenblick an sehr sympathisch.

„Was ist denn los, wollt ihr nicht in dein Zimmer gehen, Toni? Kannst deinem neuen Freund deine Modelleisenbahn zeigen."

Sie schaute erklärend zu Markus. „Jedes Haus ist beleuchtet und die Schranken bewegen sich automatisch. Wir haben fünf Lokomotiven. Auch die legendäre Rheingold ist dabei. Die Eisenbahn musst du unbedingt gesehen haben! Sogar die Hohenzollernbrücke von Köln hat der Toni nachgebaut."

Ralph räusperte sich und sah die Frau verlegen an, die sich bereits wieder mit ihrer Brillensuche beschäftigte, ohne einen Blick für die beiden jungen Männer zu haben.

Markus hatte das Gefühl, dass sie eine gewisse Traurigkeit in sich trug, von der sie sich nicht lösen konnte.

Ralph lief auf die Frau zu und sah ihr ernst ins Gesicht. Kam ihr dabei ganz nah. „Ich, also ich … nun ich heiße Ralph und nicht Toni. Auch nicht Anton." Im selben Moment hörten sie, wie sich ein Schlüssel in der Außentür drehte und diese anschließend von einem Schüler geöffnet wurde, der seinen Schulranzen im Flur in die Ecke warf und dann sofort die Treppe hochlief.

„Bin da Omi, wenn du mich brauchst, ich gehe in mein Zimmer; die letzten beiden Stunden sind ausgefallen. Unser Mathelehrer, Herr Zwirner, ist heute leider krank. Das kann etwas länger dauern. Er hat einen Nabelbruch und muss im Kreiskrankenhaus Tauberbischofsheim operiert werden."

Die alte Dame erschrak plötzlich und legte zweifelnd ihre rechte Hand auf den Mund. „Was war denn das eben?"

Sie hörte zwar nicht mehr besonders gut, aber sie hatte die Stimme jetzt erkannt. Die Person, die gerade die Treppe hochgegangen war, war eindeutig ihr Enkel Toni, aber wer waren dann die beiden jungen Männer, die in ihrer Küche standen?

„Wenn ich doch nur meine Brille finden würde. Was hast du gerade gesagt, du heißt Ralph …" Sie riss ihre Augen weit auf und schaute ihn eindringlich an.

Plötzlich wurde ihr schwindelig, alles drehte sich und Ralph konnte sie gerade noch festhalten, bevor sie zu Boden stürzte.

Die beiden jungen Männer legten die erschöpfte Frau auf die gepolsterte Eckbank in der Küche.

Langsam öffnete sie wieder die Augen und sah Ralph strahlend ins Gesicht. Ihr Herz schlug lauter und schneller.

„Ralph, mein Junge. Endlich!" Sie zog ihn zu sich heran und küsste ihn zärtlich und dankbar auf die Stirn. „Du bist zu mir gekommen! Wie oft habe ich dafür gebetet. Vielen Dank lieber Gott. Du hast mir meinen größten Wunsch doch noch erfüllt. Ralph, endlich bist du da!"

Donnerstag, 12. Juli 1990,
Köln-Sülz, Nordrhein-Westfalen, Westdeutschland

Das Telefon klingelte bei Familie Held. Carla wollte zunächst gar nicht rangehen, aber dann fiel ihr ein, dass es eventuell Michael sein konnte. Sie nahm den Hörer ab und hielt ihn vorsichtig an ihr Ohr.

Treffer. Er war es tatsächlich.

„Carla, ich … ich halte es nicht mehr aus. Ich will, nein, ich muss dich sehen. Hättest du nicht eine oder zwei Stunden Zeit für mich? Wir könnten uns doch wieder in einer urigen Kneipe treffen oder vielleicht sogar zusammen etwas essen.

Ich muss dich sehen! Muss mit dir reden!"

Carla atmete tief durch.

Sie hatte zwar auf den Anruf von Michael gewartet, aber im ersten Moment brachte sie kein Wort heraus.

„Carla, bist du noch dran?"

„Ja, bin ich." Ihre Stimme klang verhalten und unsicher.

„Bitte, nur eine oder zwei Stunden. Darf ich dich ins Brauhaus Früh am Dom einladen? Wir könnten doch dort zusammen etwas essen, … nur eine Kleinigkeit. Oder nur etwas trinken.

Es wäre so schön, wenn wir wieder mal einen Cuba Libre trinken könnten.

Wie früher.

Am Rheinufer. Nur wir zwei."

„Ja, ich komme."

Das Herz von Michael schlug schneller und gleichzeitig entspannte sich sein Körper. Sein Unbehagen, das ihn die ganze Woche gequält hatte, milderte sich schlagartig.

„Dann morgen 20.00 Uhr im Brauhaus Früh am Dom."

Sie nickte und lächelte, was Michael natürlich nicht sehen konnte. Sagte nur kurz „Ja" und legte den Hörer auf die Gabel.

Michael verließ die Telefonzelle und machte überglücklich beim Überqueren der Komödienstraße einen Luftsprung.

„Sie kommt!", rief er so laut, dass sich einige Passanten neugierig umdrehten und dann kopfschüttelnd weitergingen.

Er lief erleichtert zum Dom, wollte dort drei Kerzen anzünden. Als er vor dem imposanten Gebäude stand, hielt er kurz inne. Nicht zu Unrecht war der Dom das unumstrittene Wahrzeichen von Köln. Sogar im Wappen des 1. FC Köln war er enthalten. Hennes setzt darauf zum Sprung über den Dom an. Was wäre Köln ohne dieses Bauwerk ... und natürlich ohne Hennes. Könnte aber auch sein, dass sich Hennes nur auf den Dom stützt und der ihm den nötigen Halt gibt. Ihm war beides recht.

Michael kannte keine andere Stadt, die dreihundert Jahre lang an ihrem Dom gebaut hatte und dann eine Ruine entnervt stehen ließ. Dreihundert weitere Jahre mussten die Kölner diesen Anblick des halbfertigen Bauwerks ertragen. Eine Ruine mitten in der Stadt. Erst die in Köln meist verhassten Preußen hatten dann im neunzehnten Jahrhundert dafür gesorgt, dass der Dom endlich fertig gebaut worden war.

„Wenn Gott irgendwo auf unserer Welt wohnt, dann hier", sprach Michael leise zu sich selbst. Dann schaute er sich unsicher um, aber seine Worte hatte niemand gehört.

Michael lief ehrfürchtig durch das Eingangsportal des Kölner Doms. Er genoss die Leichtigkeit des Augenblicks und die Besonderheit des Tages.

Setzte sich zufrieden in die vorderste Reihe und sprach ein kurzes Gebet. Dann blickte er zum Richter-Fenster im Südquerhaus. Durch die zufällig verteilten Farbquadrate strömte Sonnenlicht ins Dominnere. Er betrachtete den abstrakten Farbklangteppich noch einige Zeit und stand dann nachdenklich auf.

Bevor er das imposante Gebäude verließ, ging Michael noch zum Altar der Schmuckmadonna aus schwarzem Marmor und hellem Alabaster, wo er drei Kerzen anzündete ... für seine neue Familie.

Kriminalhauptkommissar Zimmermann schaute Nadine ernst an.
„Habe gestern mit Dieter Bauermann gesprochen, konnte ihm aber
nicht sagen, dass seine Schwester tot ist. Habe es einfach nicht
fertiggebracht, aber vielleicht ist es auch besser so. Er hat mir eine
längere Geschichte erzählt, aber irgendetwas stimmte da nicht."
Nadine nickte. „Ja, die armen Kinder! Wollten ihren Vater suchen
und dabei kommt das Mädchen um's Leben. Wenn das dieser
Maik erfährt, wird er sich ewig Vorwürfe machen. Verlässt einfach
seine Familie und meldet sich dann lange Zeit nicht mehr. So auf
die Art, nach mir die Sintflut."
Zimmermann atmete tief ein. „Ja, aber ihm die Schuld zu geben
ist doch etwas weit hergeholt. Dann wären im weitesten Sinn so-
gar die Regierung der DDR schuld oder die Alliierten …"
Er überlegte. „Oder sogar der Hitler!"
Nadine nickte nachdenklich. „Natürlich. Kein Hitler, kein Zweiter
Weltkrieg, kein geteiltes Deutschland."
„Keine DDR!", ergänzte Zimmermann sarkastisch. Er erhob sich
träge von seinem Bürostuhl. „Aber diese Spekulationen könnte
man ewig weiterspinnen und sie helfen uns jetzt auch nicht mehr.
Wir sind nicht für die Politik verantwortlich, sondern für unsere
Kriminalfälle und die müssen wir lösen. Das ist unser Auftrag. An
der Politik können wir momentan sowieso nichts ändern, aber den
Mörder von Jacky, … den können wir finden und ihn seiner
gerechten Strafe zuführen. So will es unser Chef Helmut Balbach
und unsere Staatsanwältin, Frau Jasmin Schulz, unisono.
Der Alte, Kriminaloberrat Balbach, fragt schon jeden Tag nach.
Für morgen hat er schon wieder eine Pressekonferenz anberaumt.
Weiß noch gar nicht, was ich dort erzählen, oder besser gesagt,
nicht erzählen soll.
Du weißt ja, die Pressefritzen wollen auf der Suche nach den
Breaking News alles ganz genau wissen."

Nadine nickte und lächelte ihn dann erhaben an.

„Habe übrigens dein Gesprächsprotokoll von gestern gelesen. Ich möchte meinen Chef ja nicht kritisieren, aber du hast bestimmt an ein Phantombild von dem Typen, der zuerst am Bahnhof Zoo mit Jacqueline zusammen war, gedacht? Und natürlich auch von dem anderen, der sie bei diesem Fest am Wannsee abgeschleppt hat? Den würde ich sogar als stark tatverdächtig einstufen."

Zimmermann lächelte. „Oh, die Kollegin aus Köln denkt mit. Natürlich habe ich daran gedacht. Aber viel wichtiger ist es jetzt, dass wir diesen ersten Typen sofort erwischen. Ich habe nämlich den Verdacht, dass da eine Vergewaltigung im Spiel sein könnte. Obwohl das vorläufige Gutachten zunächst einmal Gewaltspuren im sexuellen Bereich ausschließt. Ist auch nur eine Vermutung, da Jacqueline, als sie zu Dieter zurückkam, nur noch geheult haben soll. Wenn das mit der Vergewaltigung nicht zutrifft, dann könnte er zumindest ein wichtiger Zeuge sein, der uns vielleicht sogar weiterhelfen kann. Ich werde einfach das Gefühl nicht los, dass einiges von Dieters Erzählungen nicht so richtig zusammenpasst … oder er mir einiges verschwiegen hat. Da wird einfach kein richtiger Schuh draus.

Bis unser Zeichner mit dem Bild fertig ist und die Bilder dann an die Presse weitergegeben oder ausgehängt wären, will ich den Typen bereits geschnappt haben.

Mach dich fertig Nadine, wir beide fahren jetzt zum Bahnhof Zoo. Habe da so einen bestimmten Verdacht. Wir haben ja am Zoo immer wieder zu tun und ich meine sogar, dass ich dort schon öfters einen Typen gesehen habe, auf den die Beschreibung, die uns Dieter Bauermann gegeben hat, ziemlich genau passt. Mein Gespür sagt mir, dass der junge Mann gerade heute dort ist."

Die beiden Kriminalbeamten machten sich auf den Weg. Während der Fahrt schaute Nadine ihren Chef von der Seite an. Sie war gerne mit ihm unterwegs. Konnte ihm vertrauen und wusste, dass er etwas von seinem Job verstand. Sie lächelte zufrieden in sich hinein. Dabei überlegte sie gewissenhaft, ob sie vielleicht doch, wenn sie es in den höheren Dienst geschafft hatte, eine Bewerbung nach Berlin in Erwägung ziehen sollte. Gleichzeitig vermisste sie aber den Dom und *ihre* Stadt Köln, sowie das Müngersdorfer Stadion. Ihre Dauerkarte für den FC, natürlich in der Südkurve, hatte sie bereits verlängert. Mal sehen.

Zimmermann parkte den Dienstwagen schon hundert Meter vor dem Bahnhof Zoo, auf dem Gehweg in einer kleinen Seitenstraße. Er setzte seine überdimensional große Sonnenbrille auf. Sah damit aus wie Steve McQueen. Nadine ging stolz neben ihm her, als sie auf das mächtige, gläserne Gebäude mit dem leicht gerundeten Dach zuliefen. Direkt vor dem Haupteingang vom Bahnhof stand ein roter Doppeldeckerbus mit der großen Aufschrift *Berlin an einem Tag*. Aber dafür hatten sie im Moment überhaupt keine Zeit. Die beiden Kriminalbeamten gingen um das Gebäude herum.

Zwei junge Männer steckten gerade die Köpfe zusammen und führten offensichtlich ein kontroverses Gespräch. Dabei ging es eindeutig um den Preis der Ware.

Sofort, als sie Zimmermann und Rumm sahen, trennten sie sich und liefen zügig in verschiedene Richtungen davon.

„So, denen haben wir aber jetzt ihr Geschäft ganz schön vermiest", bemerkte Zimmermann beiläufig. „Aber die finden sich wieder", ergänzte er lachend.

Bevor sie an den hinteren Teil des Berliner Bahnhofes kamen, nickte der Hauptkommissar Nadine kurz zu. Er wusste natürlich, dass sich an dieser Stelle regelmäßig die üblichen Verdächtigen aufhalten würden.

Die beiden Polizisten verlangsamten ihr Tempo fast bis zum Stillstand, um gleich nach der Ecke umso schneller auf die dortigen Typen zuzulaufen.

Bevor diese an eine Flucht denken konnten, hatten ihnen Rumm und Zimmermann den einzigen Fluchtweg bereits versperrt.

Donnerstag, 12. Juli 1990,
Königshofen, Main-Tauber-Kreis, Westdeutschland

Sie saßen gemütlich zu viert in dem kleinen Wohnzimmer: Die Schadsoma, Ralph, Markus und Toni.

„Wie oft habe ich von diesem Moment geträumt und ihn herbeigesehnt. Habe mir dabei immer wieder vorgestellt, wie du wohl aussiehst, Ralph! Und jetzt bist du da. Endlich!"

Dann schaute sie zu Toni. „Wie ähnlich ihr euch seht. Ohne meine Brille wie Zwillinge! Ihr habt sogar ähnliche Stimmen. Und jetzt sitzt ihr hier zusammen in meinem Wohnzimmer."

Sie legte ihre Handflächen aufeinander und hob beide Hände glückselig hoch. „Vielen Dank, lieber Gott, dass du meine Gebete erhört hast ... dass ich das noch erleben darf. Obwohl es schwer für mich wird, euch die Wahrheit zu sagen. Aber jetzt ist die beste Gelegenheit dazu, meine ich zumindest." Sie lächelte. Aber es war ein künstliches Lächeln, das nichts mit Humor zu tun hatte.

Toni konnte sich immer noch nicht zusammenreimen, wer dieser überraschende Besuch überhaupt war.

Ralph hob seine rechte Hand, wie ein Schüler der um Redeerlaubnis bat. „Ich kann mir jetzt schon einiges denken und freue mich mit dir. Auch für mich war es ganz wichtig, meine Großmutter endlich zu sehen. Aber alles habe ich immer noch nicht so richtig kapiert." Er schaute Toni fragend an.

Marie Schad nickte verständnisvoll. „Ja, ich kann mir schon vorstellen, dass dein Vater seiner Familie da so einiges verschwiegen hat. Er hat mir in all den Jahren, ganz am Anfang, einen einzigen Brief geschrieben und mir alles erklärt. Ich habe ihm zurückgeschrieben und ihm darin verziehen. Aber auf diesen Brief kam dann leider keine Antwort mehr. Ich habe Herbert sogar geraten, euch nichts zu erzählen. Das hätte die ganze Familie durcheinander gebracht ... wenn es auch nicht ganz ehrlich war. Habe sehr oft daran gezweifelt, ob es überhaupt richtig war.

Nicht einmal deiner Mutter, also meiner Schwiegertochter, hat er

140

jemals etwas gesagt ... obwohl sie ein ganz lieber Mensch ist. Ja, und dann kam später noch ein Brief mit Karte, als deine beiden Zwillingsschwestern gesund auf die Welt gekommen waren. Ein Bild von den beiden winzigen Babys war auch noch dabei. Das hat mir noch mehr das Herz gebrochen. Ich hätte so gerne gesehen, wie sie aufwachsen. Nora und Dora! An die doch etwas seltsamen Namen hätte ich mich schnell gewöhnt. Wäre so gerne mit den Zwillingen an der Tauber spazieren gegangen, wie damals mit dir."

Ralph sah seine Oma eindringlich an. „Ja, aber jetzt musst du mir wirklich alles erzählen! So wie es tatsächlich geschehen ist. Ich muss es wissen, ... es ist doch meine Familie!"

Marie Luisa Schad holte tief Luft. „Natürlich hast du ein Recht, die Wahrheit zu erfahren und da es dein Vater bisher nicht getan hat, werde ich dir jetzt alles erzählen. Ich darf das. Bin ja seine Mutter und gehöre somit auch zur Familie."

Ralph bemerkte ihren nachdenklichen Blick, als sie zu Markus schaute. „Nein Oma, ich habe nichts dagegen, wenn Markus alles mitanhört, er ist mein bester Freund und wir haben keine Geheimnisse voreinander ... fast keine." Er schaute wohlwollend zu Markus. Der lächelte ihn freundlich und wie es schien sogar dankbar an.

Dann schaute Marie Schad Toni an. „Du wirst jetzt auch einiges über dein Leben erfahren. Ich hoffe, dass du es verkraften kannst, Toni. Irgendwann muss es ja sein. Egal was du jetzt erfährst, ich liebe dich, habe dich immer geliebt und werde dich immer lieben. Auch wenn ich dir bisher nicht die Wahrheit gesagt habe." Sie holte erneut tief Luft.„Gut, dann will ich mal loslegen und wenn du alles weißt, können wir ja in Ruhe besprechen, wie es weitergehen soll ... mit der Familie Schad."

Toni nickte gespannt, aber auch etwas ängstlich.

„Aber ich will euch die ganze Geschichte erzählen und ihr müsst etwas Geduld aufbringen, auch wenn es manchmal ausschweifend klingt. Die damalige politische Lage zwischen der BRD und der DDR gehört natürlich auch dazu." Sie atmete tief durch, schaute die drei jungen Männer unsicher an und begann dann stockend mit ihren Erzählungen. „Nun, … wir, … mein Mann und ich, hatten leider nur ein Kind, deinen Vater Herbert. Es war damals, am 14. Juni 1950, eine schwierige Geburt und ich konnte danach leider keine weiteren Kinder mehr bekommen."

Toni wurde hellhörig und schaute seine Oma ungläubig an.

„Aber Oma, du hast doch gesagt, dass du überhaupt keine Kinder bekommen kannst und deshalb …"

Er unterbrach seine Spekulationen mitten im Satz.

„Ja, das stimmt, Toni. Wir, dein Opa und ich, wollten es damals so und später haben wir nie den richtigen Zeitpunkt gefunden, es dir zu sagen. Wir hatten aber auch irgendwann keinen Sohn mehr und du warst dann tatsächlich unser einziges Kind … im Westen."

Sie lachte bitter.

„Aber darauf komme ich noch. Toni, du bist halt immer noch ziemlich jung. Ich habe sehr oft mit mir gekämpft und wollte es dir sagen. Das kannst … nein, das musst du mir glauben. Ich hatte bisher nie die Kraft dazu. Aber jetzt, nachdem Ralph unerwartet bei uns aufgetaucht ist, sollst auch du alles erfahren. Das ist jetzt die Stunde der Wahrheit.

Wir hatten einfach nicht den Mut … dein Opa und ich. Es war auch alles, was damals passiert ist, so schrecklich." Ihre Gedanken waren an mehreren Orten gleichzeitig.

Sie atmete tief durch und wandte sich wieder Ralph zu. „Dein Vater wurde, wie ich gerade gesagt habe, am 14. Juni 1950 in Königshofen geboren. An einem Mittwoch.

Er war unser ganzer Stolz und durfte nach der Grundschule sogar auf das Gymnasium gehen. Das war damals schon ein Privileg. Herbert musste am Anfang jeden Tag nach Tauberbischofsheim, in das Matthias-Grünewald-Gymnasium, gefahren werden. Das hat dein Opa vor seiner Arbeit bei der Fa. Möbel-Schott mit seinem alten Wartburg 311 erledigt. Die Firma Schott gibt es heute noch, war aber ursprünglich ein Textilbetrieb.

Sein Chef, Bruno Schott, gab Opa sogar zur Mittagszeit frei, um seinen Sohn, also deinen Vater, vom Gymnasium abzuholen." Sie schaute Ralph nachdenklich an. „Herbert dankte uns das mit sehr guten Noten. Er war ein besonders begabter und sehr anständiger Junge und wie schon gesagt, unser ganzer Stolz.

Kurzum, Herbert hat dann an der Uni Würzburg Kunstgeschichte studiert und nachdem er fertig war und auf eigenen Füßen stehen konnte, deine Mutter geheiratet. Gekannt haben sich die beiden schon länger. Sie hatten sich bei einem Konzert von irgend so einer Krachkapelle, Goldener Ehering … oder so ähnlich, in Königshofen, in unserer Tauber-Franken-Halle, kennengelernt. Ich weiß noch, wie er deine Mutter das erste Mal mit nach Hause gebracht hatte. Heimlich. Mitten in der Nacht. Wir hätten schon geschlafen … dachte er. Waren ganz schön laut, die zwei da oben.“ Sie deutete schmunzelnd an die Zimmerdecke.

Markus lächelte Ralph vielsagend an, der dabei ganz rot anlief.

„Ja, und dann haben sie geheiratet, am 10. Juni 1972, und noch während der Hochzeit haben wir es dann erfahren: Theresa war schwanger.“

Die Schadsoma schaute Ralph erhaben ins Gesicht und lächelte dabei zufrieden. „Du kamst dann am 15. Januar 1973 auf die Welt. Wir waren alle so glücklich.“

Sie strahlte bei ihren Worten über das ganze Gesicht. Aber schon im nächsten Moment schüttelte Marie Schad nachdenklich den Kopf und ersetzte ihr Lächeln durch eine ernste, gequälte Miene. „Und dann ist es passiert. Du warst gerade mal zwei Jahre alt, als Herbert eines Abends bei mir klingelte. Ich merkte sofort, dass da irgendetwas nicht stimmte. Aber er fasste sich relativ kurz. Er habe eine Stelle in Wittenberg angeboten bekommen und musste sich sofort entscheiden. Er sagte, dass er die Herausforderung annehmen würde und noch am Wochenende umziehen wollte. Herbert hatte bei seinen Worten einen eiskalten Blick, wie ich ihn zuvor bei ihm noch nie gesehen hatte. Mich traf das wie ein Blitz.“ Marie Schad schüttelte energisch den Kopf, während sie ihre Erinnerungen durchstöberte. „Er hatte doch eine gute Stelle in der Residenz in Würzburg. Ich habe dich, als kleines Baby, damals täglich mit dem Kinderwagen spazieren gefahren, an der

Tauber entlang, manchmal sogar bis nach Distelhausen."

Markus schaute Ralph grinsend an und machte dabei eine entsprechende Trinkbewegung, als würde er eine Flasche Bier zum Mund führen. Die Schadsoma konnte das Ganze nicht einordnen und fuhr unbeeindruckt fort. „Habe dann alles versucht, Herbert umzustimmen, bin dabei aber nur auf Granit gestoßen.

Ja, und dann waren mein einziger Sohn, meine Schwiegertochter und mein geliebter Enkel weg." Sie schaute Ralph wehmütig an. „Ich konnte den Verlust nicht verkraften und habe wochenlang immer wieder geweint ... Dein Opa übrigens auch."

Ralph horchte plötzlich auf. „Was ist eigentlich mit Opa? Warum ist er nicht hier?"

Das Gesicht von Marie Schad verfinsterte sich noch im selben Moment. Sie starrte betroffen ins Leere und atmete dann tief aus.

„Mein Otto, … dein Opa, ist bereits drei Jahre, nachdem ihr weg gewesen wart, gestorben."

Im nächsten Moment konnte sie eine Träne, die ihr aus dem Auge quoll, nicht mehr zurückhalten. Sie senkte traurig ihren Kopf.

Otto war stets ihre Zuflucht gewesen; sie konnte ihm blind vertrauen. Er war für sie der beste Ehemann gewesen, den sie sich vorstellen konnte.

„Ich bin fest davon überzeugt, dass es der Trennungsschmerz war. Wir haben von deiner Familie außer dem einen Brief und der Geburtsanzeige deiner beiden Schwestern nichts mehr gehört. Dein Opa hatte lange mit sich gekämpft, aber er konnte es einfach nicht verkraften. Er ist dann nach einem Herzinfarkt gestorben."

Marie Luisa Schad verfiel in ein langes Schweigen. Es war ihr unangenehm, ihren weiteren Emotionen freien Lauf zu lassen. Sie schluckte schwer und bemühte sich, wieder zu klaren Worten zurückzufinden. „Er hatte deinen Vater mehr geliebt, als er es jemals ausdrücken konnte." Sie deutete auf ein Schwarzweißfoto, das auf der Kommode stand. Es zeigte Otto Schad, der mit einem stolzen und glücklichen Gesichtsausdruck auf einem alten Holzstuhl saß. Er hielt den kleinen Toni fest in seinen Armen, so als wolle er ihn nie wieder loslassen und vor allem Bösen beschützen.

„Leider haben ihm Zeit und Schicksal diesen Stolz auf seinen geliebten Enkel nicht mehr sehr lange gegönnt."

Marie Schad wischte ihre Tränen sorgfältig weg. Dann räusperte sie sich, wollte wieder nach vorne sehen. „Aber jetzt will ich euch erzählen, wie es weitergegangen ist. Natürlich haben wir auch an eine Reise nach Wittenberg gedacht, sehr oft sogar, aber das war damals sehr schwierig. Wir haben viele Bücher über die DDR gelesen ... nach einer praktischen Möglichkeit gesucht.

Nach Kriegsende und noch während der ersten Jahre nach 1945 war die Demarkationslinie zwischen den drei westlichen und der sowjetischen Besatzungszone noch ziemlich durchlässig. Viele Menschen konnten damals noch ohne große Anstrengung über die sogenannte *Grüne Grenze* in den Westen, oder umgekehrt, gelangen. Überwiegend aber meistens vom Osten in den Westen. Es war zwar nicht ganz ungefährlich, aber es waren damals trotzdem Tausende von Menschen, die aus den verschiedensten Gründen in den Westen gekommen waren. Mit dem Beginn des für mich völlig unnötigen und sinnlosen Baus der ersten Grenzsicherungsanlagen durch die DDR wurde es dann zunehmend schwieriger, über diese sogenannte *Grüne Grenze* zu kommen. Das war im Jahr 1952. Dein Vater war damals gerade mal zwei Jahre alt. Genauso alt wie du, als ihr plötzlich ..." Sie verstummte mitten im Satz. Für einen winzigen Moment huschte, bei der Erinnerung daran, Trauer über ihr Gesicht. Mit brüchiger Stimme sprach sie weiter. „Später blieb dann nur noch der sichere Weg von Ost- nach Westberlin übrig. Und dann kam kurz nach Walter Ulbrichts geheuchelten Worten *Niemand hat die Absicht eine Mauer zu bauen,* völlig überraschend ...", sie blickte ihre Zuhörer ungläubig an, „der Bau einer Mauer mitten durch Berlin im Jahr 1961. Sogar ein Minengürtel, der sogenannte Todesstreifen, wurde an der innerdeutschen Grenze verlegt. Wer fliehen wollte, wurde mit dem Tod bestraft; sollte in die Luft gesprengt werden." Marie Luisa Schad atmete tief durch und machte eine kurze Pause. Ralph, Markus und Toni nickten nachdenklich.

„Interessiert euch das alles überhaupt?" Sie sah fragend in die

145

Runde.

„Oh doch, sehr sogar." Ralph schaute seiner Oma tief ins Gesicht. „Du weißt bestimmt auch, dass wir in der DDR ganz andere Informationen hatten, die von unserer Regierung total geschönt waren. Man hat uns gesagt, dass die Mauer ein Schutz für uns sei. Wir wurden richtig verarscht ... Oh, entschuldige, Oma!"

Die alte Frau grinste nur. „Du wirst lachen, Ralph. Aber dieses Wort gibt es auch im Main-Tauber-Kreis."

Markus hob beide Hände entschuldigend hoch. „Wenn wir nicht ab und zu Westfernsehen geschaut hätten, ... illegal natürlich, dann wären wir ja völlig verblödet."

Marie Schad setzte sich aufrecht hin und fuhr fort. „Ja, für uns im Westen war es schon etwas einfacher. Aber ihr hattet es besonders schwer. Ich habe es anfangs auch nicht begriffen, warum euer Vater vom Westen in den Osten umgesiedelt ist. Dadurch hat er ja sich selbst und auch seine Familie freiwillig eingesperrt. Dieses Vorhaben war damals schon sehr ungewöhnlich. Erst später, als ich den wahren Grund erfahren habe, ist mir ein Licht aufgegangen. Es war nicht die Arbeitsstelle in Wittenberg gewesen. Die hatte er nur vorgeschoben.

Aber jetzt will ich euch doch noch einige wichtige Abläufe erzählen, bevor ich auf das Licht, das mir aufgegangen ist und die vorgeschobene Arbeitsstelle näher zu sprechen komme.

Sehr bald erfolgte dann Schritt für Schritt die totale Abriegelung der DDR-Grenze nach Westen hin. Damit war Schluss mit allen bisherigen direkten und auch indirekten Kontakten zwischen den Menschen in der Bundesrepublik Deutschland und denen in der sogenannten Deutschen Demokratischen Republik. Man sprach dann bei uns nur noch von *drüben* ... oft sogar ziemlich abfällig.

Erst drei Jahre später, es war im September 1964, gestattete der ostdeutsche Ministerrat dann erstmalig, dass Rentner der DDR zu ihren Verwandten in die Bundesrepublik und natürlich auch nach Westberlin reisen durften. Aber sie mussten dafür einen Antrag stellen und hoffen, dass er genehmigt wurde. Die DDR-Regierung behielt es sich natürlich vor, darüber zu entscheiden. Umgekehrt war es ähnlich. Wer von der BRD in die DDR reisen wollte, musste ebenfalls einen entsprechenden Antrag stellen. Ich gebe zu, wir hatten auch Angst in die Ostzone zu fahren. Man meinte auch, dass die DDR-Regierung nicht lange fackelt und einen einfach in eine Zelle stecken würde. Wenn die wollten, würden die schon einen Grund dafür finden. Ja, wir hatten förmlich Angst. Dann kam auch noch dazu, dass im Dezember 1964 für Besucher aus der Bundesrepublik, Westberlin und dem nichtsozialistischen Ausland bei der Einreise in die DDR an sämtlichen Grenzübergängen der sogenannte Mindestumtausch, ich würde eher sagen Zwangsumtausch von Westmark in Ostmark, eingeführt wurde.

Bundesbürger und auch sonstige Ausländer mussten fünf DM pro Person und Besuchstag im Verhältnis eins zu eins, Westmark gegen Ostmark, eintauschen und bei den Westberlinern waren es drei Westmark gegen drei Ostmark pro Person und Besuchstag. Die Ostmark war ja viel weniger wert und zurücktauschen war nicht, soviel ich noch weiß. Später, im Jahr 1968 wurde das Ganze dann für Besucher aus der Bundesrepublik auf zehn DM und für Westberliner auf sechs DM pro Person und Besuchstag erhöht. Es kam uns dabei so vor, als wolle die DDR ein Eintrittsgeld für ihr Land verlangen. Habe mal im Fernsehen die Gesamtzahlen gehört. Die haben damit ganz schön abgesahnt.

Die DDR führte dann im Jahr 1968 die Pass- und Visapflicht im Reise- und Transitverkehr von und nach Westberlin ein. Die Menschen der BRD und Westberlins mussten ab sofort an den Grenzen auch noch einen Reisepass vorlegen und sogar für jede Fahrt zwischen der Bundesrepublik und Westberlin ein gebührenpflichtiges Visum bei den DDR-Behörden beantragen.

Der Spiegel schrieb damals groß auf seiner Titelseite: *Deutschland zum Ausland abgestempelt.* Wir hatten nur einen Personalausweis; einen Reisepass haben wir nie besessen und auch nicht gebraucht.

Für den Gütergrenzverkehr wurde dabei sogar, für mich auch unverständlich, eine Steuerausgleichsabgabe eingeführt, die von westlichen Unternehmern für die Benutzung der Landstraßen und

Wasserstraßen der DDR zu zahlen war. Die Speditionen wurden förmlich ausgenommen.

Ich habe sehr viel darüber gelesen und will euch damit nur erklären, dass es nicht so ganz einfach war, von Westdeutschland nach Ostdeutschland zu kommen … aber umgekehrt war es noch schwerer, wie ihr beide sicherlich selbst wisst."

Ralph und Markus nickten einheitlich.

Marie Schad überlegte. „Natürlich war es für Herbert damals noch relativ leicht, in den Osten zu kommen, da er ja einen Arbeitsvertrag vorlegen konnte."

Ralph sah seine Oma fragend an. „Aber mit einem Sonderantrag für Familienbesuche wäre es doch auch für dich möglich gewesen, deine Verwandtschaft, also uns, in Wittenberg zu besuchen, oder nicht?"

„Ja, kann schon sein. Aber umgekehrt wäre es auf jeden Fall möglich gewesen. Im August 1984 wurde es den Ostdeutschen dann sogar von der DDR-Regierung erlaubt, auch Freunde oder Bekannte im Westen zu besuchen. Da habe ich schon gehofft, dass ihr mal nach Königshofen kommen und an meine Tür klopfen würdet."

Sie überlegte kurz. „Doch, es wäre natürlich auch für uns möglich gewesen, einen Verwandtschaftsbesuch im Osten zu machen." Sie schaute Ralph vorwurfsvoll an. „Aber ich war wohl nicht erwünscht. Ich konnte mir natürlich schon erklären, warum euer Vater das offensichtlich nicht wollte. Ich habe ihm mehrere Briefe geschrieben, aber leider keine Antwort darauf bekommen.

Er hat sich ganz einfach geschämt und wollte alle Brücken hinter sich einreißen. Wollte seine Vergangenheit einfach auslöschen.

Ich habe damals immer wieder mit Otto, deinem Opa, darüber gesprochen. Haben uns schon überlegt, einfach mal bei euch aufzutauchen … aber das wäre nicht gut gewesen und es war sicher besser, dass wir es auch nicht getan haben."

„Aber Oma, sag uns doch jetzt endlich den wahren Grund!" Ralph war immer noch damit beschäftigt, alles zu verarbeiten, was da auf ihn einstürzte. „Was war damals los in Königshofen? Warum

148

ist Vater mit uns wirklich so plötzlich von Königshofen weg-gegangen? Der Metzgermeister, der uns hergefahren hat, machte auch so eine komische Bemerkung."

„Nein! Ihr müsst jetzt Geduld haben." Marie Schad schüttelte energisch den Kopf. „Ich habe euch von Anfang an gesagt, dass ihr die ganze Geschichte erfahren sollt und da gehört einfach auch die damalige politische Lage dazu. Ich will, dass ihr es richtig versteht." Sie überlegte laut. „Es wird sowieso demnächst eine größere Explosion geben, wenn ich weitererzähle ..." Dabei warf sie Toni einen mitleidigen Blick zu.

„Der Kontakt ist dann sehr schnell komplett abgebrochen. Wir hatten damals das Gefühl, dass wir in zwei verschiedenen Welten lebten. Aber es waren ja auch immerhin zwei verschiedene Länder mit völlig verschiedenen politischen Gesinnungen.

Es war für uns sehr traurig, als hätten wir unseren einzigen Sohn unwiderruflich verloren … und mit ihm seine … unsere ganze Familie."

Die Schadsoma atmete tief durch und schloss kurz die Augen. „Ja, und dann stand sie plötzlich vor unserer Tür. Wie aus dem Nichts. Und von dem Tag an änderte sich unser Leben grundlegend."

Marie Schad schaute Toni eindringlich an und lächelte dabei sogar richtig glücklich. „Nun, die junge Frau, die plötzlich vor unserer Tür stand, war mir wohl bekannt, es war Roswitha Müllerschön aus Königshofen. Ich sah es auf den ersten Blick; es war aber auch nicht zu übersehen: Sie war schwanger.

Natürlich kannte ich Roswitha schon von Kindszeiten her und habe das aufgeschlossene und lustige Mädchen immer gemocht.

Als sie mir dann auf dem Sofa gegenübersaß, bemerkte ich ihre roten Augenränder und ihren hilflosen Blick. Sie musste in den vergangenen Tagen und Nächten viel geweint haben.

Ich holte ihr ein Glas Wasser. Sie trank einen kräftigen Schluck und begann dann mit ihrer Erzählung, ohne dass ich ihr vorher eine Frage gestellt hätte.

'Marie, ich muss unbedingt mit dir sprechen. Ich habe all meinen Mut zusammengenommen. Bin Nächte lang wach gelegen.'

Sie schluckte schwer. 'Wie du siehst ... trage ich ein Kind in mir.'
Ich schaute sie überrascht an und teilte ihr dabei mit, dass ich bis
zum heutigen Tag nichts von ihrer Schwangerschaft gewusst hätte.
Roswitha war siebzehn Jahre alt und ging noch auf das Martin-
Schleyer-Gymnasium in Lauda.
Plötzlich überkam die junge Frau ein schrecklicher Weinkrampf.
Als sie sich wieder einigermaßen gefasst hatte, fuhr sie schluch-
zend fort: 'Ich war so dumm, so kleingläubig, aber es ist passiert.
Ich habe mich mit ihm eingelassen und muss nun dafür gerade-
stehen. Aber das geht im Moment überhaupt nicht und leider
bekomme ich von meinen Eltern nicht die geringste Unterstützung. Mein Vater hatte es mir auch immer wieder eingebläut.
Schon als ich erst zwölf war. Komme mir ja nicht schwanger nach
Hause, hatte er oft gepredigt. Dabei hatte er mir gedroht, dass ich
dann sofort meinen Koffer packen könne. Er hatte mir dann auch
noch gesagt, dass ich mir das gut merken solle, damit ich ihm
später keine Vorwürfe machen könne. Und daran hat er sich bis
heute konsequent gehalten. Mutter hat noch versucht, ihn umzustimmen, von einer Notlage gesprochen, aber bei uns in der
Familie müssen alle nach seiner Pfeife tanzen. Das ist zwar
überhaupt nicht meine Vorstellung von einer Ehe, aber bei meinen
Eltern war das halt so. Natürlich hatte ich am Anfang an eine
Abtreibung gedacht, aber das wollte ich dann auf keinen Fall
machen. Es ist doch ein kleines, unschuldiges Leben, da drin.'
Roswitha hatte dabei doch etwas stolz auf ihren Bauch geschaut
und ihn besonders liebevoll gestreichelt.
Ich habe mich dann neben sie gesetzt und den Arm um sie gelegt.
Wollte sie trösten und ihr das Gefühl geben, dass sie nicht ganz
allein auf der Welt ist. Dabei habe ich sie natürlich gefragt, warum
sie eigentlich damit zu mir kommt. Ich konnte mir einfach keinen
Reim auf die ganze Geschichte machen.
Sie schaute mich leidend an und stotterte dann: 'Weil, weil … dein
Herbert … der Vater des Kindes in meinem Bauch ist!'"
Eine nachdenkliche Stille wehte ihren Worten in dem kleinen
Raum lange nach.

Donnerstag, 12. Juli 1990,
Berlin-Charlottenburg, Westdeutschland

Die drei jungen Typen vom Bahnhof Zoo schauten Zimmermann und seine Kollegin irritiert an. Wussten sehr wohl, wer da vor ihnen stand. Sie hatten sich gerade wie ahnungslose Anfänger übertölpeln lassen. Wenn die Bullen auftauchten, musste man ganz einfach in verschiedene Richtungen davonlaufen. Dieser so oft entscheidende Grundsatz war zwar ziemlich simpel, aber meist sehr wirksam, nur diesmal hatte er überhaupt nicht geklappt.

Aber einen sogenannten Widerstand gegen Vollstreckungsbeamte wollten sie sich auch nicht anhängen lassen. Wäre natürlich auch noch möglich gewesen, den Schwächeren der Polizeibeamten auszumachen und ihn dann ganz einfach zu Boden zu reisen, aber sie hatten eigentlich nichts zu befürchten. Hatten im Moment auch keinen Stoff einstecken. Der ruhte sicher im Bunker. Also, was soll's. Sollen die Bullen ihnen erst mal irgendetwas nachweisen. In der Ruhe liegt die Kraft.

Tomato-Joe war der Erste, der sich traute etwas zu sagen. „So, haben die Westbullen zur Zeit nichts Besseres zu tun, als unbescholtene Jugendliche, die sich gerade über den sensationellen Aufstieg der Hertha in die erste Fußballbundesliga unterhalten, in ihren fußballtechnischen Ausführungen zu stören? Haben nämlich gerade über Theo Gries gesprochen", er zwinkerte dabei seinen Freunden zu. „Der hat in dieser Saison achtzehn Buden gemacht. Sensationell! Aber das interessiert euch ja bestimmt nicht. Oder? Euch ist doch nur wichtig, uns rechtschaffene Bürger zu ärgern und uns was anzuhängen."

Mit beißendem Spott fügte er hinzu: „Und wenn dann einer mal rein zufällig ein halbes Gramm Gras zugesteckt bekommen hat, dann stellt ihr ihn auf den Kopf und sperrt den armen Teufel auch noch in eine eurer hässlichen Zellen ein … so sieht es nämlich aus!" Er schaute Nadine herausfordernd an. Die ging aber überhaupt nicht auf die provozierende Polemik ihres Gegenübers ein.

„Ja, waren gar nicht so schlecht. Ich meine jetzt die Tore von Hertha-Theo. Aber der Mucki von Wattenscheid 09 hat sage und schreibe zweiundzwanzig Buden gemacht. Da fehlen eurem hochgelobten Theo noch vier Tore. Wisst ihr überhaupt, wer der Mucki ist?" Nadine stellte gerne Fragen, auf die sie selbst die Antwort bereits wusste.

Da Tomato-Joe wegen der schlagfertigen Antwort der jungen Frau etwas dümmlich aus der Wäsche schaute, schaltete sich jetzt der neben ihm stehende Typ mit den langen schwarzen Haaren ein, den seine Freunde Ayala nannten. „Natürlich wissen wir, wer dieser Mucki ist. Der heißt richtig Maurice Banach, verlässt jetzt Wattenscheid 09 und wechselt in der kommenden Saison nach Köln zum dortigen FC, der sich dieses Jahr die Vizemeisterschaft in der Bundesliga geholt hat. Sechs Punkte hinter den Bayern, aber immer noch zwei Punkte vor der Eintracht aus Frankfurt."

Nadine nickte zustimmend und lächelte. „Das sind ja Fußballgespräche auf allerhöchstem Niveau, Männer. Aber wenn ihr von einer richtigen Fußballkennerin einen Geheimtipp hören wollt, dann sage ich euch jetzt schon, dass die Bundesligamannschaften in der kommenden Saison besonders auf die roten *Buben vom Betzenberg* aufpassen müssen. Den 1. FC Kaiserslautern schätze ich persönlich sehr stark ein!"

Überrascht durch die tiefgründigen Fußballkenntnisse einer Frau, schüttelten die drei Jugendlichen ungläubig die Köpfe.

Nach einer kurzen Pause ergriff Zimmermann das Wort. „Aber leider sind wir nicht wegen der Fußballbundesliga hier, nun mal zur Sache, Männer. Anderes Thema. Wir sind ja nicht zum Vergnügen da." Er schaute den dritten Jugendlichen intensiv an. „Junger Mann, es tut mir leid, aber auf dich passt unsere Beschreibung haargenau. Wir suchen eine junge Frau mit dem Namen Jacqueline und du wurdest vor kurzem mit ihr zusammen gesehen. Das wissen wir aus sicherer Quelle. Wo befindet sich deine neue Freundin jetzt?"

Der dritte Jugendliche mit dem Milieunamen Mister Sunshine wurde plötzlich blass. „Ich sage euch gar nichts. Muss ich nicht.

Ihr habt kein Recht ..." „Oh doch", fiel ihm Nadine ins Wort. „Wir haben sehr wohl ein Recht. Und wenn du nicht kooperierst, bekommst du eine staatsanwaltschaftliche Vorladung oder wir nehmen dich gleich auf der Stelle mit ins Präsidium. Ein Zeuge ist verpflichtet, auszusagen. Dein Freund", sie deutete auf Tomato-Joe, „weiß genau wie unsere Zellen aussehen."

Mister Sunshine war schon dabei, seine Hände drohend hochzuheben und sich in eine Boxstellung zu bringen, überlegte es sich aber doch anders und ließ die Fäuste wieder sinken. Dann lenkte er ein. „Ja, stimmt, habe da erst vor Kurzem so eine recht flotte Mieze kennengelernt. Hieß aber nicht Jacqueline, sondern Jacky und war ziemlich unerfahren. Sie war mit ihrem Bruder unterwegs und die beiden brauchten offensichtlich Knete. Ich habe sie dann am ersten Abend ... natürlich mit ihrem Einverständnis, ... nun ja, entjungfert und dann haben wir uns gestritten. Sie hatte behauptet, dass ich sie überrumpelt hätte und ihr das alles viel zu schnell gegangen sei. Aber sie hatte ganz freiwillig mitgemacht. Da sie aber dann nur noch hysterisch in der Gegend herumgeschrien hatte, habe ich sie gleich danach wieder in die Wüste geschickt. Mehr kann ich nicht dazu sagen. Die ganze Sache ist völlig korrekt abgelaufen. Da könnt ihr mir nichts anhängen. Es war auch keine Gewalt im Spiel. Ihr könnt Jacky ruhig fragen und wenn sie was anderes sagt, dann lügt sie."

Nadine schaute Zimmermann fragend an. Der reichte dem jungen Mann seine Visitenkarte. „Gut, dann morgen Nachmittag auf dem Präsidium! Wir brauchen dazu noch ein Protokoll."

„Aber warum? Ich habe doch alles gesagt."

Der Kommissar sah den jungen Mann streng an. „Jacky ... ist erst siebzehn Jahre alt!"

Auf der Rückfahrt schaute Nadine ihren Chef eindringlich von der Seite an. „Hätten wir diesen Mister Sunshine nicht gleich festnehmen sollen?"

Zimmermann lächelte leise. „Nein! Erstens tanzt der mit Sicherheit an und zweitens war Jacky nach dem Treffen der beiden ja noch am Leben."

Marie Schad machte eine bewusste Pause, um sich Toni und Ralph ihren Gedanken zu überlassen. Es dauerte einige Minuten, bis Ralph diese Nachricht verarbeitet hatte und seine Oma streng anschaute. „Wenn ich jetzt eins und eins zusammenzähle, dann, … dann sitzt da drüben mein Bruder … Halbbruder. Oder etwa nicht?"

Toni erschrak. Wurde sterbensbleich. Dabei überschlugen sich die wirren Gedanken in seinem Kopf. „Jetzt verstehe ich überhaupt nichts mehr. Wie Halbbruder?" Jedes Wort, das er soeben gehört hatte, schnürte ihm die Brust immer enger zusammen. Er rang um Fassung und warf seiner Oma einen aufgebrachten Blick zu.

„Dann müsste doch … aber das wusste ich gar nicht. Du hast es mir nie erzählt. Du hast mir immer gesagt, dass du und Opa … dass ihr mich aus einem Waisenheim geholt habt und dass du keine eigenen Kinder bekommen konntest. Dann war das alles gelogen? Oma, warum? Warum habt ihr mich so angelogen?" Die letzten Worte brachte Toni nur mühsam heraus. Er konnte seine zunehmende Erregung nicht mehr länger im Zaum halten. Sprang ruckartig auf, trat mit dem rechten Fuß wutentbrannt auf den Boden und lief die Treppe hoch in sein Zimmer. Die Tür knallte laut zu.

Marie Luisa Schad war die Erste, die wieder zu ihrer Sprache zurückfand. Sie holte tief Luft. „Es ist besser, wenn wir ihn jetzt allein lassen. Vermutlich war es doch ein Fehler, ihm nicht viel früher die Wahrheit zu sagen. Aber glaubt mir, es ist so unsagbar schwer herauszufinden, wann überhaupt der richtige Zeitpunkt ist. Wir waren für ihn von Anfang an Oma und Opa, zumal unsere anderen Enkelkinder ja in der DDR wohnten und der Kontakt abgebrochen worden war." Sie hob seufzend den Kopf und schaute Ralph fast vorwurfsvoll an, bevor sie fortfuhr. „Toni hat unser Leben unheimlich bereichert. Als mein Mann damals gestorben war, hatte ich nur noch ihn. Auch wenn wir wohl wussten, dass Toni es irgendwann einmal erfahren wird ... erfahren muss. Wir konnten einfach nicht."

Ralph überlegte. „Dann hast du das Baby dieser Roswitha, nachdem es auf die Welt gekommen war, adoptiert, wenn ich es recht verstanden habe? Ihr wart ja dann auch tatsächlich seine richtigen Großeltern. Nur ... hat er das nicht gewusst? Hat denn Toni nie erfahren, wer seine richtige Mutter ist? Die war ja auch aus Königshofen und ist ihm doch sicherlich mehrmals begegnet. Wollte sie ihn dann nicht irgendwann später zurückhaben? Es war doch tatsächlich ihr Kind. Wie kann eine Mutter das ignorieren? Und was haben die anderen Großeltern gedacht, wenn sie ihren Enkel auf der Straße gesehen haben oder nur auf einem Bild in der Zeitung? Zum Beispiel bei seiner Einschulung. Der arme Toni!"

Marie Schad schaute ihrem Enkel eindringlich in die Augen. „Nein, es war ganz anders. Es kommt noch schlimmer. Ich möchte dabei nicht von Strafe sprechen, aber Gottes Hand kann schon sehr schwer auf manchen Menschen liegen." Sie atmete tief durch. „Lasst es mich euch erzählen: Die anderen Großeltern wollten tatsächlich überhaupt nichts von ihrem Enkel wissen. Das was Roswithas Vater ihr angedroht hatte, hat er auch konsequent eingehalten. Aber nicht sehr lange. Leider ist Roswitha kurz nach der Geburt von Anton, noch im Wochenbett, gestorben. Sie lag vorher zwei Tage im Koma, hat es aber dann nicht mehr geschafft. Die Ärzte haben alles getan, aber Roswitha war einfach zu schwach. Gerade mal siebzehn Jahre alt! Sie war doch auch noch ein Kind."

Für einen winzigen Moment schien ein Schatten auf ihr Gesicht zu fallen. Kaltes Schweigen und mitfühlende Anteilnahme machte sich in dem kleinen Zimmer breit.

Marie Schad zog die Brauen nach oben.

„Aber das war noch nicht alles.

Nach der Beerdigung von Roswitha bin ich dann zu ihren Eltern gegangen. Der kleine Junge war noch im Caritas Krankenhaus Bad Mergentheim in der Säuglingsstation. Roswithas Eltern haben mir sehr deutlich zu verstehen gegeben, dass sie das Kind nicht aufnehmen werden. Machten das kleine, unschuldige Wesen sogar für den Tod ihrer Tochter verantwortlich, was ja völliger Blödsinn war. Ich höre noch die Worte von Roswithas Vater: 'Dann geht er halt ins Kinderheim. Gibt ja genug davon!' Spott lag dabei in seiner Stimme. Da wir, mein Otto und ich, ja grundsätzlich den gleichen Status zu dem Kind hatten, boten wir an, den Jungen zu adoptieren und großzuziehen. Sie waren natürlich sofort damit einverstanden. Waren sogar froh, dass diese Verantwortung, ja ich muss es so hart sagen, und auch die damit verbundene Belastung, von ihnen genommen wurde.

Enkelkinder kann man nur dann adoptieren, wenn diese noch minderjährig … und die Eltern verstorben sind. Ja, und da Roswitha bei der standesamtlichen Frage nach dem Kindsvater *Unbekannt* in die Geburtsurkunde eintragen ließ, haben wir beschlossen, Herbert vollkommen aus dem Spiel zu lassen. Es ist im Grunde zwar auch möglich, bei noch lebenden Eltern oder Elternteilen die Enkelkinder zu adoptieren, allerdings sind dann die gesetzlichen Vorgaben wesentlich strenger … und außerdem wollten wir Herbert nicht in Schwierigkeiten bringen.

Wie schon gesagt, Roswitha war ja erst siebzehn, also noch minderjährig. Nach all den behördlichen Formalitäten, Jugendamt, Standesamt und so weiter, durften wir den Winzling dann auch behalten. Wir haben ihn in unserer Kirche taufen lassen und waren so stolz auf unseren kleinen Toni. Es war nicht immer leicht, aber er hat unser beider Leben in jeder Hinsicht bereichert und uns unbeschreibliche Freuden bereitet. Ich könnte mir wirklich keine Sekunde lang vorstellen, ohne ihn zu leben. Wie schon gesagt, ganz besonders nach dem Tod von meinem Otto. Toni ist jetzt mein Kind und ich liebe ihn über alles. Aber wir haben uns von Anfang an darauf geeignet, dass wir für ihn Opa und Oma sind und nicht Vater und Mutter. Das hätte nur zu Komplikationen im Kindergarten und in der Schule geführt. Dass wir dort die Ältesten waren, hat uns nichts ausgemacht. Wir waren ja Oma und Opa."

Die Schadsoma ging in sich und überlegte. „Vielleicht war es sogar besser, dass Toni das alles bisher nicht mitbekommen hat.

Er ist ja erst vierzehn."

Ralph schaute seine Oma fragend an. „Was, erst vierzehn. Der ist doch fast genauso groß wie ich. Ist der wirklich erst vierzehn?"

„Ja, ist er! Roswitha, seine Mutter, war eine ziemlich große Frau, wie auch sein Vater … aber den kennst du ja."

Marie Schad hielt kurz inne und holte tief Luft. „Ich werde es ihm natürlich jetzt sagen müssen. Wenn er es will! Wir wussten einfach nicht, wann der richtige Zeitpunkt sein könnte. Toni war doch immer so ein fröhliches Kind und das wollten wir beibehalten; konnten ihm den Schock doch nicht auferlegen. Wir wollten natürlich auch vermeiden, dass er sich die Schuld am Tod seiner Mutter gibt ... und erfährt, dass sein Vater mit einer anderen Familie in der DDR lebt. Das alles wäre einfach zu kompliziert gewesen. Deshalb auch die Lüge mit dem Waisenheim." Die alte Frau senkte betreten den Kopf und schaute dann wieder langsam hoch. „Als Toni ein Jahr alt war, ist ein weiteres Unglück passiert. Trotz allem hatten sie dieses Schicksal nicht verdient. Die Eltern von Roswitha, Tonis andere Großeltern, sind bei einem Autounfall ums Leben gekommen. Ziemlich tragisch."

Trotz ihrer hochgezogenen Mundwinkel sprach Trauer aus jedem ihrer Worte. „Sie fuhren damals von Tauberbischofsheim nach Wertheim. Wollten auf der Wertheimer Burg ein Konzert besuchen. Ein gewisser Hans Söllner sollte dort auftreten. Ich kenne zwar seine Musik, muss aber sagen, dass mir seine anarchistischen Texte überhaupt nicht zusagen. Aber das nur nebenbei. In einer Kurve fuhr Roswithas Vater zu schnell. Der alte Opel Rekord kam von der Straße ab, überschlug sich mehrmals und landete unglücklich auf dem Dach. Anschließend rutschte ihr Auto in die Tauber. Gerade an dieser Stelle war der Fluss über zwei Meter tief. Man hatte später festgestellt, dass die Autotüren durch das mehrmalige Überschlagen verklemmt waren und sich nicht mehr öffnen ließen. Deshalb sind die beiden in ihrem Fahrzeug grausam ertrunken. Sie hatten noch gelebt, als das Fahrzeug in der Tauber untergegangen war. Ein grausamer Tod." Marie Schad legte eine Pause ein, in der nur ihr schwerer Atem zu hören war, dann sprach sie sachlich weiter. „So hatten es die Beamten vom Polizeirevier Tauberbischofsheim ermittelt. Der Sachbearbeiter, Herr Polizeiobermeister Ulrich Mohr, war damals sogar bei uns im Haus. Es soll sich aber in Königshofen herumgesprochen haben, dass sich die Müllerschöns, wegen des Todes ihrer Tochter Roswitha, absichtlich das Leben genommen hätten. Es geschah tatsächlich genau nach einem Jahr, am ersten Todestag von Roswitha. Somit mussten die Polizeibeamten zusätzlich auch in Richtung Suizid ermitteln. Wir hatten Herrn Mohr erklärt, dass wir bei Roswithas Eltern keinerlei Hinweise auf einen Selbstmord erkennen könnten. Später wurde dann festgestellt, dass es tatsächlich ein tragischer Verkehrsunfall war. Herr Müllerschön hatte die Kurve unterschätzt … war einfach zu schnell gefahren. Alles andere war Zufall … ich möchte hier nicht von Gottes Fügung sprechen. Aber warum sie ausgerechnet an dem Tag, an dem sich der Todestag ihrer Tochter zum ersten Mal jährte, ein Musikkonzert besuchen wollten, das bleibt ihr persönliches Geheimnis."

Kaltes Schweigen folgte auf ihre anklagenden Worte.

Ralph und Markus blickten geschockt zu Boden. „Dann hatte Toni nur noch Opa und dich?" Ralph schaute seine Oma fragend an.

„Ja und nein. Mein Otto ist dann, … ich habe es euch ja bereits erzählt, gestorben … viel zu früh. Toni war damals erst zwei Jahre alt … und du warst … fünf. Es kann immer noch viel schlimmer kommen, als man denkt. Ich habe mich damals oft gefragt, wie viel Schicksal ein Mensch überhaupt ertragen kann."

Plötzlich ging langsam die Tür auf. Toni stand im Raum. Als sich ihre Blicke begegneten, lief er mit Tränen in den Augen auf seine Oma zu und umarmte sie auf das Herzlichste.

„Entschuldige Oma, bitte entschuldige. Ich habe draußen alles mit angehört. Ich liebe dich, Oma, für immer und ewig. Ich weiß wirklich nicht, ob ich das als Kind alles ertragen und überhaupt verstanden hätte … und ich bin so froh, dass ich dich habe."

Marie Schad liefen große Tränen über die Wangen. Sie wische sie aber nicht weg. Ließ ihnen freien Lauf und drückte ihren Toni fest an sich heran.

Freitag, 13. Juli 1990,
Köln, Nordrhein-Westfalen

Carla stand prüfend vor dem Spiegel im Badezimmer. Man sah ihrem Äußeren an, dass ihr die kurz bevorstehende Begegnung wichtig war. Ihr Rock war fast etwas zu kurz und sie hatte wieder ihr bestes und teuerstes Parfum aufgelegt. Anfangs hatte sie die Flasche *Kölnisch Wasser* kurz in der Hand gehabt, sie aber sehr schnell wieder beiseitegestellt und dann doch zu dem wesentlich teureren *Chanel Coco Mademoiselle* gegriffen, das sie bereits mehrmals bei angemessenen Events und auch beim letzten Treffen mit Michael aufgetragen hatte.

„Verzeih mir bitte, Heinz", sagte sie leise zu ihrem eigenen Spiegelbild. „Ich weiß, dass du es verstehen würdest."

Ihr verstorbener Mann hatte ihr das Parfum damals geschenkt. Sogar die große, besonders teure Flasche. Einfach so. Ohne einen bestimmten Anlass.

Carla atmete tief durch. Dann ging sie ins Wohnzimmer und verabschiedete sich von ihren beiden Kindern, die natürlich nicht wussten, mit wem sie sich traf. Aber sie hatten schon einen gewissen Verdacht und lagen auch richtig. Sagten aber nichts. Wollten ihre Mutter nicht in Verlegenheit bringen.

Erst als Carla die Tür hinter sich geschlossen hatte, grinste Jonas und schaute augenzwinkernd zu seiner Schwester hinüber. „Hast du es auch gerochen?"

Linda nickte mit einem bestätigenden Lächeln.

Ihre hohen Absätze klapperten laut auf dem Pflaster, während Carla die weitläufige Domplatte überquerte. Am Eingang des Brauhauses Früh blieb sie stehen und betrachtete kurz den doppelköpfigen Adler mit dem eingefügten Kölner Stadtwappen über dem Portal. Sie überlegte: *Man muss die Menschen nicht nur nach ihren Stärken und Wünschen beurteilen, sondern auch nach ihren Schwächen. Und dann tut Michael mir schon wieder leid.*

Aber wir haben ja alle unsere Schwächen. Sie atmete noch einmal tief durch und drückte dann die Türklinke kräftig nach unten.

Vorne an der Eingangsbar sah sie ihn sitzen. Sofort sprang er elegant von seinem Hocker und lief ihr freudig entgegen. „Carla, schön dass du gekommen bist." Deutete dabei sogar eine kurze Verbeugung an. „Darf ich dir unseren Tisch zeigen?"

Er ergriff vorsichtig ihre Hand. Im ersten Moment wollte sie die Hand wegziehen. Dann erwiderte sie aber doch seinen Händedruck und lächelte Michael zaghaft an.

Wusste im Moment nicht, wie sie ihn nennen sollte, Michael oder Maik? Entschloss sich dann aber, bei Michael zu bleiben. So hatte er sich ihr damals vorgestellt. Den Maik aus der DDR kannte sie ja überhaupt nicht … fast nicht.

Bei der Platzreservierung musste er den Köbes bestochen haben. Sie saßen romantisch in einer gemauerten Nische. Ein ungestörtes Plätzchen. Ganz wichtig und ideal für ein persönliches Gespräch. Wie für diesen besonderen Anlass geschaffen. Der Köbes stellte, kaum dass sie saßen, zwei Kölsch auf den Tisch und verschwand wieder mit einem vielsagenden Lächeln. Michael nahm sein Glas in die rechte Hand und prostete Carla freundlich zu. Dann schaute er ihr tief in die Augen. „Carla, ich weiß was ich falsch gemacht habe und dass ich das alles niemals hätte tun dürfen.

Du hast natürlich recht. Vertrauen beruht auf Ehrlichkeit.

Bei unserem letzten Gespräch hattest du mir gesagt, dass unsere gemeinsame Zeit eine der schönsten in deinem Leben war. Das hat mir große Hoffnung gegeben. Hoffnung, wieder mit dir zusammen sein zu dürfen. Das war in den letzten Wochen mein einziger und größter Wunsch." Dann schaute er Carla erwartungsvoll an. „Hast du mit deinen Kindern gesprochen?"

Sie lächelte leicht. „Ja habe ich, aber sie wissen nicht, dass ich mich heute mit dir treffe … vielleicht vermuten sie es. Natürlich waren auch sie enttäuscht, dass du uns hintergangen und praktisch einfach so, wie ein neues Auto, die Familie gewechselt hast.

Wir haben lange geredet und sie könnten sich eventuell schon vorstellen, dass du … wieder bei uns einziehst.

160

Du warst für sie während unserer gemeinsamen Zeit nicht dieser Stiefvatertyp, sondern eher der gute Freund."

Michael zog zufrieden die Brauen hoch und atmete tief durch. Seine Hoffnung konnte tatsächlich Realität werden. Plötzlich ging es ihm besser. Er hatte das Gefühl, dass die Zeit der Einsamkeit vorbei war. „Danke, Carla!" Er lächelte sie an und sie lächelte zurück. „Ja, ich will dir verzeihen. Auch ich habe viel an dich denken müssen, bin in mich gegangen und habe mein Herz befragt. Dabei ergab sich ein Widerspruch. Der Verstand wird durch die Wahrheit erleuchtet, das Herz aber durch die Liebe. Ich liebe dich noch immer. Und ich meine, dass es kein Zufall ist, dass wir uns getroffen haben. Heute Morgen habe ich den täglichen Spruch auf unserem Kalenderblatt gelesen. Da stand, dass die Liebe zwei Töchter hat, nämlich die Geduld und die Güte!"

Michael erkannte, dass die Verspieltheit in ihrer Stimme zurückgekehrt war. Er hob fragend beide Hände. „Das heißt … das heißt, ich … ich darf wieder … ich kann wieder mit dir zusammen sein?"

„Ja, das heißt es und ich will es auch."

Jetzt hatte er wieder den Mut ihre Hand zu ergreifen, drückte sie aber dabei etwas zu fest.

„Aua!"

Er erschrak. „Entschuldigung, ich bin so überglücklich. Ich … ich wollte dich nicht verletzen."

Sie lächelte. „War nicht so schlimm. Es ist schon einige Wochen her, seit ein Mann meine Hand so stark gedrückt hat."

Michael bekam wässrige Augen und schaute sie glücklich an.

„Heute ist der schönste Tag in meinem Leben!" Er stand auf, ging um den Tisch herum, und gab ihr vorsichtig einen Kuss auf den Mund. Dann setzte er sich wieder auf seinen Platz. „Noch etwas, Carla. Ich hoffe es macht dir nichts aus, wenn du mich weiterhin Michael nennst und nicht Maik. Den Maik möchte ich in der DDR zurücklassen."

Sie nickte ihm zu. „Ja natürlich, nur die DDR wird es nicht mehr so arg lange geben."

Er lächelte sie behutsam an. „Du weißt was ich meine, aber jetzt könnten wir doch zusammen etwas essen."

„Ja bitte. Ich habe einen Bärenhunger."

Sie schauten gemeinsam in die Speisekarte, die vor ihnen auf dem Tisch lag. Carla hatte sich zuerst entschieden. „Ich würde gerne die Sauren Nieren nehmen."

„Gut, und ich den Rheinischen Sauerbraten."

Sie sah ihn provozierend an. „Wenn er nicht vom Pferd ist!"

Michael hob abwehrend beide Hände. „Nein, nein, das ist doch nur ein Märchen, der Kölner Sauerbraten ist vom Rind. Ganz sicher!"

Carla schaute Michael grinsend an. „Pferdefleisch enthält aber reichlich Vitamin A und Kalzium. Es hat nicht so viel Fett als Rinder oder Schweine, ist dadurch kalorienärmer und hat auch weniger Cholesterin."

Michael wurde unsicher. „Wie jetzt? Du meinst ..."

„Nein, ich meine nicht.

Aber es soll in Köln tatsächlich noch einige Pferdemetzger geben ... habe ich gehört. Jedoch hier im Brauhaus ist der Sauerbraten natürlich nicht vom Pferd. War ein Scherz."

Michael atmete tief durch. „Gut, dann kann ich mich also doch auf einen original Rheinischen Sauerbraten ... vom Rind freuen."

Sie nickte ihm lächelnd zu.

Gegen 23.00 Uhr verließen sie gemeinsam das Brauhaus Früh. Vor dem Gebäude blieben sie kurz stehen und blickten auf den hell beleuchteten Dom. Dann schaute Michael erwartungsvoll zu Carla. „Können wir uns demnächst wiedersehen?"

Sie nickte.

Als er vorsichtig seinen Arm um ihre Schulter legte, ließ es Carla geschehen. Sie fühlte sich seltsam wohl in seiner warmen Umarmung. Michael ließ es sich nicht nehmen, Carla noch bis zu ihrem Haus zu begleiten.

Nachdem sie sich verabschiedet hatten, schloss Carla die Eingangstür ihres Wohnhauses in Köln-Sülz auf. Dann drehte sie sich noch einmal um und lächelte Michael freundlich an, der noch am

Gartentor stand. Er war glücklich. Allein, dass sie sich noch einmal umgedreht und ihn dabei vielsagend angeblickt hatte, ließ ihn auf eine glückliche, gemeinsame Zeit mit Carla hoffen.

Es hatte sich also doch gelohnt, nicht aufzugeben. Geduld ist der Schlüssel zur Freude ... und zur Liebe.

Er lief allein durch diese wunderbare Stadt und es schien ihm, dass sowohl die bunten Lichter als auch die Musik, die aus den Lokalen nach außen drang, seine Brust fast zerspringen lassen würden. Carla hatte ihm wieder eine Zukunft gegeben.

Er hatte kein festes Ziel. Lief am Konrad-Adenauer-Ufer entlang, passierte die imposante Bastei in der Kölner Neustadt, und ging dann bis weit über die Zoobrücke hinaus.

Er spürte Lust und Tatendrang in einer Weise, dass er, überwältigt von seinem Glücksgefühl, immer vergnügter wurde. Er empfand sich wieder im tatsächlichen Leben zurück und fühlte wie seine Seele mitschwang.

Dann verzerrte sich sein Gesicht, ohne dass er es wollte. Schwarze Wolken zogen in seinen Gedanken auf. Es war ihm klar, dass seine Flucht und das geheimnisvolle Leben, das er bisher in Köln geführt hatte und weiter führen wollte, unter einem dunklen Schatten standen. Immer wieder überkamen ihn Zweifel über das Zurücklassen von Mandy, Dieter und Jacky in Köpenick. Jedoch war die Beziehung zu Mandy im Laufe der Zeit immer mehr abgeflacht. Natürlich hatte er sie am Anfang ihrer Beziehung geliebt. Ihre erste Nacht würde er nie vergessen, jedoch verfinsterte sich die Faszination immer mehr, existierte irgendwann nur noch in der Vergangenheit. Vergangenheit ist, wenn es nicht mehr wehtut. Er atmete tief aus. Die Geburten seiner Kinder waren ein unvergessliches Erlebnis. Er durfte sehen, wie sie heranwuchsen und war stolz auf sie. Doch wo war ihre Liebe geblieben? Die Gefühle zu Mandy schmolzen mit der Zeit immer mehr und der Alltag bestimmte ihr tristes Leben.

Um die Kinder tat es ihm schon leid, aber er und Mandy waren im Laufe der Jahre zu einem alten, desillusionierten Ehepaar geworden. Er hatte inzwischen mit der DDR abgeschlossen und dabei auch noch seine Familie geopfert.

Er wollte es sich nicht zurecht reden, aber hatte nicht gerade das politische System und Regime der DDR eine gewisse Mitschuld? Den Menschen wurde doch in einer Diktatur ohne existierende Gewaltenteilung alles vorgeschrieben. Er sah sich immer mehr als Schachfigur in ihrem Spiel, war nie richtig frei. Als Jugendlicher fühlte er sich sogar noch politisch zu Marx und Engels hingezogen. Aber die immer stärker werdende Einengung durch die kommunistische Diktatur der Sozialistischen Einheitspartei in der DDR, die als Ein-Parteien-Herrschaft im Osten regierte, konnte er irgendwann nicht mehr ertragen. Bereits im Jahr 1968 wurde der Führungsanspruch der SED in der Verfassung festgeschrieben und deren Nomenklaturkader durchdrang dabei tatsächlich alle drei Gewalten, die Legislative, Exekutive und die Judikative.

Gegen diese uneingeschränkte Kontrolle war doch der arbeitende Mensch förmlich machtlos. Versprochen wurde den Bürgern der DDR, dass nur die Partei den richtigen Weg zu Wohlstand, Glück und Zufriedenheit kennt und somit vorgibt.

Sie versprachen das Arbeiterparadies auf Erden zu schaffen, mit einer möglichst gerechten Gesellschaftsordnung und mit gleicher Verteilung des Wohlstands auf alle Bürger.

Michael fand seine mangelnde Verwurzelung nicht einmal ungewöhnlich, aber besorgniserregend, da er ständig aufpassen musste, was er zu wem sagte. Er hatte immer wieder damit gekämpft, seinen Alltag zu ignorieren. Aber jetzt lag es hinter ihm. Michael wollte nicht mehr Maik sein und das alles vergessen.

Wollte jetzt nur noch an sich denken, auch wenn es egoistisch war. Aber es war sein eigenes und sein einziges Leben auf dieser Welt.

Von dem Schicksal seiner Tochter Jacqueline wusste er nichts … noch nichts.

Freitag, 13. Juli 1990,
Berlin-Charlottenburg, Westdeutschland

„Meinst du, dass er noch kommt?"
Kriminalhauptkommissar Zimmermann schaute beunruhigt auf die Uhr. Es war bereits kurz nach fünf. „Ich warte noch eine halbe Stunde. Nadine, du kannst ruhig Feierabend machen. Grüß mir deinen Alf."
Sie nickte, lächelte dankbar, und verabschiedete sich von ihrem Chef. Der blieb an seinem Schreibtisch sitzen und blickte aus dem Fenster. Betrachtete den wolkenlos blauen Himmel, der schönes Wetter versprach. Musste dabei aber immer wieder an Jacqueline denken, die das alles nicht mehr genießen durfte. Ein junges, unschuldiges Mädchen, das nur den Frieden in ihrer Familie wiederherstellen wollte. Hätte noch das ganze Leben vor sich gehabt. Er stellte zwangsläufig Vergleiche mit seiner Tochter Isabel her, obwohl die polizeilichen Ermittlungen nicht ins Subjektive abgleiten durften. Es gibt oft einen Grad der Verzweiflung, der kriminalpolizeiliche Ermittler irgendwann überkommt. Meistens genau dann, wenn sie erkennen müssen, dass sie einem besonders schlimmen Verbrechen gegenüberstehen und sich ermittlungstechnisch auf der Stelle drehen. Verbrechen lassen sich aufklären, wenn man Verbindungen herstellen kann: Zeugen haben etwas gesehen, im Familienleben gibt es entsprechende Hinweise oder der Täter hinterlässt einen Gegenstand am Tatort. Zimmermann blickte starr auf die vor ihm liegende Akte auf der *Unbekannt – zum Nachteil von Jacqueline Bauermann* stand, als müsse das was zu tun war, irgendwie darauf zu erkennen sein.
Plötzlich wurde er aus seinen Gedanken gerissen, denn es klopfte an der Tür. „Herein!" Tatsächlich war er noch gekommen, der junge Mann, den sie in der Szene Mister Sunshine nannten. Er erinnerte ihn in einer bestimmten Art und Weise an Roger Daltrey von den Who … in früheren Jahren.
My Generation!

„Du bist spät dran."

Der Jugendliche lächelte den Kriminalhauptkommissar erhaben an. „Besser spät als gar nicht! Meistens wollt ihr Bullen einem doch nur was anhängen. Deshalb hat es schon seinen Grund, euch aus dem Weg zu gehen. Ist oft besser! Reine Erfahrungssache. Ist nicht persönlich gemeint."

„Okay, vielleicht hast du sogar recht. Manchmal!"

Zimmermann stellte ein Diktiergerät auf den Tisch. Dann nannte er den Vernehmungsort, das Datum und die aktuelle Uhrzeit. „Und jetzt zur Sache! Was hast du gestern nochmal gesagt, du hättest diese Jacky in die Wüste geschickt? Wo war das genau und wo ging sie dann hin?"

„Ich weiß nicht wo Jacky hinging. Aber zum letzten Mal gesehen habe ich sie vor dem Haupteingang des Museums für bedeutende Fotografie in der Jebenstraße. Verschwunden ist sie dann in den McDonald's neben dem Bahnhof Zoo. War aber zu diesem Zeitpunkt bereits völlig blank. Hab ihr sogar noch einen Zwanziger zugesteckt. So, das war's. Mehr kann ich nicht dazu sagen."

„Doch kannst du. Ihr habt bestimmt über euch gesprochen. Wo ihr herkommt und was ihr noch so vorhabt, oder?"

„Ja, natürlich. Sie hatte mir dabei die Geschichte von ihrem Vater erzählt, dass der schon vor der Grenzöffnung sein Leben riskiert hätte und in den Westen geflohen sei. Da er sich nicht mehr gemeldet hatte, dachte die Familie er sei tot … erschossen oder in die Luft gesprengt worden. Dann habe aber der Alte irgendwann doch noch angerufen und ihnen einfach so am Telefon gesagt, dass er nicht mehr zurückkommen werde.

Da ihre Mutter nach dem Gespräch gesagt hatte, dass sich ihr Vater zur Zeit in Köln aufhalte, wollte die Kleine zusammen mit ihrem älteren Bruder mit dem Zug dorthin fahren und ihn wieder zurückholen … schöne Naivlinge. Der hat doch dort längst eine reiche Kölnerin aufgerissen und sich bei ihr eingenistet. Genießt das Leben im goldenen Westen. Hat den Plattenbau gegen einen Bungalow eingetauscht, wenn Sie verstehen, was ich meine." Der junge Mann schaute den Kommissar eindringlich an, der sogar bestätigend nickte. „Ja, ja die Teilung von Deutschland. Was hat die schon alles kaputt gemacht."

„Passen Sie mal auf, Herr Oberkommissar!"

Zimmermann verbesserte. „Hauptkommissar."

„Was? Wie bitte?"

„Nun ja. Ich bin Hauptkommissar. Oberkommissar war ich vor etwa zehn Jahren."

„Ist mir auch recht. Aber ich wollte Ihnen eigentlich etwas von meinem derzeitigen Leben auf der Straße erzählen. Nur damit Sie auf dem Laufenden sind und auch mal die andere Seite gehört haben. Wir Jungs und Mädels vom Bahnhof Zoo wissen ganz genau, wo wir stehen, nämlich ganz unten. Keiner will etwas mit uns zu tun haben; die meisten Leute sind froh, wenn sie an uns schadlos vorbeigelaufen sind. Viele von uns haben einfach nur Pech gehabt und finden gerade am Zoo ein neues Leben, möchte sogar behaupten, ein Familienleben, das sie vorher gar nicht gekannt hatten. Klar, wir wollen das Leben genießen und rauchen gerne mal einen Joint, auch um uns selbst etwas von unserer Situation abzulenken. Mal kurz abtauchen in eine andere, bessere Welt. Aber ist das wirklich so schlimm? Und, was ganz wichtig ist, wir sind zum größten Teil Pazifisten, sind gegen jegliche Gewalt. Reagieren nur, wenn wir gereizt werden. Die ganz oben sind die Verbrecher. Wenn ich mir überlege, dass die Politiker ein Land regieren und dabei Gesetze machen, die es ihrem Volk nicht erlauben, das Land zu verlassen. Und wenn sie es dann doch tun, lassen sie diese Menschen sogar erschießen oder für viele Jahre einsperren. Meist grundlos. Ich komme auch aus dem Osten und hatte im Rahmen meines Grundwehrdienstes sogar die Möglichkeit zu den DDR-Grenzern zu kommen.

Aber dann hätte ich auf unbescholtene Männer oder Frauen schießen müssen, die nur weg wollten, nur ihre Freiheit suchten. Da bin ich doch ganz unten in der Hierarchie besser aufgehoben. Ich war einer der Ersten, die gegangen sind, als die Grenzen am 9.11.1989 geöffnet wurden. Bin sogar noch in der selben Nacht losgezogen. Auch ich bin das Volk!"

Zimmermann blickte den Jungen zustimmend an.

„Ich gebe dir ja recht, aber ewig kannst du trotzdem nicht den Bahnhof zu deinem Zuhause machen."

„Ja, natürlich nicht. Habe da schon was in Aussicht. Aber es ist noch etwas zu früh dafür. Ich habe die Polytechnische Oberschule in Marzahn mit Auszeichnung abgeschlossen."

Der Kommissar nickte ihm positiv überrascht und anerkennend zu. Überprüfte dann noch einmal die Akten, die vor ihm lagen.

„Nur noch eine Frage. Habt ihr auch darüber gesprochen, wie Jacky und ihr Bruder an Geld kommen wollten?"

Mister Sunshine überlegte. „Ja genau, haben wir. Sie war immer fasziniert von McDonald's. Wollte dort sogar als Mitarbeiterin anheuern. Das hatte sie sogar mehrmals erwähnt."

Zimmermann schaute Mister Sunshine eindringlich an. „Warst du vor kurzem auf einem Fest beim Wannsee?"

„Nein! Da draußen war ich mit Sicherheit noch nie. Warum?"

„Nur so. Gut, das reicht. Vielen Dank. Halt noch eins, da Jacky, wie schon gesagt, bei eurem nächtlichen *Date* erst siebzehn Jahre alt war, könntest du noch Schwierigkeiten bekommen. Werde aber mal sehen, ob ich da was für dich machen kann. Bist eigentlich ein guter Junge. Uns liegt diesbezüglich zwar keine Anzeige vor, ist aber grundsätzlich ein Offizialdelikt. Mal sehen. Ich nehme dann noch kurz deine Personalien auf und wenn dir noch etwas einfällt ... du hast meine Karte."

Der Junge nickte.

Zimmermann gab ihm anschließend die Hand. „Übrigens, kennst du einen Roger Daltrey?"

Mister Sunshine schaute den Kommissar irritiert an. „Wer soll denn das sein? Roger ... was? Eine Dealer vielleicht? Nein, mit dem habe ich nichts zu tun. Da könnt ihr mir nichts anhängen!"

Er verließ kopfschüttelnd das Polizeipräsidium.

Sonntag, 15. Juli 1990,
Köln-Sülz, Nordrhein-Westfalen

„Geh mal an die Tür! Hast du nicht gehört, dass es gerade bereits zum zweiten Mal geklingelt hat?"

„Nein, habe ich nicht." Mürrisch nahm Jonas seine Kopfhörer von den Ohren und trabte gemächlich zum Hauseingang.

Carla schüttelte verächtlich den Kopf und sprach halblaut zu sich selbst. „Ist sonst so ein lieber Junge, aber während der Fußballsommerpause ist er unausstehlich. Hoffentlich geht die Bundesliga bald wieder los und ganz besonders die Spiele im Südstadion. Dann kehrt wieder Normalität im Hause Held ein."

„Mamm, komm mal! Schnell! Da ist ein Mann an der Tür, der will etwas verkaufen. Hätten wir da eventuell Interesse?"

„Komm, mach keinen Quatsch, Jonas. Ich kann die vier Stücke Schwarzwälder Kirschtorte nicht mehr lange halten und würde sie gerne auf eurem Esszimmertisch abstellen", sagte Michael leicht ungeduldig.

Jonas schmunzelte. Seine schlechte Laune war wie weggeflogen. „Natürlich, war nur Spaß. Komm herein, Michael. Ich glaube, Mamm hat sogar mit dir gerechnet. Sie hat schon den Kaffee aufgebrüht, aber gestern keinen Kuchen gebacken."

Carla hatte zwar nur ein paar dumpfe Wortfetzen mitbekommen, aber sie wusste sofort, wer da draußen stand. Sie machte mit den Händen flüchtig ihre Haare noch etwas zurecht und streifte ihr Kleid sorgfältig nach unten. Dann lief sie den beiden Männern entgegen, die bereits auf dem Weg zum Esszimmer waren.

Michaels und Carlas Blick kreuzten sich kurz. Beide lächelten. Michael schaute etwas verhalten, während ihr Blick *Herzlich willkommen* heißen sollte.

„Aber das wäre doch nicht nötig gewesen, Michael."

Er lächelte vornehm. „Dass ich gekommen bin … ?"

„Nein, du Dummkopf, natürlich nicht, dass du gekommen bist, sondern dass du eine halbe Torte mitbringst.

Jonas hätte auch schnell noch zu Kamps rübergehen können."
„Es ist doch unsere Lieblingstorte, Carla. Sie hat nur ein Problem. Allein schmeckt die Schwarzwälder Kirschtorte überhaupt nicht." Carla atmete tief durch. „Setz dich. Schön, dass du gekommen bist." Dann rief sie laut in Richtung Flur. „Linda komm doch mal! Herzensnahrung ist eingetroffen."
Unmittelbar danach schlurfte eine völlig verschlafene junge Dame in hellblauen Schlumpfhausschuhen ins Esszimmer. Ihre Haare zeigten in alle Himmelsrichtungen. „Ein Kaffee ist jetzt genau das richtige für mich."
Dann erst sah sie Michael. „Oh, wir haben Besuch."
Sie lächelte den Gast freundlich an.
Natürlich hatte Carla mit ihren Kindern bereits am Samstagmorgen beim Frühstück über das Treffen mit Michael am Vorabend gesprochen. Linda sah es zunächst sehr kritisch, dass sich ihre Mutter mit Michael wieder versöhnt hatte. Nach all den Lügen. Aber als sie die leuchtenden Augen von ihrer Mamm sah und wie sie über Michael sprach, hatte auch sie ihren Segen gegeben. Eigentlich mochte sie Michael ja.
Jetzt saßen die Vier gemeinsam an einem festlich gedeckten Tisch und aßen genüsslich die Schwarzwälder Kirschtorte.
Plötzlich knackte es laut.
Michael unterbrach sein Kauen und versuchte mit seiner Zunge den harten Gegenstand in seinem Mund zu ertasten. Dann griff er vorsichtig zwischen seine Lippen und hielt einen kleinen Kirschstein zwischen Daumen und Zeigefinger. „Also, wenn das kein gutes Zeichen ist. Meine Mutter hat immer gesagt, wenn man einen Kirschstein erwischt, dann darf man sich etwas wünschen … darf ich?"
Carla lächelte ihn zustimmend an und sah dann zu ihren Kindern.
Als auch Jonas und Linda nach einer kurzen Pause wohlwollend nickten, legte er den Stein zufrieden in seinen Teller.
„Ich wünsche mir etwas ganz besonders, alles andere ist mir im Moment völlig unwichtig, und zwar dass ich … dass ich, ja, dass ich … wieder bei euch wohnen darf."

Er schaute Carla und die Kinder unsicher abwartend an.

Als er keine Antwort bekam, hob er entschuldigend beide Hände. „Ich weiß inzwischen, was ich bei meiner Familie in der DDR falsch gemacht habe. Aber bei meiner neuen Familie in der BRD, also bei euch, da fühle ich mich einfach wohl und da habe ich eigentlich noch nichts falsch gemacht … außer, ja, dass ich euch die Wahrheit über mein Vorleben verschwiegen habe … und noch verheiratet bin." Dabei verzog er sein Gesicht zu einem treuen Hundeblick.

Als dann Linda loskicherte und auch Jonas und Carla laut lachend einfielen, wusste Michael nicht, was er machen sollte. Fühlte sich im ersten Moment sogar ausgegrenzt.

Als Carla dann aber, immer noch lachend, aufstand und ihm einen Kuss gab, entspannten sich langsam seine Gesichtszüge.

„Mensch, Michael, entschuldige bitte unser Verhalten, aber wir haben schon gestern Morgen alles besprochen und wir wollen ja auch, dass du bei uns bleibst. Wir haben sogar gehofft, dass du bald vorbeikommst. Die Abstimmung gestern endete übrigens mit 3:0 … ohne Gegenstimme oder Enthaltung! In ein paar Tagen sage ich dir dann endgültig Bescheid."

Michael musste tief durchatmen.

Er schaute Carla überglücklich an. So jung und so anmutig, wie sie ihm gegenübersaß, verkörperte sie all die Möglichkeiten ihres zukünftigen, gemeinsamen Lebens.

Anschließend schweifte sein Blick zu Carlas Kindern.

„Dann ist heute also mein Glückstag.

Ich hatte da schon den ganzen Tag so ein Gefühl."

„E Jöföhl dat verbingk", warf Jonas auf tiefstem Kölsch ein.

„Schade, dass ihr schon gehen wollt."
Marie Luisa Schad stellte gerade einen Teller mit Spiegeleiern, knusprigem Schinken und gebackenen Tomatenbohnen auf den Tisch. „Greift zu, Kinder! Ihr habt einen langen Weg vor euch."
Das ließen sich Ralph, Markus und natürlich auch Toni nicht zweimal sagen.

„Oma, bei dir kann man es aushalten. Ich beneide Toni schon ein wenig. Wir hatten es im Osten eigentlich auch nicht ganz schlecht, aber jetzt, da wir ja wieder ein Volk sind, werden wir es bestimmt auch bald wesentlich besser haben. Bisher haben wir mehr oder weniger überlebt, aber bald können wir richtig genießen!"
Ralph lächelte seine Großmutter zufrieden an, die gerade noch eine aufgeschnittene Ananas zu den Bananen auf den Tisch stellte. Ihre Fürsorge kam von Herzen.

Auch Markus sah die alte Dame zufrieden an.

„Vielen Dank für alles, Frau Schad. Ich habe noch nie so hervorragend und vor allem vielfältig gegessen wie bei Ihnen. Wenn wir das alles so genau gewusst hätten, dann hätten wir natürlich die Grenzen schon viel früher niedergetrampelt." Er lächelte sie dankbar und zufrieden an.

Marie Schad wurde fast verlegen. „Ja, vielen Dank, Kinder. Aber heute wollt ihr leider schon wieder aufbrechen. Das macht mich ziemlich traurig."

„Aber wir müssen uns auf jeden Fall wiedersehen!" Toni klopfte nach seinen Worten eindringlich auf den Tisch.
Ralph nickte zustimmend. „Ja, Oma, das musst du uns aber ganz fest versprechen. Du setzt dich einfach zusammen mit Toni in Lauda in den Zug und fährst dann direkt zu uns nach Wittenberg. Spätestens an Weihnachten.
Das wäre seit Jahren mein schönstes Geschenk."

Toni wurde euphorisch. „Ja, ja, das machen wir auf jeden Fall.

Versprochen! Oma, das machen wir doch? Ich möchte so gerne mal sehen, wie es in der DDR … äh in Ostdeutschland aussieht … und natürlich", er überlegte kurz, „will ich dann auch meinen Vater kennenlernen. Ich glaube sogar, dass ich ihm verzeihen kann, obwohl er mich im Stich gelassen hat."
Marie Schad wurde nachdenklich. „Ja, ich wüsste nicht, was ich lieber tun würde. Aber ich muss auch ehrlicherweise sagen, dass ich nicht weiß, wie Herbert reagieren wird, wenn er von unserem Vorhaben erfährt. Vielleicht will er es gar nicht, zumal ich euch jetzt alles erzählt habe … von seinen, … naja, sagen wir es mal vorsichtig, … Verfehlungen. Aber schön, … ja, schön wäre es schon, wenn ich meinen Sohn einmal wiedersehen dürfte. Eine Aussprache würde mir und ihm guttun … und wir wären wieder eine richtige Familie, die sich gegenseitig besucht und keine Geheimnisse voreinander hat." Eine Träne lief ihr über die Wange. Ralph reichte ihr ein Taschentuch. „Das werde ich alles regeln", erklärte er zuversichtlich. „Meine Familie, aber besonders mein Vater, wird sich schon einiges anhören müssen.
Ich habe deine Telefonnummer, Oma, und du unsere. Wenn ich wieder in Wittenberg bin, werde ich dich sofort anrufen. Aber eine Frage hätte ich noch. Wusste mein Vater überhaupt, dass ihr seinen Sohn adoptiert habt?"
Marie Schad atmete tief durch. „Ja, ich habe es ihm in einem Brief geschrieben. Aber leider auch darauf keine Antwort bekommen. Er wusste es."
Ralph nickte betreten. Nach einer kurzen Pause wandte er sich Toni zu. „Übrigens gibt es die DDR noch, Toni. Aber sie wird tatsächlich bald abgeschafft, nämlich am dritten Oktober und dann soll dieser Tag sogar zum Feiertag für ganz Deutschland werden. Obwohl ja ursprünglich der neunte November dafür vorgesehen war. Das war der Tag des Mauerfalls im Jahr 1989 … aber den wollte die Regierung nicht nehmen. Wegen der Reichskristall-nacht, die war zwar schon im Jahr 1938, auch am einem neunten November. Das hätte dann wirklich nicht gepasst."
Marie Luisa Schad nickte Ralph bestätigend zu. Ihre Skepsis

verbarg sie dabei nicht. Ihr schauderte bei dem Gedanken, was man damals den jüdischen Mitbürgern angetan hatte. „Ja, es gibt leider noch schlimmere Schicksale."

Theresa Schad war damals gerade mal zwölf Jahre alt gewesen.

Dann bewegte sie rasch ihre Hand zur Seite, als wolle sie diese unliebsamen Zeiten wegwischen.

Ralph hob entschuldigend beide Arme. „Aber jetzt müssen wir wirklich los. Wir wollen doch noch euer schönes Westdeutschland erkunden. Jetzt geht es erst mal Richtung Frankfurt."

Die beiden jungen Männer standen entschlossen auf.

Ralph schaute seine Großmutter wehleidig an. „Oma, wir wären gerne noch geblieben. Nochmal vielen Dank für alles. Es war sehr schön bei dir."

Sie umarmten sich herzlich.

Dann nahmen die beiden jungen Männer ihre bereits fertig gepackten Rucksäcke auf und verließen das Haus.

Als Ralph und Markus um die Häuserecke verschwunden waren, wandte sich Marie Schad ihrem Toni zu. „Ich bin so glücklich, dass du bei mir bleibst."

Er lächelte sie zufrieden an. „Siehst du Oma, es ist doch gar nicht so schlecht, wenn man einen Mann im Haus hat."

Sie schubste ihn lachend in den Eingang zurück.

„Frecher Bursche!"

Montag, 16. Juli 1990,
West-Berlin, Deutschland

Nadine wartete schon sehnsüchtig auf Kommissar Zimmermann. Als er dann endlich zur Tür hereinkam, rief sie es ihm sofort, ohne vorher *Guten Morgen* zu sagen, entgegen: „Robert, wir haben eine zweite Leiche!"

Er lief zielstrebig auf ihren Schreibtisch zu. „Wie? Wo? Weiß man schon wer?"

„Weiß ich nicht. An der Havel. Nein … ist die Reihenfolge der Antworten auf deine Fragen. Die Leiche ist erst heute Morgen entdeckt worden. Ich wurde gerade benachrichtigt. Eine Wasserleiche sieht, wie wir ja alle wissen, meistens nicht mehr besonders gut aus. Sie lag schon eine gewisse Zeit in der Havel, meinten die Kollegen am Telefon. Wurde nach dem gestrigen Regen und dem dadurch ansteigenden Wasser an Land getrieben.

Fundort war auch das Havelufer gegenüber der Pfaueninsel, keine hundert Meter vom Fundort von Jacky entfernt.

Jetzt wäre es interessant zu wissen, ob der Fundort der Leiche auch der Tatort war, oder eventuell sogar die Glienicker Brücke.

Wir haben noch keine näheren Angaben über das Alter oder die Personalien des Toten. Soll sich aber um eine männliche Leiche handeln. Ein junger Mann. Soviel ist bekannt."

Zimmermann dachte kurz an Dieter Bauermann. Verwarf aber dann sofort wieder den Gedanken. Er hatte ja erst am elften Juli mit ihm gesprochen.

Obwohl …! Schaute wieder seine Kollegin irritiert an.

„Gut Nadine, dann hol schon mal den Wagen!"

Sie lächelte vornehm. „Natürlich, Herr Derrick. Die Kollegen der Schutzpolizei und der Kriminalpolizei Zehlendorf warten bereits vor Ort auf uns."

Zimmermann holte seine Jacke. „Gut, dann nichts wie raus zum Wannsee … äh zur Havel."

Nadine atmete tief durch.

Robert Zimmermann schaute sich das Gesicht des Toten genau an. Er deckte es anschließend wieder sorgfältig zu. Es war doch nicht Dieter Bauermann. Seltsamerweise war er richtig erleichtert.

Dominique Faul, ein junger Kollege von der Kripo Zehlendorf, kam sofort mit einem offenen Notizbuch auf Robert und Nadine zu. „Gut, dass ihr da seid, Kollegen. Zwischen dem Mord an der Schülerin und dem Toten, den wir heute hier gefunden haben, könnte ein Zusammenhang bestehen. Ist aber nur eine Vermutung von mir. Junger Mann, höchstens fünfundzwanzig Jahre alt, einsachtzig groß. Schwarze lange Haare, Jeans, blaugestreiftes T-Shirt. Mehr können wir im Moment noch nicht sagen. Ja, doch. Er hatte nur etwas Hartgeld und keine Ausweispapiere bei sich, lediglich einen zusammengeknüllten Wochendienstplan vom Schnellrestaurant McDonald's am Bahnhof Zoo. Dass der noch einigermaßen lesbar ist, ist das reinste Wunder."

„Spuren? Verletzungen?", fragte der Kriminalhauptkommissar kurzsilbig.

„Ja, so wie ich das gesehen habe, eine größere, offene Platzwunde seitlich am Kopf. Aber die *Spusi* müsste jeden Moment hier eintreffen." Der junge Kripobeamte drehte sich diensteifrig weg und lief wieder zu der abgedeckten Leiche hin.

Zimmermann überlegte laut. „Wenn es einen Zusammenhang mit Jacqueline geben würde, dann wäre das ermittlungstechnisch für uns wesentlich einfacher. McDonald's hat der Kollege Faul gesagt, ... oder Nadine?"

„Ja, hat er. Sieht fast so aus, dass der Tote dort sogar arbeitet ... gearbeitet hat. Das hatten die Kollegen vor Ort auch gemeint."

Robert Zimmermann überlegte. Dann fiel es ihm wieder ein. „Nachdem Jacqueline sich im Streit von Roger Daltrey ... äh Mister Sunshine getrennt hatte, ging sie in den Mc Donald's am Zoo. Wollte sich dort etwas Geld verdienen, damit sie mit ihrem Bruder nach Köln fahren könne." Bei seinen Worten zog er die Augenbrauen kritisch nach oben und legte seine Stirn nachdenklich in Falten.

Nadine konnte ihm im Moment nicht folgen. „Was sprichst du da immer von Roger Daltrey? Kennst du den persönlich … und was hat der Sänger und Gitarrist von der Band *The Who,* der mir wohl bekannt ist, wie du siehst, mit unserem Fall zu tun?"

Dabei zog sie ihre rechte Gesichtshälfte prekär nach oben, was ihrem sonst so freundlichen Antlitz nicht gerade entgegenkam.

„Langsam, Nadine, ganz langsam. Kann ich dir alles erklären. Du warst am vergangenen Freitag bereits bei deinem lieben Mann Alf, als der Zeuge vom Bahnhof Zoo, nun dieser Mister Sunshine, doch noch aufgetaucht ist, wie du ja inzwischen weißt. Man muss mit den jungen Leuten etwas vorsichtig und einfühlsam umgehen, dann kann man mit denen sogar richtig interessante Gespräche führen. Er hat tatsächlich eine verblüffende Ähnlichkeit mit Roger Daltrey, deshalb habe ich ihn so genannt. Wenn ich die Who-Legende persönlich getroffen hätte, dann wüsste das inzwischen das gesamte Präsidium und ich würde eine Runde schmeißen. Freiwillig sogar!"

Nadine versuchte ihre beiden Gesichtshälften wieder zu ordnen und nickte ihrem Chef verständnisvoll zu.

„Aber ich würde schon sagen, dass wir uns die Leiche noch einmal ganz genau anschauen."

Zimmermann hob ein zweites Mal vorsichtig die Plane vom Körper und schaute den Toten lange an. Dies tat er grundsätzlich bei jeder Leiche. Er wollte dadurch seine Vorstellungskraft mobilisieren, und dabei die letzten Minuten im Leben der getöteten Person rekonstruieren. Doch dies stellte sich bei einer Leiche, die schon mehrere Tage, oder sogar Wochen, im Wasser gelegen haben musste, als besonders schwierig heraus. Dann wandte er sich Nadine zu. „Ich hatte zunächst eine schreckliche Vermutung, aber nein, diesen Mann hier kenne ich nicht. Noch nie gesehen. Würde sagen, wir fahren zuerst mal zu McDonald's am Bahnhof Zoo."

Nadine drehte sich entschlossen weg. „Ich hole mal den Wagen."

Er nickte ihr lächelnd zu, obwohl sie ihn nicht mehr sehen konnte.

Auf der Rückfahrt überlegte Zimmermann.

Hatte der Tote nicht ein blaugestreiftes T-Shirt an?

Dienstag, 17. Juli 1990,
Wittenberg, Sachsen-Anhalt, Ostdeutschland

Nora und Dora kamen vom Schwimmen im Bergwitzsee zurück. Sie hatten sich dort mit Felix Leon getroffen und waren gut drauf. Die etwa zwölf Kilometer nach Wittenberg hatten sie trotz der stechenden Abendhitze locker mit ihrem Tandem zurückgelegt. Herbert saß auf dem Sofa und schaute schweigend ins Leere. „Was ist denn los, Paps? In letzter Zeit bist du irgendwie anders, einfach nicht mehr der alte Komiker. Können wir dich von deinen Sorgen befreien?" Nora schaute ihren Vater fragend an, von dem sie aber keine Antwort erhielt. Sie ahnte dabei nicht, dass sie voll ins Schwarze getroffen hatte. Herbert Schad hatte tatsächlich sehr große Sorgen. Eine bunte Ansichtskarte aus Solingen-Ohligs lag auf dem Wohnzimmertisch. Es stand zwar nicht viel drauf, aber das was sein Sohn Ralph geschrieben hatte, reichte ihm:

Hallo ihr Ossis,
Markus und mir geht es gut.
Haben bisher sehr viel erlebt.
Waren sogar bei unserer Oma in Königshofen.
Sie ist eine ganz liebe Frau und hat uns einiges berichtet.
Näheres Zuhause.

Euer Ralph.

Er rief nach Theresa, die in der Küche gerade einen großen Tomatensalat für das Abendessen zubereitete. Herbert hatte dieses Jahr in seinem Garten vierundsechzig Tomatenstöcke gepflanzt. Die Gartenarbeit hatte ihn von seinen Problemen abgelenkt, aber immer wieder offenbarte sich die stark drückende Vergangenheit in seinen Gedanken, die er nicht mehr steuern konnte.

Nora und Dora hatten sich schon an den Tisch gesetzt.

Theresa trocknete sich die Hände an ihrer Schürze ab und stand fragend an der Tür. „Was ist los, Herbert?"

Er schaute sie gehemmt an. „Ich muss mit dir, ... und auch gleich mit den Zwillingen, dringend sprechen.

Es ist wichtig. Sehr wichtig."

Theresa schüttelte ungläubig den Kopf. „Was kann denn heute wichtig sein? Unserem Ralph geht es doch gut. Der junge Herr hat sich sogar herabgelassen, uns eine Postkarte zu schicken und die Zwillinge sind gesund und gut gelaunt von ihrem Badeausflug zurückgekommen. Also, wo ist das Problem?"

Herbert atmete tief ein. „Ja, heute war alles in Ordnung und dafür bin ich unserem Schöpfer auch dankbar, aber leider nicht vor fünfzehn Jahren. Da hat er mir offensichtlich nicht beigestanden. Aber ich möchte ihm gar keine Schuld geben, es war alles mein Fehler. Ja, ich habe einen riesengroßen Fehler in meinem Leben gemacht, von dem ihr bisher nichts wisst. Genau das war aber vielleicht auch noch der zweite große Fehler, dass ich euch nichts davon gesagt habe. Ich hoffe, ihr könnt mir verzeihen. Zwischen mir und meiner Familie steht ein großes Geheimnis. Ich kann und will es nicht mehr verheimlichen. Möchte einfach dieses komische Gefühl loshaben, dass ich nicht ehrlich und aufrichtig zu euch bin. Ich gebe natürlich auch zu, dass ihr es demnächst erfahren hättet, ... spätestens wenn Ralph zurückkommt. Aber es ist gut so und ich habe jetzt endlich den Mut, euch die volle Wahrheit zu sagen über meine Schmach, die mich immer wieder gequält und mir unzählige schlaflose Nächte bereitet hat."

„Was in aller Welt ist denn jetzt los, Herbert? Ich kann mir beim besten Willen nicht vorstellen, was dich bedrückt.

Mir fällt jetzt nur spontan ein, dass du nie nach Königshofen wolltest und wir den Kontakt mit deiner Mutter sehr schnell abgebrochen haben. Das fand ich natürlich lange Zeit auch sehr schade, aber wir haben ja praktisch in einem anderen Staat gewohnt und waren schon ... wie soll ich es sagen ... eingesperrt ... eingemauert. Du hattest immer gesagt, deine Reiseanträge in den

Westen hätte man abgelehnt.

Damit musste ich mich irgendwann zufriedengeben. Wollte nicht immer wieder das selbe Fass aufmachen."

Theresa versuchte ihn eindringlich anzuschauen, seinen Blick zu bannen, doch es gelang ihr nicht. Herbert schaute verlegen aus dem Fenster und zog ängstlich seine Augenbrauen nach oben. Dann sprach er sehr langsam und mit leisen Worten, ohne dabei seine Frau anzusehen. „Ich, … ich habe nie einen Antrag gestellt."

Theresa lief drohend ein paar Schritte auf ihren Mann zu und blieb dann plötzlich statuenhaft stehen. Sie wurde ungewöhnlich laut. „Dann sag uns doch bitte, weshalb du uns so angelogen hast!"

Nora und Dora wurden zeitgleich blass und schauten ihren Vater ängstlich und erwartungsvoll an. Erkannten dabei sofort den Ernst der Lage. Kicherten jetzt nicht mehr.

Herbert räusperte sich mehrmals, bis sich der Kloß in seinem Hals einigermaßen aufgelöst hatte. Er wählte seine Worte mit Bedacht und sprach mit unterwürfigem Ton: „Ihr seid meine Familie und ich liebe euch. Es ist mir wichtig, dass ich euch das sage, bevor ihr die ganze Geschichte und damit die Wahrheit aus meinem Mund erfahrt." Er schaute seine beiden Töchter unsicher an. „Wie ihr wisst haben eure Mutter und ich 1972 geheiratet … aus Liebe. Das sage ich, obwohl Theresa damals schon mit eurem Bruder Ralph schwanger war. Der Hochzeitstermin stand für uns aber schon lange vor der Schwangerschaft fest." Er sah seine Frau mit einem matten Lächeln an. Theresa nickte ergeben und schaute erwartungsvoll zu Herbert. „Ja, wir führten ein glückliches Leben in Königshofen. Der kleine Ralph war unser ganzer Stolz."

Theresa lächelte zufrieden in sich hinein.

Herbert setzte sich auf den Sessel am Fenster und hob unsicher seine Hände. „Wie ihr ja wisst habe ich damals in Würzburg, in der Residenz, gearbeitet. Das dortige Schloss zählt zu den Hauptwerken des süddeutschen Barock und ist sogar im europäischen Kontext als einer der bedeutendsten Residenzbauten des Spätbarock anzusehen. Es steht somit in einer Reihe mit Schloss Schönbrunn in Wien und dem Schloss Versailles in der Nähe von

Paris. Außerdem wurde die Würzburger Residenz 1981 sogar in den Rang eines Weltkulturerbes erhoben. Ich möchte euch damit sagen, dass ich in Würzburg eine sehr gute Stellung hatte und bei Gott genügend Arbeit. Außerdem hatten wir damals gerade ein größeres Projekt am Laufen. Das fürstbischöfliche Wappen, ein etwa zwanzig Meter breites Sandsteinrelief an der Westfassade, sollte renoviert werden.

Zusätzlich bin ich, obwohl ich damals noch ziemlich jung war, beim Posten des Direktors stark im Gespräch gewesen. Aber ich möchte es kurz machen und euch nicht allzu sehr mit Kunstgeschichte bombardieren.

Mit meinem Beruf hatte die ganze Sache eigentlich weniger zu tun, … aber damit hat alles angefangen.

Damals habe ich noch beim SV Königshofen in der ersten Mannschaft Fußball gespielt. War sogar Mittelstürmer.

Eure Mutter wollte mir das Fußballspielen nicht verbieten, hätte aber schon an den Sonntagnachmittagen auch mal gerne einen Ausflug gemacht oder wäre zu einem Spielplatz gewandert. Zu dritt!

Sie war dann meistens mit den anderen Spielerfrauen unterwegs. Hat mir zuliebe auf einen Familiensonntag verzichtet."

Herbert schaute seine Ehefrau ergeben und dankbar an.

„An einem Sonntagabend, als Theresa bereits mit unserem kleinen Ralph zuhause war, feierten wir im Sportheim noch den Heimsieg gegen Lauda. Dazu solltet ihr wissen, dass am 1. Januar 1975 der kommunale Zusammenschluss der beiden Städte, also Lauda und Königshofen, erfolgte. Obwohl sich die Bürger der beiden Gemeinden in zurückliegender Zeit nicht gerade freundschaftlich zueinander verhalten hatten. Zwischen den Jugendlichen von Lauda und Königshofen kam es sogar sehr oft zu Schlägereien, wobei ich mich aber immer herausgehalten hatte. Ein gutes Verhältnis war das beileibe nicht."

Die Zwillinge wurden langsam ungeduldig. „Also, Papa, bisher war doch alles gar nicht so schlimm … trotz dieser Schlägereien. Die gibt es in Wittenberg auch."

„Ja stimmt! Aber jetzt komme ich tatsächlich zur Sache. Zumindest komme ich ihr immer näher. Also wir hatten diese wichtige Lokalderby gewonnen. An diesem Abend saß im Sportheim ein junges Mädchen an unserem Tisch. Ich kannte sie vom Sehen, da sie auch in Königshofen wohnte. Sie hieß Roswitha. Ich hatte gerade von der Residenz und meiner dortigen Arbeit erzählt, als sie mich fragte, ob wir in Würzburg auch Praktikanten nehmen würden. Als ich dies bejahte, rutschte sie näher an mich heran und sagte mir, dass sie großes Interesse habe und später, nach ihrem Abitur, auch Kunstgeschichte studieren wolle. Wir kamen immer tiefer ins Gespräch und ich merkte schon, dass sie mich förmlich anhimmelte. Sie sah auch verdammt gut aus." Herbert schaute entschuldigend zu seiner Frau.

„Roswitha und ich waren dann die letzten Gäste im Sportheim. Uwe Fürst, der Sportheimwirt, musste uns geradezu hinauswerfen, was er auch gegen Mitternacht auf seine vornehme und besonders freundliche Art getan hatte.

Als wir dann, so allein zu zweit, vor dem Sportheim standen, bot ich Roswitha noch an, sie nach Hause zu bringen. Ich wollte sie eigentlich nur zu dieser späten Zeit nicht allein lassen, … was sie vermutlich irgendwie missverstanden hatte. Sie war auch nicht mehr ganz nüchtern. Das war aber meine Schuld, da ich ihr im Laufe des Abends einige Schnäpse spendiert hatte … jedoch ohne jegliche Hintergedanken."

Jetzt kicherten Nora und Dora wieder laut.

Herbert erzählte unbeeindruckt weiter. „Wir liefen zur Tauber und folgten dem Fluss in südlicher Richtung. An einer Bank zwischen zwei Birkenbäumen blieb Roswitha dann plötzlich stehen und … ja, … sie küsste mich. Im ersten Moment wollte ich mich noch dagegen wehren, habe es jedoch dann geschehen lassen und ihren Kuss auch erwidert." Herbert schaute Theresa, die immer blasser wurde und inzwischen auf dem Sessel neben ihm Platz genommen hatte, schuldbewusst an. Er fühlte sich erbärmlich und versuchte krampfhaft an einer Entschuldigung zu basteln.

„Es war eine helle, laue Frühlingsnacht, wir hatten gegen Lauda gewonnen, ich hatte Alkohol getrunken, sehr viel Alkohol und Roswitha, wie schon gesagt, auch. Ja, und dann … dann ist es passiert. Mein Gehirn habe ich dabei völlig außer Acht gelassen. So, als wäre es gar nicht vorhanden.

Es war ein einmaliger Fall, den ich inzwischen tausendmal bereut habe." Er überlegte. „Ja, Fall trifft es eigentlich ganz gut. Wir hatten danach auch keinen Kontakt mehr ... bis … ja, bis mich Roswitha drei Monate später anrief und mir sagte, dass sie ... schwanger sei."

Als in seinen Gedanken wieder alles in lebhaften Farben zurückkehrte, drehte sich Herbert fast der Magen um.

Nora und Dora saßen irritiert, gleich zweier Karpfen mit offenen Mündern, auf ihren Plätzen. Theresa schüttelte ungläubig den Kopf, während ihre Hände zu zittern begannen.

Herbert sprach mit gesenktem Kopf weiter. „Wir haben uns am nächsten Abend heimlich getroffen und alle Eventualitäten und Konsequenzen durchgespielt.

Kamen aber zunächst zu keinem gemeinsamen Ergebnis.

Eine Woche später habe ich dann meine persönliche Entscheidung getroffen. Die äquivalente Frage für mich war dann allein die, wie schütze ich meine Familie? Ich wusste, dass es rücksichtslos gegenüber Roswitha und dem Kind war, das meine Gene in sich trug, und noch nicht einmal das Licht der Welt erblickt hatte. Im Traum hörte ich immer wieder die Leute von Königshofen, wie sie sich das Maul zerrissen, die Straßenseite wechselten, wenn ich ihnen entgegen kam, und mir mit vielsagenden Blicken nachschauten. Aber noch wusste es ja niemand.

Ich habe in der Würzburger Residenz sehr oft auch Führungen gemacht. Es hat mir immer wieder den Schweiß auf die Stirn getrieben, wenn ich nur daran gedacht hatte, dass zukünftig auch Leute aus Königshofen oder aus Lauda dabei sein würden, die meine Geschichte kannten. Wie schon gesagt, ich wollte meine Familie schützen … und natürlich auch mich selbst.

Ich habe dann in ganz Deutschland herumtelefoniert und eine neue Arbeitsstelle gesucht. Ohne Erfolg!" Für einen kurzen

Moment hatte Herbert einen Ausdruck von Mutlosigkeit in seinen Augen, der jedoch unter seinem forschen Blick schnell wieder verflog.

„Ich hatte schon keine Hoffnung mehr, als ich in den Fränkischen Nachrichten, unserer Lokalzeitung im Main-Tauber-Kreis, einen Bericht über das Luthermuseum in Wittenberg, einer Stadt in der DDR, las. Der dortige Museumsdirektor stand ziemlich kurz vor der Pensionierung und sie waren tatsächlich gerade im Begriff, einen Nachfolger für ihn zu suchen und einzulernen.

Ich hatte stundenlang mit der dortigen Verwaltung telefoniert. Die mussten mir ja bestätigen, dass ich ein ernsthafter Kandidat bin, um überhaupt eine Einreisegenehmigung in die DDR zu bekommen. Natürlich waren die dort nicht davon begeistert, einen Wessi einzustellen … aber immerhin bin ich evangelisch. Gott … und Martin Luther sei dank! Ich möchte es kurz machen. Nachdem ich meine Zeugnisse und Beurteilungen nach Wittenberg geschickt hatte, klappte es tatsächlich. Habe mich dann ins Auto gesetzt und bin auch sicher in Wittenberg angekommen. Aber ohne Vitamin B wäre es nicht gegangen. Der Verwaltungsratsvorsitzende hatte zufällig Verwandtschaft im Hohenlohekreis und war begeisterter Anhänger der Region Jagst-Kocher-Tauber. Wir hatten uns mehr über das Hohenloher Land und die Kurstadt Bad Mergentheim mit seiner repräsentativen Renaissanceanlage, dem Deutschordenschloss, unterhalten, als über das Wittenberger Museum und meine Einstellung. Kurzum! Ich konnte am nächsten Ersten anfangen. Zunächst mal als Stellvertreter des aktuellen Direktors. Aber mit dem Ziel sein Nachfolger zu werden. Es war für mich wie ein Wunder. Den Rest weißt du ja, Theresa. Wir sind dann mit einem Lkw der Firma Möbel Schott und einem Pkw umgezogen und seither wohnen wir in Wittenberg, zuerst in der Plattenbaumietswohnung in der Straße *Zur Völkerfreundschaft* und dann da, wo wir heute noch wohnen. Direkt an der Elbe, dem schönsten Fluss Deutschlands.

Vielleicht war ich ein Feigling, weil ich einfach davongelaufen bin. Aber ich hätte es in Königshofen nicht ertragen, dort jeden

Tag mit dieser Sache konfrontiert zu werden … und wie gesagt, ich wollte meine Familie schützen und das war nur weit weg von Königshofen möglich … und, was für mich das allerwichtigste war, ich wollte auch meine Frau und meinen Sohn Ralph nicht verlieren. Ich musste eine Entscheidung treffen … und mit ihr leben."

Herbert hielt inne; er nahm sich Zeit, die Folgen für sich selbst zu akzeptieren. Während Theresa ein äußerst besorgtes Gesicht machte, fingen Nora und Dora jetzt doch wieder an zu kichern. „Unser Vater, ein Casanova!"

Herbert schaute seine Frau bange und erwartungsvoll an.

„Theresa, was ist mit dir? Kannst du mich jetzt noch ertragen … wegen … na, wegen meiner Lüge und dass ich dich betrogen habe? Ich würde es verstehen. Was ich getan habe ist eigentlich nicht verzeihbar … Nein! Es ist nicht verzeihbar … ohne eigentlich. Zumal Roswitha kurz nach der Geburt gestorben ist. Auch darüber habe ich mir immer wieder Gedanken gemacht." Er atmete tief ein und dann wieder langsam aus. „Bin ich auch schuld an ihrem Tod?" Fragen, Ängste und insbesondere Wut über sich selbst stürzten ihn in einen Aufruhr der Gefühle. Die Gedanken an seine Tat waren keine ferne Erinnerungen mehr, sondern plötzlich aktueller als je zuvor. Seine Vergangenheit würde jetzt seine Zukunft bestimmen.

Der Ernst der Lage drang immer stärker in Theresas Bewusstsein ein. Sie schaute ihm tief ins Gesicht, als wolle sie seine innersten Gedanken erforschen. „Ob ich dich jetzt noch ertragen kann? Ich weiß es nicht. Das kann ich heute nicht entscheiden. Bin schon sehr enttäuscht. Muss das alles, was da eben über mich hereingebrochen ist, erst mal verdauen." Dann fügte sie noch verhalten hinzu: „Wenn das überhaupt möglich ist. Ich … ich habe von all dem überhaupt nichts gewusst. Vertrauen und Ehrlichkeit sind wichtige Aspekte in einer Ehe, wenn nicht die wichtigsten." Ohne ihren Mann noch einmal anzuschauen verließ sie mit spürbarer Ablehnung enttäuscht das Zimmer. Fühlte sich hundeelend, obwohl sie selbst nichts falsch gemacht hatte.

Dienstag, 17. Juli 1990,
Berlin-Köpenick, Ost-Berlin

Mandy saß wie ein Häuflein Elend auf ihrem Sofa. Schluchzte immer wieder laut. Konnte es einfach nicht fassen. Ein schwarzer Riss durchfurchte ihren Körper. Das Schlimmste auf der Welt, was einer Mutter passieren kann, war ihr passiert. Sie schüttelte fortwährend ungläubig den Kopf. Immer wieder wurde sie von Weinkrämpfen heimgesucht. Konnte und wollte nichts dagegen machen. Musste ständig daran denken, wie die beiden Polizisten, ein Herr Zimmermann und Frau Rumm, die sie ja bereits kannte, am zehnten Juli vor ihrer Tür gestanden hatten und nachfragten, ob sie eintreten dürften. Dann hatten sie wie Schüler herumgetruckst, bis sie ihr die schrecklichste Nachricht überbrachten, die Mandy jemals in ihrem Leben erhalten hatte: „Ihre Tochter Jacqueline ist tot!" Diese Worte hatten die Welt für Mandy von einer Sekunde auf die andere auf den Kopf gestellt. Ihre Tochter war nicht mehr am Leben ... war vielleicht sogar ermordet worden. Die Polizisten vermuteten es, waren aber noch mitten in ihren Ermittlungen, wie sie sich ausgedrückt hatten.

Mandy saß schon die ganze Woche traurig in ihrer Wohnung. Hatte in den vergangenen Nächten nicht geschlafen. Alles was sie spürte war nur noch Schmerz. Ihr Mann war weg, die Kinder waren weg und Jacqueline war tot. Tot! Tot! Tot!

Mit dem Gefühl, in einem Netz gefangen zu sein, drohte sie zu ersticken. Jeder klare Gedanke, den sie zu fassen versuchte, verlor sich in sich selbst.

Jetzt war sie ganz allein. Sie schwenkte den Weißwein in ihrem Glas und blickte gedankenverloren in die klare Flüssigkeit. Hatte bereits die zweite Flasche geöffnet. Sie wusste nicht, was mit Dieter war. Würde wenigstens er wieder zurückkommen?

Sie wollte sich selbst ablenken und dachte an all die Versprechen, die politischen und auch die privaten. Was war aus ihrer Familie geworden? Ihre Zukunftsträume waren auf einmal zerplatzt.

Die DDR, in der sie aufgewachsen war, und ihre Kinder groß geworden sind, gab es bald auch nicht mehr. Sie hatte alles verloren. Die DDR und auch ihre Familie. Noch vor einem Dreivierteljahr, am 7. Oktober 1989, feierte die Staatsführung in Ost-Berlin das vierzigjährige Bestehen der Deutschen Demokratischen Republik. Die Feierlichkeiten waren von langer Hand geplant worden und liefen ganz im gewohnten Stil ab. Mandy erinnerte sich noch gut an einen Beitrag der *Aktuellen Kamera* im Ost-Fernsehen. Die Soldaten der Nationalen Volksarmee marschierten bei der Militärparade auf der Ost-Berliner Karl-Marx-Allee vor der großen Tribüne mit der Regierung und den Ehrengästen vorbei. Auf der festlich geschmückten Ehrentribüne versammelten sich die gealterten und bereits angeschlagenen Staatslenker, der DDR-Staatsratsvorsitzende Erich Honecker und der Vorsitzende des Ministerrates, Willi Stoph. Sie ließen feierlich ihr Programm ablaufen und die Nachrichtensendung *Aktuelle Kamera* berichtete von dem Festakt, als würde die DDR noch ewig bestehen. Das hatte aufgrund der immer mehr aufkommenden Unruhen im Land fast schon bizarre Züge. Links neben Honecker stand der Ehrengast aus Moskau, der große sowjetische Staats- und Parteichef Michail Gorbatschow, der aber mehr frischen Wind mit sich brachte als der DDR-Führung lieb war.

Michail Gorbatschow hatte die Zeichen der Zeit erkannt, denn die Stimmung im Land war inzwischen angespannt. Immer mehr Menschen wagten es zu jener Zeit Ausreiseanträge zu stellen oder über Ungarn zu flüchten. Tausende setzten sich später über die westdeutschen Botschaften in Prag oder Warschau ab.

Am 1. September 1988 war Maik in den Westen geflohen, ohne seine Familie. Sie wusste inzwischen, dass er es lebend über die Grenze geschafft hatte. Aber seitdem hatte sie ihn nicht mehr gesehen. Inzwischen fühlte sich Mandy wie eine Witwe.

Sie dachte laut nach und sprach in den tristen Raum. „Wenn sie Maik an der Grenze erschossen hätten, wäre es mir lieber. Dann wäre er als Held gestorben, der die Freiheit für seine Familie gesucht hätte. Aber so? Außerdem wären Jacqueline und Dieter dann noch da. Dann hätte ich wenigstens noch meine Kinder und das Leben hätte einen Sinn."

Dieter hatte sich ja einmal kurz telefonisch gemeldet, hatte gesagt, dass es ihnen gut gehe und sie Vater suchen und ihr zurückbringen würden. Sie sah sofort eine Gefahr darin und hatte noch versucht, ihn umzustimmen und ihm erklärt, dass sie doch in die Schule müssten. Er hatte ihr nur kurz gesagt, dass sie das alles nachholen würden und außerdem seien ja bald Sommerferien. Dann wurde die Verbindung unterbrochen. Sie konnte es lange nicht begreifen … wollte es nicht begreifen. Natürlich gab sie nicht nur Maik die Schuld an allem, sondern auch der SED-Diktatur in der DDR. Die hatten die Grenzen geschaffen und bereits 1961 diese irrsinnige Mauer aufgebaut. Ihre eigenen Bürger eingesperrt. Im Land rumorte es inzwischen immer mehr. Die Protestbewegung, die gegen Wahlfälschungen und staatliche Willkür demonstrierte, wuchs von Woche zu Woche an. Während zuvor vor allem der Ruf: "Wir wollen raus" zu hören gewesen war, kündigten nun viele Demonstranten lautstark an: "Wir bleiben hier!" Eine eindeutige Kampfansage an das SED-Regime. Mandy schüttelte ungläubig den Kopf. Sie wollte nirgends mehr bleiben, weder im Osten, geschweige denn im Westen.

Sprach wieder zu sich selbst: „Warum müssen gerade wir in so einem Land leben … gefangen sein? Maik wäre nie geflohen, wenn wir nur ein kleines bisschen mehr Freiheit gehabt hätten.

Diese Deutsche Demokratische Republik hat uns so viel vorenthalten. Die Partei meinte ganz genau zu wissen, was der richtige Weg zu Wohlstand, Glück und Zufriedenheit sei. Wollte unser Leben regeln und bestimmen. Der demokratische Staat hat uns das Arbeiterparadies auf Erden versprochen, während die Diktatur für die Verteilung und Beurteilung des Wohlstandes zuständig war."

Dann herrschte wieder Totenstille in der kleinen Wohnung. Das Leben in ihrer Familie war völlig ausgelöscht worden. All ihre Arbeit, ihre Mühe, ihre Fürsorge war verpufft, in Luft aufgelöst. Kann man den Wert eines Menschen messen und wenn ja, hatte sie dann überhaupt noch eine Lebensberechtigung? Sie vermisste die Geselligkeit in der kleinen Wohnung, die Kinder und natürlich ... natürlich auch ihren Mann. Eigentlich müsste sie sich ja freuen. Die Wende war in vollem Gange. DDR-Ministerpräsident Lothar de Maizière war inzwischen der erste freigewählte Regierungschef. Natürlich sollte seine Amtszeit am 3.10.1990 im Rahmen der Deutschen Wiedervereinigung mit dem Beitritt der DDR zur Bundesrepublik Deutschland schon wieder enden. War Mandy aber egal. Dann gibt es ab den 3.10.1990 wieder ein gemeinsames Deutschland. Ein geschichtsträchtiges Datum!

Um sich bei möglichst vielen Bürgern beliebt zu machen, versprach Bundeskanzler Helmut Kohl den Menschen im Osten blühende Landschaften und in etwa zwei bis vier Jahren gleiche Bedingungen wie im Westen. Grundsätzlich standen die Aussichten recht gut, aber dadurch wurden Mandys Probleme nicht gelöst. Niemand konnte ihr Jacky zurückbringen. Würde sie Dieter überhaupt noch einmal wiedersehen? Hatte das Leben noch einen Sinn für sie? Auch Maik hatte sie noch nicht ganz abgeschrieben. Ein russisches Sprichwort sagt, dass die Liebe keinen Dritten einlässt. Das traf wohl für viele andere zu, aber nicht für sie. Angesichts der immer schwerer lastenden Sorgen fühlte sie sich handlungsunfähig. In ihrer kleinen Welt ballte sich ein schreckliches Ausmaß an Schmerzen und inneren Verletzungen zusammen.

Die Benedorm-Schlaftabletten lagen schon mehrere Tage auf dem Wohnzimmertisch. Mandy befand sich bereits jenseits der Grenze zwischen Angst und Vernunft.

Sie fühlte sich fremd und entmenscht. Sah keinen anderen Ausweg mehr. Sie schaute traurig auf das kleine, blaue Päckchen mit dem Aufkleber: Rezeptpflichtig – Nur auf ärztliche Verordnung! Sie hatte in der Apotheke zwar ein Rezept vorlegen müssen, aber wie viele Tabletten sie nahm, war allein ihre Sache.

Inzwischen war der Wunsch, dem Ganzen ein Ende zu machen, größer als alle Zweifel. Vom Wein und von ihrem derzeitigen Gefühlszustand ermutigt, fasste sie noch an diesem Tag einen folgenschweren Entschluss.

Dienstag, 17. Juli 1990,
Berlin, Westdeutschland

Nadine parkte ihren Dienstwagen direkt vor dem McDonald's Restaurant am Zoo, auf dem breiten Gehweg.

„Habe heute etwas dürftig gefrühstückt. Wie wär's, wenn wir uns mal ausnahmsweise einen Hamburger genehmigen würden?" Sie schaute ihren Chef erwartungsvoll an.

Der lächelte nur und nickte dabei.

Sie stellten sich in die lange Schlange vor Kasse zwei, mussten aber etwa eine Viertelstunde warten. Hochbetrieb im McDonald's. Als sie es bis nach vorn geschafft hatten, bestellte Nadine zwei Hamburger und zweimal Pommes mit Ketchup und Majo, sowie zwei Cola.

„Viel los heute, was?", begann Nadine einen Smalltalk mit der Dame an der Kasse. Die lächelte zwar gestresst, aber trotzdem freundlich und meinte dazu, dass sie im Moment leider unterbesetzt seien und deshalb nur noch Personal für zwei Kassen hätten. Der Chef wollte eigentlich schon vor drei Wochen eine neue Kraft einstellen … aber bisher sei nichts geschehen und jetzt habe er sich einfach in den Urlaub verdrückt. Nadine schaute Robert, der neben ihr stand, vielsagend an. Der signalisierte ihr aber, zunächst mal abzuwarten.

Sie fanden noch einen freien Tisch in der hintersten Ecke. Bereits beim ersten Bissen fiel Robert die Gurke aus dem Brötchen und landete wieder in der Plastikbox.

„Treffer", sagte Nadine verschmitzt, noch bevor er die Gurke mit der Hand aufheben und direkt in den Mund schieben konnte.

„Was sich die jungen Leute heutzutage alles so herausnehmen", erwiderte der Kriminalhauptkommissar lächelnd. „Aber wenn ich mich durch meinen Hamburger gekämpft habe, werden wir mal das Büro in diesem Laden aufsuchen. Die erste Info von der Dame an der Kasse war ja bereits sehr aufschlussreich und gibt uns eine Menge Anlass zu Spekulationen."

190

Nadine nickte zustimmend.

Einen Ketchupfleck auf seiner Hose konnte KHK Zimmermann leider nicht verhindern. Nach einer kurzen, provisorischen Säuberungsaktion mit dem feuchten Einmaltuch in der Toilette liefen die beiden Kriminalbeamten zum Personalbüro.

Nachdem der Assistant Manager, ein braungebrannter Yuppietyp, ihre Dienstausweise ungewöhnlich lange eingesehen und geprüft hatte, bat er die beiden Polizisten Platz zu nehmen.

„Mein Name ist Deißler, Guido Deißler. Bin hier sozusagen der zweite Chef. Nun ja, unser erster Chef ist nicht immer zuverlässig, kommt fast regelmäßig zu spät und hat sich dann auch noch oft krank gemeldet. Die ganze Arbeit bleibt natürlich demzufolge an mir hängen. Er ist ja fast zehn Jahre jünger als ich.

Ich verstehe heute noch nicht, weshalb er damals den Posten des Restaurant Managers bekommen hat und ich nur den des Assistant Managers ...“

Zimmermann hob demonstrativ abwehrend seine rechte Hand. „Moment mal Herr Deißler, damit wir weiterkommen. Bei Ihren internen Positionskämpfen darf und kann ich Ihnen leider nicht helfen. Wir hätten nur ein paar Fragen. Kommen wir also gleich zur Sache. Wie heißt Ihr Restaurant Manager und wo wohnt er?“

Der Assistant Manager schaute etwas pikiert drein und räusperte sich dann laut. „Ja gut! Verstehe. Da haben Sie schon recht. Nun, er heißt Walther Schlury und wohnt in Berlin-Wannsee. Wenn ich mich noch recht erinnere, *Am Wildgatter*, das liegt direkt neben der Golfanlage. Er hat ja oft genug damit geprahlt, dass er jeden Samstag Golf spiele und ein sehr gutes Handicap …“

„Jetzt muss ich Sie leider schon wieder unterbrechen, damit wir endlich vorwärts kommen.“

Deißler hob verständnisvoll seine Hände.

Zimmermann atmete erleichtert durch. „Es geht um die Woche vom fünfundzwanzigsten bis zum neunundzwanzigsten Juni. Hat Herr Schlury da gearbeitet?“

„Das weiß ich natürlich nicht auswendig.

Der Schlury fehlt so oft! Ich müsste mal in den Büchern …“

„Dann machen Sie das … bitte!"

Deißler stand träge auf und holte einen Ordner aus dem Regal. Umständlich blätterte er in den Akten.

„Da haben wir es ja. Walther Schlury hat in der besagten Woche bis Mittwoch, den siebenundzwanzigsten Juni tagsüber gearbeitet. Am Donnerstag ist er dann erst um 11.00 Uhr zum Dienst erschienen. Dann war er bis zum sechsten Juli immer da … nur, halt, ja stimmt, die gesamte letzte Woche hatte er Urlaub und diese Woche auch. Aber egal, die Hauptarbeit hier mache sowieso ich! Musste ihn sogar heute Morgen kurz anrufen, wegen unserer angespannten Personalsituation. Er wollte eigentlich schon länger eine junge Dame einstellen … aber daraus ist offensichtlich nichts geworden … außer dass er ihr schöne Augen gemacht hatte. Ich habe jetzt einen Praktikanten in Aussicht, den ich gerne sofort einstellen möchte. So etwas muss ich auch mit Herrn Schlury besprechen … sogar in seinem Urlaub."

Sie haben heute Morgen mit Walther Schlury gesprochen?"

„Ja, ganz sicher!"

„Dann ist er in seinem Urlaub also nicht weggefahren?"

„Nein, sicher nicht, der spielt jeden Tag Golf … obwohl er ja eigentlich nicht gerade zu den Neureichen passt. Spricht immer von Handicap Fünf … was auch immer das heißen mag!"

Zimmermann ging nicht auf das Handicap von Schlury ein. Er wog Deißlers Aussage mit Bedacht ab. „Noch eine Frage: Hatte Ihr Praktikant, den Sie einstellen wollen, zufällig lange schwarze Haare und vielleicht ein blau-gestreiftes T-Shirt an?"

Deißler lachte laut. „Nein. Er trug ein weißes Hemd und hatte eine Glatze … Vollglatze, aber warum …?"

„Nicht so wichtig. Danke."

Die beiden Kripobeamten nickten und verabschiedeten sich von dem Assistant Manager.

Sie kamen sich im Moment vor, als würden sie auf der Stelle treten. „Also ist weder der Praktikant, noch dieser Schlury unsere Leiche. Der Schlury spielt vermutlich gerade mit Handicap Fünf Golf und mit dem Dienstplan von McDonald's, den wir bei dem

Toten gefunden haben, kommen wir im Moment leider auch nicht weiter. Dann auf nach Wannsee", forderte Robert seine Mitarbeiterin forsch auf.

Die lächelte ihren Chef herausfordernd an. „Eine Frage hätte ich noch! Ist eigentlich Restaurant Manager höher einzustufen als Hauptkommissar?"

Der lächelte nur müde zurück, ohne ihr eine Antwort zu geben.

Sie standen vor einem älteren Reihenendhaus. Unterhalb der Klingel befand sich ein übergroßes Messingschild mit der Gravur: *Walther Schlury – Restaurant Manager.* Erst nach dem zweiten Klingeln öffnete sich die Tür und es kam ihnen ein gutaussehender Mann, ganz in weiß gekleidet, entgegen, der lässig seinen Golfbag auf dem Rücken trug und gerade mit einem Entfernungsmessgerät hantierte. „Oh, Entschuldigung, ich habe die Herrschaften gar nicht gehört. Haben Sie geklingelt?"

„Ja, zweimal!" Nadine schaute zu dem Mann hoch, der sie um gut zwei Köpfe überragte. Zimmermann zeigte ihm seinen Dienstausweis und stellte sich und Nadine vor.

Der Mann wurde plötzlich blass. „Polizei? Was …?"

„Können wir das drinnen besprechen?"

„Ja, sicher. Kommen Sie rein in die gute Stube! Habe nur heute noch nicht aufgeräumt. Aber ich nehme an, dass Sie Schlimmeres gewohnt sind, bei Ihren Polizeieinsätzen."

Robert Zimmermann schaute sich interessiert um und bestaunte die geschmackvoll und teuer eingerichtete Wohnung.

„Bei McDonald's muss man wohl gut verdienen?"

Schlury hob abwehrend beide Hände. „Oh nein, da täuschen Sie sich. Leider nicht! Meine Eltern sind sehr früh gestorben und haben mir das alles überlassen. Bin ein Einzelkind, müssen Sie wissen. Ich kenne zwar Ihren Kontoauszug nicht, würde aber schon sagen, dass ein Kriminalbeamter einiges mehr verdient als ein Restaurant Manager."

„Das lassen wir mal so stehen," antwortete ihm Zimmermann, ohne näher auf weitere Einzelheiten einzugehen. „Aber jetzt zur

Sache. Können Sie sich noch an den siebenundzwanzigsten Juni erinnern? Es war ein Mittwoch."

Schlury legte Daumen und Zeigefinger an sein Kinn und überlegte ernsthaft ... oder tat er nur so? „Nein, eigentlich nicht, was soll da Besonderes gewesen sein?"

„Nun, an diesem Tag ist eine junge Dame bei Ihnen aufgetaucht und wollte, so wie wir informiert wurden, um einen Job in Ihrem Schnellrestaurant nachsuchen."

Walther Schlury überlegte erneut, wobei Nadine jetzt bereits zum zweiten Mal den Verdacht hatte, dass er ganz genau wusste, was ihr Kollege ansprach. „Ja, stimmt, da haben Sie recht. Wie hieß sie nochmal? Ja! Jacky. Jetzt fällt es mir wieder ein. Sie machte sogar einen sehr guten Eindruck und war nicht einmal hässlich. Ich habe ihr aber gesagt, dass ich das alles erst mit unserem zentralen Management abklären müsste und sie morgen noch einmal vorbei kommen solle. Habe ihr dann, wie das bei uns so üblich ist, einen Dienstplan mitgegeben und mich von ihr verabschiedet. Aber sie ließ nicht locker und sagte mir, dass sie zurzeit keine Übernachtungsmöglichkeit habe. Dann fragte sie mich, ob sie mit mir kommen könne. Ich habe ihr mein Gästezimmer angeboten. Ich hoffe, Sie denken jetzt nichts Falsches!" Die beiden Ermittler wurden hellhörig. „Sie ist siebzehn!"

Schlury schaute Zimmermann erschrocken an. „Oh, äh ... sie hatte mir gesagt sie sei schon einundzwanzig! Hatte auch keinen Ausweis dabei, den ich hätte kontrollieren können. Aber ihr Alter wäre spätestens bei der Beantragung eines Gesundheitszeugnisses ans Licht gekommen.

Naja, egal. Als sie dann hörte, dass ich in Berlin-Wannsee wohne, war sie begeistert. Sie sagte mir, dass zufällig am heutigen Abend in der Nähe von Wannsee im Park von Schloss Glienicke eine Party stattfinden solle. Da wollte sie unbedingt hin. Dann fragte sie mich auch noch, ob ich so freundlich wäre und auch ihren Bruder mitnehmen könne, der sich gerade am Bahnhof Zoo aufhalten würde. Ich sagte, dass das kein Problem wäre, sie müssten nur um 20.00 Uhr am Eingang McDonald's sein.

Die beiden waren tatsächlich pünktlich und ich habe sie sogar noch bis zum Glienicker Schloss gefahren ... und seitdem nie mehr wiedergesehen. Über das Zimmerangebot hatten wir dann auch nicht mehr gesprochen."

Er hob beide Hände demonstrativ hoch und wollte damit andeuten, dass er sich von jeglichen weiteren Vermutungen seitens der Polizei völlig freisprach.

Beim Hinausgehen überlegte er und griff sich, als sie bereits vor der Haustür standen, plötzlich erschrocken an den Mund.

„Ach du liebe Zeit. Dann ist die Kleine auch die Tote, die man in der Havel gefunden hatte! Stand ja vor einiger Zeit groß in der Zeitung ... sie ist ... sie war so ein hübsches Mädchen." Er stockte und schaute die beiden Kripobeamten fragend an. „Aber Sie denken jetzt doch nicht, dass ich irgendetwas mit der Sache zu tun habe?"

Zimmermann ging fast bedrohlich einen Schritt auf Schlury zu. „Wenn Sie uns die Wahrheit gesagt haben, dann mit Sicherheit nicht. Aber wenn Sie uns angelogen haben, dann hören Sie wieder von uns. Sehr bald! Bei Anklage ... Mord."

Auf der Außentreppe drehte sich Zimmermann noch einmal in *Columbo-Manier* zu Schlury um. „Eine Frage hätte ich aber noch. Wo waren Sie am Abend, nachdem Sie die beiden Jugendlichen abgeliefert hatten?"

„Da war ich ... Moment mal. Ja, da war ich zu Hause."

„Allein?"

Walther Schlury wurde blass. „Ja, ... natürlich allein!"

Die beiden Kriminalbeamten liefen wortlos weg.

Schlury ging wieder ins Haus und schloss, offensichtlich etwas verwirrt, die Tür. Hatte heute keine Lust mehr Golf zu spielen.

Zimmermann legte nachdenklich die Hand an sein Kinn. „Schlury hatte doch Jacky einen Dienstplan gegeben. Wenn ich es mir jetzt recht überlege, dann ..."

Er brach mitten im Satz ab und schaute Nadine ungläubig an, die ihre Stirn in Falten zog. „Ja, dann wäre unsere zweite Leiche ... Jacquelines Mörder ..."

Theresa kam gegen 17.30 Uhr von der Arbeit zurück. Auf dem hellbraunen Wohnzimmertisch stand ein überdimensional großer Rosenstrauß.

Langstielige, dunkelrote Rosen.

Die ewigen Boten der Liebe.

Sie hatte in der vergangenen Nacht im Gästezimmer geschlafen, aber kaum ein Auge zugemacht. Als sie am frühen Morgen in die Küche kam, war Herbert bereits weg.

Unter dem Strauß lag eine Ansichtskarte mit Lucas Cranachs Portrait von Martin Luther. Natürlich wusste Herbert, dass Theresa dieses Gemälde besonders liebte, wie auch die Person Luther selbst, bei dem es dessen Käthe auch nicht immer leicht gehabt hatte. Sie betrachtete den Strauß und glaubte in diesem Moment, seine Gedanken lesen zu können.

Dann nahm sie die Karte in die Hand und drehte sie vorsichtig um. Sie las die ihr wohl bekannte Handschrift:

Liebe Theresa!

Ich weiß, dass ich einen großen Fehler gemacht habe und dass du es mit mir nicht immer leicht hattest. Aber du hast mich bisher aufrichtig und treu durch mein Leben begleitet und ich bin dir dafür unermesslich dankbar. Auch ich war dir, seit wir uns kennen, immer treu ... bis auf das eine Mal.
Vergib mir!
Verzeih mir!

Ich liebe dich und will dich nicht verlieren.
Dein ... (hoffentlich weiterhin) Herbert

Eine einsame Träne lief über ihre Wange und löste sich wieder auf. Sie holte tief Luft und las den Text ein zweites Mal.

Dann sagte sie leise zu sich selbst: „Herbert, was soll ich nur machen? Heute Nacht im Bett habe ich dich schon mehrmals velassen. Aber ich glaube, ich kann es nicht und ich will es im Innersten meines Herzens auch nicht.

Wir Menschen sind nicht perfekt und machen immer wieder Fehler. Deshalb sind wir auch Menschen und keine Maschinen."

Theresa war allein in dem großen Haus.

Herbert befand sich noch bei Martin Luther, wie sie immer sagte, wenn er in seinem Museum arbeitete, und die Zwillinge waren wieder an den Bergwitzsee geradelt und bisher noch nicht zurückgekommen.

Ralph war mit Markus noch irgendwo im Westen.

Dann wurde sie plötzlich aus ihrer Gedankenwelt gerissen. Sie hatte ihn überhaupt nicht gehört.

Herbert stand hinter ihr.

„Du ... du hast die Karte schon gelesen?"

Sie nickte wortlos.

„Hättest du etwas dagegen, wenn wir uns in den Garten setzen würden?"

Wieder nickte sie, ohne etwas zu sagen

Er öffnete die Terrassentür und lief dann in die Küche, um zwei Gläser Mineralwasser zu holen.

Als er wieder zurückkam, stellte er die Gläser umständlich auf den Gartentisch. Wirkte dabei fast etwas tollpatschig.

„Oder doch lieber einen Wein ... oder einen Sekt?"

Sie lächelte ihn zum ersten Mal seit seinem Geständnis, etwas verlegen, aber fast schon wieder freundlich an.

„Später vielleicht."

Er erstarrte und schaute sie ungläubig an.

„Dann ... dann, ja dann ... bleiben wir zusammen?"

Sie seufzte und setzte sich aufrecht hin.

„Gestern hätte ich dich noch auf den Mond schießen können." Ihr anschließendes Lachen war ein leises, sarkastisches Geräusch.

„Aber mir hat einmal eine sehr schlaue Person gesagt, dass ich, wenn eine schwierige Sache zu entscheiden sei, naja, dass ich dann einen Zettel nehmen soll und auf die linke Seite die positiven Fakten und auf die andere Seite die negativen Fakten für eine Entscheidung schreiben soll."

Er atmete tief aus. „Ja, ich erinnere mich. Habe dir mal den Tipp gegeben, aber der war für eine ganz andere Entscheidung gedacht. Dann hältst du mich also für eine schlaue Person. Aber das wäre dann ein Punkt für die linke, also die positive Spalte, oder?"

„Das war jetzt die falsche Antwort zum falschen Zeitpunkt, denn schlaue Personen loben sich nicht selbst und sollten schon wissen, was sie tun. Auch wenn ihr Verein ein Lokalderby gewonnen hat und sie durch übermäßigen Alkohol in ihrem Geist stark beeinträchtigt sind."

Er nahm vorsichtig und leicht zitternd ihre Hände. „Ja, ich könnte mich ohrfeigen, es war, … ja, es war so hirnlos, aber ich habe es damals getan und damit musste ich über die Jahre hinweg leben. Ich wollte es dir auch sagen, wollte ehrlich zu dir sein, hatte aber immer wieder große Angst, dich zu enttäuschen … und dich zu verlieren."

Herbert schaute Theresa treu an. „Für mich wäre das Leben nur dann wieder vollkommen lebenswert, wenn du mir verzeihen könntest. Aber ich weiß, es geht hier nicht um mich, sondern hauptsächlich um dich … ich weiß es."

Sie zog ihre Hände wieder langsam zurück. „Du bist mein Mann und der Vater meiner Kinder. Du hast einen Fehler gemacht, der mir, als ich davon erfahren habe, sehr wehgetan hat. Glaube mir, ich habe alle meine mir zur Verfügung stehenden Möglichkeiten durchgespielt, wie meine Reaktion wohl ausfallen könnte … und da waren nicht nur moralische, sondern auch strafrechtliche Dinge dabei. Wenn ich alles, was ich mir gestern Nacht als Alternativen ausgemalt habe, getan hätte, wären wir beide jetzt nicht mehr am Leben."

Herbert nickte ergeben.

Theresa machte eine Handbewegung, als wollte sie ihre düsteren

Gedanken beiseiteschieben. Nach einer kurzen Pause fuhr sie fort. „Auf meiner Liste habe ich nicht nur die Vorteile und die Nachteile aufgeschrieben, sondern ich habe den einzelnen Posten noch unterschiedliche Bewertungspunkte gegeben. Von Null bis Zehn. Guter Vater und guter Ehemann ergaben zum Beispiel schon einmal zusammen zwanzig Punkte!"

Herbert nickte unterwürfig. Gleichzeitig überraschte es ihn, mit welcher Präzision seine Frau dieses heikle Thema angegangen war.

„Benötigst du noch etwas Bedenkzeit? Ich muss eingestehen, wenn dir das Ganze passiert wäre, ich wüsste nicht …"

„Ist mir aber nicht passiert, Herbert!"

Er schaute sie treu an. „Ja, aber mir Trottel ist es passiert und ich könnte mich …" Sie hob abwehrend beide Hände. „Lass mal gut sein mit deiner Selbstgeißelung, ja es ist passiert und wir können es nicht mehr rückgängig machen. Ob du es glaubst oder nicht, ich habe auf meiner Liste sogar berücksichtigt, … natürlich auf der positiven Seite, dass du durch deinen Ausrutscher einem Kind das Leben geschenkt hast. Zwar ungewollt, aber trotzdem ist es Fakt." Sie schaute ihn jetzt wieder ernst an. „Aber dass du dann diesen kleinen Erdenbürger einfach zurückgelassen hast und ihm deine väterliche Pflicht und Fürsorge durch feige Flucht entzogen hast, das steht ganz dick auf der negativen Seite meiner Liste … mit der vollen Punktzahl."

Er senkte reumütig den Kopf. „Ja, das habe ich getan und es hat mir damals auch keine Ruhe gelassen. Deshalb habe ich ein paar Tage nach der Geburt des Kindes die Eltern von Roswitha ange-rufen. Sie haben meine Entschuldigung zwar nicht angenommen, aber da habe ich dann alles erfahren. Sie haben mir äußerst vor-wurfsvoll vom Tod von Roswitha berichtet und dabei natürlich nur mir die alleinige Schuld gegeben. Als sie mir mitgeteilt hatten, dass meine Eltern das Kind adoptieren wollten, war ich aber doch etwas erleichtert. Aber dann kam wieder der große Feigling in mir durch. Ich habe mich nicht getraut mit meinen Eltern darüber zu sprechen, geschweige denn, mich bei ihnen zu bedanken. Meine

Mutter hatte mir die Adoption auch in einem Brief mitgeteilt. Ich habe ihr leider nie darauf geantwortet. Ich habe sehr viele Fehler gemacht, damals. Wenn ich meine Familie, dich und Ralph, nicht gehabt hätte … ich weiß nicht, was ich dann getan hätte."

Sie schaute ihrem Ehemann tief in die Augen und wartete ein paar Sekunden, bevor sie sanftmütig weitersprach. „Dann waren wir also das Problem und die Lösung. Aber ich werde dich nicht verlassen und dich auch nicht hinauswerfen. Wir beide gehören zusammen, davon bin ich felsenfest überzeugt … und außerdem haben wir drei Kinder … zusammen. Daraus resultiert auch eine gewisse Verantwortung.

Eine Trennung? Nein, das will ich ihnen nicht antun … und mir auch nicht. Grundsätzlich nicht und auch gerade jetzt nicht … in der pubertär doch etwas schwierigen Phase der Zwillinge, die es zurzeit auszusitzen gilt." Sie lächelte in sich hinein. „Ich werde bei dir bleiben. Manchmal küsst man die Hand, die man eigentlich abschlagen müsste."

Herbert nickte in sich gekehrt. Dann stand er verhalten auf und gab ihr einen vorsichtigen Kuss auf die Stirn. Mehr getraute er sich in seiner derzeitigen Situation noch nicht.

„Dein Spruch mit der Hand, muss ich zugeben, ist gar nicht so schlecht, aber meiner dürfte ebenfalls gut zu unserer derzeitigen Situation passen: Das Schönste auf der Welt ist kostenlos, aber doch unbezahlbar. Damit meine ich, dass du bei mir bleibst."

„Ob das kostenlos ist, werden wir noch sehen." Theresa schaute ihn sanftmütig an. „Dein Martin Luther hat zwar nicht in unserem Wittenberg, aber auf der Wartburg von Eisenach die Bibel übersetzt", sagte sie in einem schon wieder freundlicheren Tonfall, „und im Römerbrief steht wortwörtlich: Darum lasst uns nicht mehr einer den anderen richten."

Herbert lief glücklich auf seine Frau zu und umarmte sie dankbar. Sie wollte ihn eigentlich abwehren, tat es aber dann doch nicht.

Donnerstag, 19. Juli 1990,
Berlin-Charlottenburg, Westberlin

Die Familie Zimmermann saß einträchtig beim Frühstück. Robert stellte seine Kaffeetasse ab und sah Johanna fragend an. „Hast du dich inzwischen in deiner neuen Klinik eingelebt oder bereust du schon den Wechsel in den Sozialismus … äh Nochsozialismus?"
„Das habe ich dir aber schon mehrmals erzählt, Robert. Natürlich ist drüben alles etwas anders, ja, ich möchte sogar sagen schwerfälliger, bürokratischer. Aber es ist allgemein bekannt, dass die dort auch Koryphäen haben, die ihr Handwerk verstehen. Nicht umsonst ist die Charité ein weltweit anerkanntes Krankenhaus. Insbesondere was die Forschung betrifft. Am Anfang waren die Kollegen und Kolleginnen mir gegenüber ziemlich reserviert, aber nachdem sie erkannt hatten, wie ich ticke, geht es auf der Station jetzt fast schon freundschaftlich zu. Ob du es glaubst oder nicht, die da drüben sind auch Menschen … ganz normale sogar."
Robert lachte sie fragend an. „Und wie tickst du so?"
„Frag doch nicht so blöd, du Knallfrosch. Gerade du müsstest ja wissen, wie deine Frau tickt, mit der du Bett und Tisch teilst. Aber ich kann es dir gerne noch einmal erklären. Bei einem neuen Job muss man erst mal ankommen und gleichzeitig anerkennen, dass die Leute dort auch etwas auf dem Kasten haben. Auf keinen Fall darf man meinen, dass man die Welt allein retten könne, oder dass man alles ändern und verbessern müsse. Ganz wichtig ist es noch, sich keinesfalls bereits am Anfang in interne Dienstabläufe einzumischen. Das ergibt sich automatisch mit der Zeit. Wenn die anderen dann sehen, dass man auch etwas kann, kommen sie ziemlich schnell von selbst und fragen nach. Hat auch etwas mit emotionaler Intelligenz zu tun, wenn du verstehst was ich meine."
„Oh, die Frau Psychologin hat gesprochen. Aber es gefällt mir, wenn du dich wohlfühlst in deiner Charité.
Die wissen sicher schon, was sie an dir haben … wie auch ich."
Johanna errötete leicht und lächelte ihren Mann dankbar an.

„Ja, hoffe ich zumindest. Entschuldigung. Bei dir weiß ich es selbstverständlich … und den Knallfrosch nehme ich natürlich gerne wieder zurück." Ihr Lächeln verschwand plötzlich und ihre Miene verfinsterte sich, als sie wieder an ihre Arbeit dachte. „Erst gestern hatten wir einen besonderen Notfall. Wir konnten die Frau aber noch in allerletzter Sekunde retten. Sie wollte aus familiären Gründen nicht mehr weiterleben und hatte eine größere Ration Schlaftabletten genommen. Aber das hatte ihr offensichtlich nicht gereicht und sie drehte zusätzlich noch den Gashahn am Herd auf. Aber, wie gesagt, wir konnten sie noch retten. Gott sei Dank!"

Robert nickte ihr bestätigend zu. Er überlegte kurz und dachte dann sofort an Mandy Bauermann. Wollte aber, bevor er es nicht sicher wusste, keine weiteren Spekulationen verbreiten. „Ja, habe erst vor Kurzem im *Spiegel* gelesen, dass unmittelbar nach dem Mauerfall die Selbstmordrate im Osten schon angestiegen sei. Aber überwiegend haben sich die ehemaligen Stasi-Mitarbeiter und SED-Funktionäre das Leben genommen, wurde dort berichtet. Hatte eure Patientin zufällig ein Amt bei der SED inne?"

Johanna überlegte. „Nein, soviel ich weiß nicht. Sie war eine ganz normale Arbeiterin und Hausfrau. Wie schon gesagt, familiäre Probleme. Es wurde herumgetuschelt, dass zuerst ihr Mann sie verlassen habe und dann die Kinder auch noch abgehauen seien."

Robert wollte von diesem speziellen Fall ablenken. „Aber auch vor der Wiedervereinigung war die Suizidrate in der DDR grund-sätzlich höher als bei uns im Westen. Das kann man jedoch nicht allgemein auf die Lebensumstände zurückführen. Dazu gibt es die verschiedensten Erklärungsansätze. Spricht aber nicht unbedingt für den Sozialismus in der DDR. So, ich muss jetzt los. Die Arbeit ruft." Robert stand auf, küsste seine Frau flüchtig und ver-abschiedete sich von den Kindern.

„Halt, Paps, nicht so schnell." Isa meldete sich zu Wort. „Wie weit seid ihr eigentlich mit eurem Fall?"

Robert schaute sie fragend an.

„Du weißt schon, die Tote aus der Havel."

Er blieb an der Tür stehen und lachte laut auf. „Die Tote aus der

Havel! Hört sich ja wie ein Tatortkrimi am Sonntagabend an. Ach ja, du meinst deinen Mitschüler, diesen Michel Bauer, nun, hat der sich komisch verhalten, dir gegenüber?"

„Nein, hat er nicht. Der weiß mit Sicherheit nicht, woher die Info kam, wenn er sich überhaupt darüber Gedanken gemacht hat. Aber er verhält sich ziemlich ruhig in letzter Zeit. Ist nicht mehr so großspurig!"

„Ok, prima. Nein, in unserem Fall treten wir im Moment auf der Stelle. Haben aber in der Nähe noch eine weitere Leiche an Land gezogen. Erzähle ich dir heute Abend … obwohl, eigentlich ist es ja ein Dienstgeheimnis."

Isa lächelte ihren Vater an. „Tschüss Paps!"

Andreas gab seiner Schwester einen leichten Schubser in die Seite. „Oh, hört hört! Die Frau Jungkommissarin gibt der Kripo schon Tipps. Warum weiß ich nichts davon?"

Isa gab den Klaps zurück. „Weil du erstens nicht zuhörst und es dich zweitens nichts angeht, ganz einfach."

Nadine saß schon an ihrem Schreibtisch, als Hauptkommissar Zimmermann ins Büro kam. Es roch herausfordernd nach Kaffee.

„Schade, habe eben gefrühstückt, aber bitte den Kaffee nicht wegschütten, ich trinke ihn später."

Sie nickte. „Habe gerade den Tagesbericht aus dem Osten gelesen. Eine traurige Nachricht. Hängt auch mit unserem Fall zusammen, mit dem wir uns gerade im Kreis drehen."

„Ja … und was ist mit der traurigen Nachricht?"

Nadine räusperte sich. „Es geht um Mandy Bauermann. Sie wollte sich umbringen. Versuchter Suizid durch Einnahme von Schlaftabletten."

Zimmermann atmete tief durch. „… und zusätzlich durch Gas", ergänzte er. „Ich hatte sofort das Gefühl, dass sie es ist."

Nadine schaute ihn überrascht an. „Was ist? Das verstehe ich jetzt nicht. Hast du Visionen? Der Tagesbericht kam eben erst rein. Du kannst ihn doch noch gar nicht gelesen haben."

Zimmermann setzte sich seitlich, mit einem Bein, auf ihren

Schreibtisch. „Nein, habe ich natürlich nicht. Meine Frau arbeitet inzwischen in der Charité im Osten und hat erst heute Morgen von einem Notfall … Suizid erzählt. Habe dabei sofort an Mandy gedacht, wollte es aber einfach nicht glauben."

Nadine nickte gezwungen lächelnd. „Aber sie hat überlebt. In dem Bericht steht, dass ein Mitbewohner des Plattenbauhauses, ein gewisser Fritz Stark, Gasgeruch festgestellt habe und dann die Wohnungstür der Familie Bauermann mittels eines General-schlüssels öffnen konnte. Dieser Stark war früher IM in der DDR. Er soll den Spezialschlüssel, mit dem man alle Wohnungen in dem Plattenbau öffnen konnte, von der Stasi bekommen haben, damit er überall herumschnüffeln konnte, wenn er den Auftrag dazu bekam. Damit hat ihr jetzt der Mann das Leben gerettet."

Zimmermann schüttelte ungläubig den Kopf. „Na, dann hatte diese ganze Spitzelei wenigstens einmal etwas Positives."

Nadine nickte. „Ja, stimmt. Einmal!" Sie überlegte. „Habe das Gefühl, dass ich Mandy Bauermann mal einen Besuch abstatten müsste. Nicht unbedingt ermittlungstechnisch, sondern ich möchte ihr einfach meine Hilfe anbieten. Die Polizei sollte doch nicht nur Repressalien ergreifen, sondern auch Freund und Helfer sein. Die arme Mandy hat ja alles verloren, was man verlieren kann. Ein Gespräch, nun, so von Frau zu Frau, kann da schon helfen, … hoffe ich wenigstens. Und vielleicht bekomme ich dabei sogar ein paar nähere Infos über ihre Kinder, die uns vielleicht sogar weiter-bringen."

Zimmermann schaute sie grinsend an. „Ermittlungstechnisch?"

„Nein, … ja, … doch, … wenn es sich ergibt!" Er legte seine Hand freundschaftlich auf ihre Schulter. „Ja, natürlich. Gute Idee, mach das mal, Nadine. Ich habe heute Morgen noch hier zu tun. Schriftkram und um 11.00 Uhr die Pressekonferenz. Da muss ich mich noch vorbereiten. Der Alte … äh Kriminaloberrat Balbach, hat sich auch angemeldet. Er will unbedingt dabei sein. Du weißt ja wie er ist. Für ihn zählen nur Ermittlungserfolge. Die Statistik muss stimmen. Wenn wir den Fall nicht aufklären, würde er uns am liebsten entlassen … wenn er könnte."

204

Es war fast wie früher. Carla, Jonas, Linda und Michael gönnten sich mal wieder eine Auszeit und saßen am Donnerstagabend gemütlich im Kölner Brauhaus *Zur Malzmühle* am Heumarkt.
Wie auch am 18. März.
Michael war jedoch völlig verändert, wie ausgewechselt.
Damals hatte er noch über seine Situation nachgegrübelt, über seine Lüge, dass er verheiratet war und sogar Kinder hatte.
Er musste viel durchmachen in den letzten Monaten, aber er hatte es geschafft. Er wollte sogar in der nächsten Woche nach Berlin-Köpenick fahren und dort alles regeln, zumindest das, was in seiner Macht stand. Natürlich würde es ihm nicht leichtfallen, aber er musste es tun. Er hatte sich fest dazu entschlossen, mit Carla und ihren Kindern zusammenzubleiben. Aber er musste zuerst in Köpenick einen Schlussstrich ziehen. Wollte seiner Frau und seinen Kindern alles erklären und ihnen dabei in die Augen sehen.
Heute war Michael gut drauf und er erzählte sogar eine eigentlich lustige Geschichte über eine Flucht von Ostberlin nach Westberlin, obwohl er bei seinem eigenen Fluchtversuch beinahe zu Tode gekommen wäre oder zumindest eine langjährige Haftstraße hätte absitzen müssen … in der DDR.
„Also, passt mal gut auf. Die Geschichte soll sich tatsächlich so ereignet haben. Hoffentlich bekomme ich sie noch richtig zusammen?" Er lachte schon vor dem Erzählen laut.
„Es ist eine Erzählung über die wohl perfekteste Flucht in den Westen, obwohl sie im Grunde ganz einfach war. Wie war das nochmal? Jetzt habe ich es. Ein Mann kam völlig außer Atem zu dem Ostberliner Grenzposten. 'Ich bin Österreicher', sagte er. 'Ich habe gerade ein Telegramm erhalten. Ein Trauerfall! Meine Mutter liegt in Westberlin im Sterben. Ich habe meinen Pass vergessen, und weiß jetzt nicht, was ich tun soll. Ich muss sie unbedingt noch einmal sehen. Würden Sie mich bitte rüberlassen?'

Der Kontrolleur sagte, dass er das nicht allein entscheiden könne und wollte einen Kollegen fragen. Dann ging er ins Kontrollhaus, um sich dort zu erkundigen. Kurz danach kam offensichtlich der Vorgesetzte heraus.

Dem erzählte der Österreicher nun, dass er ein Telegramm bekommen habe. Seine sterbende Mutter würde in Ost-Berlin im Krankenhaus liegen und er habe seinen Pass vergessen. Dann fragte er verlegen, ob er wohl in die DDR ohne Pass durchgelassen werde.

'Aber mit absoluter Sicherheit nicht', sagte der Kontrolleur. Der Österreicher senkte enttäuscht den Kopf. 'Ich wohne ganz in der Nähe, dann will ich lieber noch einmal zurück und meinen Pass holen', sagte er, lief zügig auf die andere Seite und war in … West-Berlin."

Nach einer kurzen Gedankenpause verfiel die ganze Familie in ein lautes Lachen, dass sich sogar die anderen Gäste der Malzmühle nach ihnen umdrehten.

„Versteht ihr: Der erste Grenzer wusste zwar, dass der Österreicher zunächst aus dem Osten kam, aber der zweite nicht. Bis der erste Grenzer das Ganze geschnallt hatte, war der schlaue Fuchs schon im Westen."

Auch der weitere Abend verlief äußerst lustig. Wenn man es nicht besser gewusst hätte, glaubte man, dass dort eine völlig normale Familie säße. Vater, Mutter, eine Tochter, ein Sohn ... und alle in harmonischer Feierlaune.

Als Michael die Familie Held vor ihrem Haus in Sülz verabschiedet hatte und gerade zu seinem Hotel laufen wollte, hielt ihn Carla am Ärmel fest. „Äh, Michael, wenn du willst, könntest du doch morgen wieder zu uns kommen … ich meine wieder bei uns wohnen."

„Und ob ich will." Er küsste sie liebevoll und lief glücklich tänzelnd weg in Richtung Hohenzollernbrücke.

Die drei Helds schauten ihm lachend nach.

Michael drehte sich noch einmal um.

„Tschüss, bis morgen!"

Ein dreifaches „Tschö" schlug ihm freudig entgegen.

Er lief auf die Hohenzollernbrücke zu, die gerade an diesem Abend in einem goldenen Lichtschein erstrahlte, als wolle sie den Glanz der Verbindung besonders hervorheben.

Michael blieb unvermittelt stehen und starrte in die unendliche Weite des nächtlichen Sternenhimmels. Er versuchte, sich darüber klarzuwerden, was ihm die Erfahrung des heutigen Tages für seine Zukunft bringen würde.

Dann lief er auf die Hohenzollernbrücke hoch und suchte lange nach einem freien Platz am Brückengeländer. Als er tatsächlich noch eine winzige, freie Stelle gefunden hatte, zog er ein Schloss aus seiner Hosentasche und brachte es am Drahtgeflecht an. Er nahm den Schlüssel ab und warf ihn weit über seinen Rücken in den Rhein.

Dann las er noch einmal die Gravur auf seinem Liebesschloss: *Carla & Michael - 1990 – Die Wende.*

Dass eigentlich beide auf dem Schloss genannten Personen den Schlüssel gemeinsam in den Rhein werfen sollten, war ihm in diesem Moment egal. Das könnte er bestimmt mit Carla irgendwann mal symbolisch nachholen. Die Hohenzollernbrücke war ja nicht aus der Welt.

Gedemütigt kehrte er zurück in den Osten.

Aber er musste es tun.

Er war mit dem Zug von Köln bis zum Bahnhof Zoo gefahren und stieg dann in die S 3, die in südöstliche Richtung nach Köpenick fuhr. Beim Überqueren der Berliner Grenze, die eigentlich nicht mehr da war, überkam Maik Bauermann ein Gänsehautgefühl.

Hier war er nicht mehr Michael. Jetzt war er wieder Maik.

Aber nur für kurze Zeit. Kalter Schweiß stand auf seiner Stirn. Verunsichert stieg er an der Station Köpenick aus und lief zu der Plattenbausiedlung, in der er fast zwanzig Jahre gewohnt hatte.

Das monotone Einerlei der dortigen Plattenbauten bildete eine triste und graue Betonlandschaft. Die Hochhäuser wetteiferten mit den Wolken, keine Sonne durchzulassen. Stapelweise befanden sich dort mehr oder weniger dieselben Wohnungen. Auch die Individualität der Bauwerke hielt sich stark in Grenzen.

Als er vor seiner Haustür stand und gerade klingeln wollte, stellte er fest, dass sie einen Spalt offenstand. Er lief in den vertrauten Eingangsbereich des Plattenbaus und betrachtete die Graffitis an der Wand, die ihm inzwischen fremd vorkamen. Wäre fast über ein Fahrrad gestolpert. Dann stieg er träge die gewohnte, alte Steintreppe hoch. Natürlich war der Fahrstuhl immer noch defekt. Klingelte bei Bauermann. An seiner eigenen Wohnung. Seinen Schlüssel hatte er Mandy gegeben. Am 1.9.1988.

Im Innern rührte sich nichts. Er versuchte es noch ein zweites und dann noch ein drittes Mal.

Es tat sich nichts.

Als er schon weglaufen wollte, hörte er doch noch leise Schritte im Inneren der Wohnung. Das Sicherheitsschloss wurde ohne jegliche Eile entriegelt und die Tür öffnete sich langsam.

Mandy, seine Ehefrau, stand vor ihm. Sie war bleich, um Jahre gealtert. Ihre Augen schauten unsicher suchend an ihm hoch, so als würde sie ihn überhaupt nicht kennen. Sie war sichtbar überrascht und musste sich offensichtlich erst sortieren. Erst heute Mittag war sie aus dem Krankenhaus zurückgekommen.

„Maik?", fragte sie leise flüsternd. Ihre Stimme erstarb fast. „Maik, du?"

„Ja! Ich! Darf ich reinkommen?"

Mandy sagte nichts, wich aber langsam einen kleinen Schritt zur Seite. Er musste sich nahezu durchzwängen. Berührte sie dabei flüchtig, was ihm unangenehm war. Kraftlos setzte er sich auf das alte Sofa im Wohnzimmer. Er sah sich unsicher in dem tristen Raum um. Die Erinnerungen stürzten auf ihn ein. Jeder Stuhl, jeder Schrank, jedes noch so kleine Plätzchen erinnerte ihn an vergangene Stunden, Tage, Wochen, Jahre. An sein Leben hier und besonders an seine Kinder. Sie hatten die Räume, die jetzt traurig wirkten, mit Leben gefüllt. Die Eheleute saßen sich lange stumm gegenüber, keiner vermochte ein Wort herauszubringen.

Mandy schwieg mit abwesendem Gesichtsausdruck und blickte mit leeren Augen aus dem Fenster. Nach einer Weile fing sie an zu zittern, als hätten sie Erinnerungen an früher ins Mark getroffen.

Er fixierte sie bemitleidend. Ihre rot umrandeten Augen saßen tief in ihren Höhlen. Ihr blasses Gesicht wirkte verschoben, so als hätte sie einen Unfall erlitten. Der Glanz ihres Lächelns, das er früher einmal besonders geliebt hatte, war völlig verschwunden. Sie musste in den vergangenen Monaten sehr gelitten haben.

Er zweifelte daran, ob sie ihn überhaupt wahrnahm.

Es dauerte eine gefühlte Ewigkeit, bis Maik erneut in ihre starren Augen sah und sie vorsichtig fragte: „Wie geht es dir?"

Als einzige Antwort schlug ihm kaltes Schweigen entgegen. Sie schaute ihn ungläubig an.

Maik versuchte erneut, ein Gespräch zu beginnen. Die Stille tat ihm immer mehr weh. „Ich weiß, dass ich dich belogen habe, Mandy. Es tut mir leid, dass ich dir untreu geworden bin und meine Familie im Stich gelassen habe. Aber ich bin auch nur ein Mensch und, ja, vielleicht hast du es nicht bemerkt, ich bin in den letzten Jahren immer mehr zum Staatsfeind dieser DDR geworden, auf gut deutsch, das ganze Regime, diese ständigen Lügen haben mich immer mehr angekotzt. Aber das durfte man ja nicht einmal laut sagen. Wenn die meine Meinung gekannt hätten, dann hätten sie unsere Wohnung verwanzt. Ein falsches Wort der Kinder in der Schule hätte da schon genügt." Die Tragik seiner Worte wurde immer größer. „Aber vielleicht haben sie uns ja längst schon überwacht. Ich habe da den dicken Fritz in Verdacht. Der wohnte ja nur einen Stock tiefer und hätte alle Möglichkeiten gehabt. Möchte gar nicht wissen, was der so alles über uns weitergegeben hat." Er überlegte. „Hast du, … oder haben die Kinder Probleme mit der Stasi bekommen, als ich plötzlich weg war?"

Mandy nickte, dann schüttelte sie den Kopf.

Fahrig strich er sich über das Gesicht und fuhr dann mit seinem Monolog fort. „Diesem totalitären Staat sind die Menschen durch das staatliche System doch völlig unterworfen. Wir haben in einer Diktatur gelebt, einer politischen Zwangsherrschaft ohne jegliche Demokratie. Von wegen Demokratische Republik. Man kann dem Herzen nichts befehlen. Uns, also dem Volk, wurden doch kaum Freiheiten eingeräumt, wenn überhaupt. Wir durften leben, hatten Essen, Trinken und eine Wohnung, aber das war's dann auch schon mit unserer Qualität. Ich habe es dir bisher nicht gesagt, aber ich war bereits kurz nach der Gründung im Jahr 1980 Mitglied der Freiheitsbewegung *Schwerter zu Pflugscharen*. Wir hatten damals nur ein Ziel: Das Machtmonopol der SED musste beseitigt werden. Dabei wollten wir die DDR als Staat auf jeden Fall erhalten, allerdings in stark veränderter, … in demokratischer Form."

Es herrschte kurze Stille in dem kleinen Wohnzimmer. Mandy konnte immer noch nicht richtig nachvollziehen, was Maik ihr damit sagen wollte.

Er nahm ihre Verunsicherung wahr. „Aber deshalb bin ich nicht gekommen. Ich wollte in deine Augen sehen und mich bei dir entschuldigen. Du trägst keine Schuld. Wegen dir tut es mir auch leid. Du bist die Mutter meiner Kinder. Aber ich habe es hier nicht mehr ausgehalten … schon lange nicht mehr! Ich bin nicht mehr der, der ich einmal war, … den du geheiratet hast.

Ich habe mich weiterentwickelt und dieses Regime der DDR hatte mich immer mehr an die Wand gedrückt. Hatte mir regelrecht die Luft abgeschnürt.

Mein Hass war eigentlich überwiegend politischer Natur und du musst jetzt darunter leiden. Das weiß ich."

Mandy stieß einen lauten Seufzer aus und blickte dann ihren Mann ernst an, den sie einst geliebt und schon so lange nicht mehr gesehen hatte. Sie streckte andeutungsweise die Hand aus, als könnte sie ihn festhalten und die frühere gemeinsame Zeit in ihren Erinnerungen zurückholen. Schaute ihn dann aber wieder traurig an. Sie wusste, dass es vorbei war … dass sie ihn endgültig verloren hatte. Wie oft hatten sie in den vielen gemeinsamen Jahren Gespräche geführt und zusammen Probleme gelöst? Wie oft? Für einen Moment war sie sich nicht sicher, ob sie wachte oder träumte.

Dann kam sie wieder ins Leben zurück. Sie war Realistin. Hoffte zwar das Beste, akzeptierte inzwischen aber auch das Schlimmste. „Du hast mich also schon vor deiner Flucht verlassen. Ich konnte es lange Zeit einfach nicht glauben. Aber jetzt weiß ich es. Warum bist du überhaupt hier?"

Er senkte traurig den Kopf. „Ich wollte es dir persönlich sagen und dir dabei in die Augen sehen. Das bin ich dir schuldig … wenigstens das. Du bist ja noch meine Frau."

Mandy sah ihn vorwurfsvoll an. „Ja, aber du willst nicht mehr mein Mann sein." In diesem Moment hasste sie ihn mehr, als dass sie ihn verstehen konnte … und dieser Hass fiel ihr ungewohnt leicht. „Seit du weggegangen bist, war es mein größter Wunsch, dich wiederzusehen … und jetzt ist der Tag gekommen, an dem ich dich wiedersehe und er ist einer der traurigste in meinem Leben. Was ist nur in dir vorgegangen? Dem Regime der DDR jetzt die Schuld zu geben, erscheint mir persönlich recht einfach. Mir geht es allein um unsere Familie. Man darf sich um keinen noch so hohen Gewinn oder Verlust untreu werden. Du bist nicht nur der DDR, sondern auch deiner Verantwortung entflohen. Wir waren doch eine Familie. Ich bin immer noch der Meinung, dass wir das Beste daraus gemacht haben. Bis, ja, bis du uns angelogen und endgültig verlassen hast. Wie ein Feigling bist du geflohen. Deine Lüge hattest du dabei bereits in deinem spärlichen Gepäck." Mandy machte eine abfällige Handbewegung und sprach dann mit leiser Stimme weiter. „Ich würde sogar behaupten, dass wir hier im Sozialismus ein gar nicht so schlechtes Leben hatten. Uns wurde damals erklärt, dass wir friedlich zusammenleben sollen und alle Menschen die gleichen Rechte haben. Niemand soll in dieser solidarischen Gesellschaft arm sein! Oder waren wir arm?"

Maik spürte einen beinahe unüberwindlichen Kloß in seinem Hals. Er musste sich mehrmals räuspern, bevor er ihr antworteten konnte. „Nein, das waren wir nicht, wenn dir das alles genügt hat, aber ich habe mich eingesperrt gefühlt, … gefangen in meinen eigenen Ketten … bis, … ja bis ich dann die Flucht gewagt habe."

Mandy schluchzte. „Ich habe darin keine Heldentat gesehen, aber wenn das für dich so war."

Er nickte ihr ernst zu. „Genau, es war so. Es tut mir leid. Ich wollte dir das unbedingt persönlich sagen … und eigentlich auch den Kindern. Sind aber offensichtlich nicht da. Mandy, ich werde wieder nach Köln zurückgehen. Es tut mir leid für dich, aber ich kann nicht anders."

Maik wollte gerade wieder gehen und stand langsam auf, als sie mit eisernem Blick ein paar leise Worte flüsterte, die er nicht verstehen konnte.

„Entschuldige, ich habe dich nicht verstanden."

Mandy schaute ihm böse ins Gesicht und wiederholte ihre Worte etwas lauter. „Jacky ist tot ..."

„Bitte, was, wie … ?"

„Ja, unsere Tochter ist tot und du … du bist schuld daran!"

Maik wurde blass. Bekam kurz keine Luft mehr. „Wie? Warum?"

Unter Tränen sprach sie weiter. „Nachdem du angerufen hattest, wollte sie dich im Westen suchen und … ja, und dich zurückholen. Zusammen mit Dieter. Aber sie kamen nicht weit.

Jacky wurde am Ufer der Havel gefunden. Die Kriminalpolizei hat gesagt, dass sie ermordet worden sei. Durch deine Flucht hatte sie den Schutz der Familie aufgegeben und dabei ist sie zu Tode gekommen. Deshalb bist du schuld!"

Er schaute seine Frau traurig an. „Und wo ist Dieter jetzt?"

„Weg! Er ist seither nicht mehr aufgetaucht. Hatte sich nur einmal kurz telefonisch gemeldet. Ich habe keine Ahnung, wo er jetzt ist. Ich weiß nur eines, du hast unsere Familie zerstört. Du, ganz allein! Durch dich und deine völlig unnötige Flucht habe ich alles verloren, was mir lieb war. Ich selbst wollte mit diesem Schicksal nicht mehr leben und habe versucht, mich umzubringen … aber die Ärzte und Schwestern in der Charité haben mich ins Leben zurückgeholt. Ach, hätten sie mich doch sterben lassen und mir meinen Frieden gegönnt." Maik liefen Tränen über seine Wangen. Er versuchte sich dagegen zu wehren, doch es gelang ihm nicht. Er war auch nicht dazu fähig, seine Frau in die Arme zu nehmen, mit ihr zu trauern. Himmel, seine Tochter war tot! Die kleine Jacky. Er hatte sie zwar schon lange verlassen, doch jetzt, da er wusste, dass sie tot war, kam es ihm so vor, als würde man ihm ein Messer in sein Herz stoßen. Dann atmete er tief durch. „Soll ich heute Nacht bei dir bleiben?" Er warf ihr einen dunklen Blick zu, als würde er ihre Antwort fürchten. Maik konnte ihr Schweigen nicht durchdringen. In dem kleinen Raum herrschte eine angespannte Stille. Mandy schaute den Mann, den sie einmal geliebt hatte, ja, den sie vielleicht immer noch im Innersten ihres Herzen liebte, ernst an. Sie wusste jetzt aber endgültig, dass sie ihn verloren hatte. Sie hatte ihm einst ihr Herz gegeben, aber ihre Seele sollte er nicht bekommen. Dann sprudelte es förmlich aus ihr heraus. „Nein! Nein, das will ich nicht! Auf keinen Fall. Seit fast zwei Jahren habe ich dich herbeigesehnt, jeden Tag, jede Stunde. Irgendwann hat man keine Tränen mehr. Jetzt will ich nur, dass du gehst." Sie schrie laut. Wurde dabei sogar hysterisch. „Geh, Geh sofort! Geh!" Deutete dabei auf die Ausgangstür. „Geh! Raus!" Er nickte demütig und drehte sich langsam weg. Dann verließ er mit langsamen Schritten die Wohnung ohne ein weiteres Wort. Schaute nicht mehr zurück. Im Hausflur überkam ihn ein großes Schuldgefühl. Aber er wollte nicht mehr zurück zu Mandy. Das Alte darf dem Neuen nicht im Wege stehen. Es wäre nicht lange gutgegangen.

Jacky war tot. Das musste er erst einmal verarbeiten.

Mandy saß tief enttäuscht im Sessel. Sie hatte so sehr auf sein Wohlwollen und seine Liebe gehofft, aber was hatte sie bekommen? Einsamkeit und Zerwürfnis. Bei Eheleuten genügt oft ein Blick und sie verstehen sich. In seinen Augen konnte sie heute nur noch Leere und Kälte sehen. Sie musste sich mit der Situation abfinden und nach vorne sehen. Ganz langsam keimte wieder Hoffnung in ihr auf. Das Kapitel Maik musste sie endgültig abschließen. Sie wollte ihr Leben jetzt selbst in die Hand nehmen. Wer nie scheitert, entwickelt sich nicht und kann auch nicht glücklich werden, denn ihm fehlt die Erfahrung der eigenen Stärke. Ihre Ehe musste Erinnerung werden oder im Nebel der Vergangenheit ganz verschwinden. Jetzt fand sie es sogar gut, dass Maik heute da gewesen war. Es war ein klarer Schlussstrich. Jetzt wusste sie, woran sie war. An dem was geschehen war, konnte sie nichts mehr ändern. Aber ihre Zukunft, die konnte sie doch noch gestalten. Ihr Leben konnte sie weiterhin leben. Nicht nur allein die Ärzte und Schwestern, sondern hauptsächlich Gott hat entschieden, dass sie leben sollte. Er ließ sie gegen ihren Willen auf der Erde. Das war ein Zeichen. Dachte an Fritz Stark. Auch er hatte einen großen Anteil daran, dass sie noch am Leben war. War es Zufall, dass gerade er sie gerettet hatte. Er hatte den Gasgeruch festgestellt und sofort den Notarzt gerufen und sie sogar ins Krankenhaus begleitet. Er blieb die ganze Nacht bei ihr und auch den gesamten nächsten Morgen. Vielleicht würde ihr Sohn Dieter wieder auftauchen. Das würde ihr helfen, wieder ins Leben zurückzufinden. Mandy sprach laut zu sich selbst. „Unsere Kinder sind leider nur eine Leihgabe von unserem Schöpfer. Jeder verliert sie einmal, früher oder später, ganz oder teilweise. Jedoch sollten Kinder nie vor ihrer Mutter sterben. Das ist ein grausamer Eingriff in die Natur des Menschen, den niemand verzeihen kann."

Samstag, 11. August 1990,
Kleinmachnow, Brandenburg, Ostdeutschland

Klaus Scheuermann vom Sondereinsatzkommando Berlin nickte seinem Kollegen Dieter Weinmann, der konzentriert mit seiner MP im Anschlag vor der einsamen Villa neben ihm in Deckung lag, bestätigend zu. „Dann war der Tipp also doch kein Hirngespinst. Er ist jetzt drin und leuchtet mit der Taschenlampe herum. Unsere Kollegen werden vermutlich auch gleich die Tür leise und professionell öffnen und dann die Rauchbombe zünden und hineinrollen."

Weinmann sah ihn skeptisch an. „Ja, aber meinst du wirklich, dass es notwendig war, dieses große Polizeiaufgebot aufzufahren? Da hätten doch auch zwei Streifenwagenbesatzungen genügt."

„Da kannst du sogar recht haben", bestätigte Scheuermann. „Aber das ist der erste Einsatz den wir zusammen mit unseren Kollegen aus dem Osten ausführen. Unser Chef hatte ja mehrmals erwähnt, dass wir den Ossis mal zeigen sollen, wie professionell ein SEK-Einsatz bei uns abläuft."

Vorsichtig wurde im nächsten Moment die Rauchbombe ins Innere gerollt und plötzlich hörte man immer wieder die Worte *Polizei – sicher.*

„Wir haben ihn", rief zwei Minuten später der Einsatzleiter, der mit einem stark hustenden jungen Mann ins Freie kam.

Hinter ihm lief ein weiterer SEK-Beamter, der ihm mitteilte, dass die anderen Räume alle sicher seien. Somit handelte es sich um einen Einzeltäter. Der SEK-Leiter hielt einen prall gefüllten Sack, offensichtlich mit dem Diebesgut, in seiner Hand.

Wie ein Kind, dem man gerade seine Weihnachtsgeschenke wieder abgenommen hatte, stand der junge Einbrecher zwischen den gespenstisch wirkenden Männern in ihren Einsatzanzügen.

Der Einsatzleiter griff zum Funkhörer. „Täter auf frischer Tat festgenommen. Keine Gegenwehr. Keine Personen verletzt. Wir kommen zurück. Die Spusi brauchen wir heute nicht mehr.

Der Sachverhalt dürfte klar sein."

Nach der körperlichen Durchsuchung wurden dem jungen Mann Handschellen angelegt, obwohl er keinerlei Anstalten machte, sich in irgendeiner Weise zu wehren oder die Flucht zu ergreifen. Sah auch nicht wie ein Einbrecher aus. Stand eher verloren da, wie ein Häuflein Elend.

Schon eine knappe halbe Stunde später saß der Täter bereits im Vernehmungsraum des Polizeipräsidiums.

Kriminalhauptkommissar Siegfried Karrer setzte sich ihm mit ernster Miene gegenüber. Schaute den jungen Mann eindringlich an. Dann schaltete er das Tonbandgerät ein.

„Ihnen wird vorgeworfen, einen Einbruchdiebstahl begangen zu haben. Sie haben das Recht, die Aussage zu verweigern oder einen Anwalt hinzuzuziehen."

Sein Gegenüber zuckte zunächst unschlüssig mit den Schultern.

„Ich weiß nicht. Ja, ich bin dort eingebrochen und habe versucht, einige Sachen mitzunehmen. Das kann und will ich nicht leugnen. Bin zur Zeit in Geldnot und habe in den letzten Tagen sehr viel Pech gehabt. Bei mir ist wirklich alles schiefgelaufen, was überhaupt schieflaufen kann und so etwas endet halt meistens bei der Polizei. Nein! Ich brauche keinen Rechtsanwalt.

Ich hatte so viele Pläne und jetzt ist mein Leben keinen Pfifferling mehr wert. Ich bin am Ende."

Dann schaute er den Kriminalbeamten treuherzig an. „Und wie geht es nun mit mir weiter?"

Der Polizist schaute auf seine Unterlagen. „Du bist achtzehn Jahre alt. Wenn du Glück hast, dann fällst du noch unter das Jugendschutzgesetz. Aber das entscheidet der Richter. Wenn du sonst nichts auf dem Kerbholz hast, könntest du sogar noch mit einer Bewährungsstrafe davonkommen."

„Doch, da war noch was, aber darüber möchte ich nicht sprechen. Sie haben ja gesagt, dass ich auch die Aussage verweigern kann."

„Ja, das ist dein gutes Recht. Aber mir persönlich genügen deine bisherigen Angaben. Zunächst musst du aber noch bei uns bleiben. Erkennungsdienstliche Behandlung, Klavierspielen, Fotos usw."

Der Junge zog fragend die Brauen hoch. „Klavierspielen?"

„Ja, so heißt das bei uns. Damit meinen wir daktyloskopische Spuren, also Fingerspuren, auf ein Papier drücken."

„Ach so, ja, okay. War noch nicht so oft bei der Polizei." Dann sah er den Kripobeamten kritisch an. „Ich habe eine Bitte. Hatte ja vorhin angedeutet, dass ich, … also dass mir mehr als nur der heutige Einbruch passiert ist." Er überlegte kurz. „Ich möchte bitte Herrn Kriminalhauptkommissar Zimmermann sprechen, der hatte mich vor Kurzem in einem anderen Fall vernommen … als Zeuge. Könnte ihm einiges zu dem Fall des toten Mädchens in der Havel sagen. Aber ich werde nur mit ihm reden."

„Dann bist du der Bruder von …" Hauptkommissar Karrer brach mitten im Satz ab. „Gut, das kann ich für dich abklären. Heute Nacht bleibst du aber erst mal bei uns. Ist ja nicht mehr lange."

Am nächsten Morgen gegen 10.00 Uhr saß Robert Zimmermann dem jungen Mann gegenüber, der für ihn kein Unbekannter war.

„Hallo Dieter. So schnell sieht man sich wieder. Du wolltest mit mir sprechen." Kriminalhauptkommissar Zimmermann vermied es, dem Jungen einen Vorwurf wegen des Einbruchs zu machen. Er sah ihn lediglich erwartungsvoll an.

Dieter atmete tief durch. „Ich hatte Ihnen das letzte Mal nicht ganz die Wahrheit gesagt. Es, … es geht um Jacqueline, meine Schwester. Ich weiß, dass sie tot ist. Ich habe den größten Fehler meines Lebens gemacht. Ich … ich habe einen Menschen getötet. Aber ich wollte nur Jacky helfen. Doch es war zu spät. Ich habe ihn ...‟

„Halt, Dieter, bevor du weitersprichst. Du bist ja bereits über deine Rechte belehrt worden, aber jetzt kommt noch der Verdacht eines Tötungsdeliktes hinzu. Du brauchst bei der Polizei keine Angaben machen und kannst jederzeit einen Verteidiger … einen Rechtsanwalt befragen."

„Nein, brauche ich alles nicht. Ich möchte aussagen. Ich muss mir das alles offiziell von der Seele reden … wenn das überhaupt geht? Es ist so unheimlich viel passiert in den letzten Wochen.

Bin da saudumm in etwas hineingeraten, was ich überhaupt nicht wollte. War richtig von Sinnen und nicht mehr ich selbst.
Ich wollte das alles nicht. Es ist so schrecklich. Was habe ich nur getan?"
Dieter Bauermann hob beide Hände schützend vor sein Gesicht.
Zimmermann nickte ihm zu. „Ich verspreche dir, dass ich dir helfen werde, soweit es in meiner Macht steht. Du kannst mir vertrauen." Er schaltete sein Diktiergerät ein und stellte es auf den Tisch. „So, Dieter. Du kannst mir jetzt ruhig alles erzählen, auch wenn sich manches von deiner letzten Aussage wiederholt oder eventuell überschneidet. Bei unserem letzten Treffen warst du ja noch Zeuge, jetzt bist du aber im Status des Beschuldigten."
Zimmermann schaute ihn auffordernd an.
„Ja, ich habe Ihnen beim letzten Mal nicht ganz die Wahrheit gesagt. Entschuldigung! Es war schon etwas anders", begann er mit leisen Worten. „Wie ich Ihnen ja bereits am elften Juli erzählt hatte, bin ich in der DDR aufgewachsen und war, im Gegensatz zu vielen anderen, sehr zufrieden mit meinem Leben im Sozialismus. Natürlich weiß ich inzwischen, dass ich schon von Anfang an vom Regime gesteuert wurde. Aber, wie gesagt, ich war zufrieden. Vielleicht habe ich diese zweideutige politische Erziehung bisher nicht so richtig mitbekommen, aber … es ging mir eigentlich gut. Hatte sogar eine glückliche Kindheit und auch Jugendzeit. Ich habe Ihnen ebenfalls bereits erzählt, dass mir Gott eine ganz besondere Gabe in die Wiege gelegt hat. Ich konnte schon sehr früh geschickt mit dem Ball umgehen und darf mich selbst schon als sehr guten Fußballspieler bezeichnen. Haben meine Trainer und Mitspieler auch immer wieder gesagt. War mir fast schon manchmal peinlich, wie sie mich immer besonders hervorgehoben und gelobt haben." Dieter lächelte in sich hinein. „Möchte nicht angeben, aber ich war der einzige meiner Mannschaft, der den Garrincha-Trick, also den Ball mit den Füßen im Lauf von hinten über den Kopf heben, perfekt beherrschte."
Dieters Lächeln verschwand sofort wieder, als er an seine aktuelle Situation dachte. „Aber in den vergangenen Monaten habe ich

gegen keinen einzigen Ball mehr getreten. Alles ging langsam den Bach hinunter. Ich bin in eine Welt geraten, die ich mir in meinen kühnsten Träumen nicht hätte vorstellen können. Es fühlte sich alles so unecht an. Wie ein Traum … aber im Nachhinein wie ein Albtraum. Immer wieder spürte ich die Blicke der Passanten, wenn wir am Zoo saßen und getrunken … oder geraucht haben. Manche meiner neuen Freunde haben die Leute sogar regelrecht angepöbelt. Ich war zwar dabei, habe mich aber trotzdem dort nicht wirklich wohlgefühlt.

Wie Sie ja auch bereits wissen, hatte alles mit der Flucht meines Vaters in den Westen, das war am 1.9.1988, angefangen. Leider hatte er sich dann lange Zeit nicht mehr bei uns gemeldet, wir befürchteten schon, dass er bei seiner Flucht umgekommen sei.

Als dann am 9.11.1989 die Mauer mehr oder weniger gefallen war, schöpften wir wieder neue Hoffnung. Wir, meine Mutti Mandy, meine Schwester Jacqueline und ich, waren überglücklich, weil wir jetzt dachten, dass Vati uns nachholen würde. Ohne jegliche Gefahr! Die Grenzen waren ja offen. Aber genau das tat er nicht. Wir warteten jeden Tag auf eine Nachricht von ihm und wurden jeden Tag aufs Neue enttäuscht. Von unserem Vater hörten wir weiterhin kein Lebenszeichen.

Dann, es war am dreiundzwanzigsten Juni diesen Jahres, kam endlich doch noch ein Anruf von ihm. Aber wie Sie ja bereits wissen, wollte er uns nicht nachholen, sondern sagte meiner Mutter, dass er sich von ihr … und damit natürlich auch von uns, trenne und nicht mehr zurückkommen würde. Er hätte eine neue Familie in Köln gefunden und dort wollte er auch bleiben. Wir waren alle schockiert. Unser Vater hatte seine Familie einfach ausgetauscht.

Jacky hatte dann die Idee, ihn zurückzuholen. Sie konnte Mutti nicht mehr länger leiden sehen. Wir meldeten uns, natürlich ohne ihr Wissen, in der Schule krank und legten ihr eine entsprechende Nachricht auf die Kommode. Dann gingen wir in den Westen zum Bahnhof Zoo, um von dort weiter nach Köln zu fahren. Aber wir hatten leider nicht genug Geld für die Fahrkarten.

Unser Begrüßungsgeld, das wir damals bekommen hatten und die sonstigen Ersparnisse, haben wir fast vollständig unserer Mutter gegeben. Das einzige, was ich mir damals geleistet hatte, war einen Dylan-Platte."

Zimmermann horchte auf. „Oh, das ist ja interessant. Wenn du Dylan-Fan bist, dann weißt du sicher auch, wie der große Meister und Musiker richtig, also mit seinem Geburtsnamen, heißt?"

Ja, natürlich, genauso wie Sie: Robert Zimmermann."

Der Kommissar lächelte anerkennend. „Stimmt genau. Bob Dylan ist natürlich nur sein Künstlername. Aber jetzt zurück zu dir. Dann wusste deine Mutter vorher nicht, was ihr geplant hattet?"

„Nein, sie wusste natürlich nichts von unserem Vorhaben. Sie hätte uns das auch nie erlaubt. War immer sehr besorgt um uns."

Dieter schluckte schwer und fuhr dann fort. „Da am Bahnhof Zoo einige Jugendliche herumhingen, haben wir uns denen einfach angeschlossen. Aber leider war das halt Gottes zweite Garnitur. Kurz! Wir haben die falschen Leute gefunden und wurden nur ausgenutzt. Hatten bald überhaupt kein Geld mehr. Jacqueline kam dann auf die Idee, bei McDonald's zu arbeiten. So könnten wir an die Fahrkarten kommen. Schwarzfahren kam für uns nicht in Frage." Er überlegte. „Wir waren einfach zu ehrlich. Wenn wir schwarzgefahren wären, dann würde Jacky heute noch leben ...

Gleich am ersten Tag machte ihr der Chef von McDonald's am Zoo Hoffnungen, dass er Jacky eventuell kurzfristig einstellen könnte. Er hatte ihr nebenbei erzählt, dass er in Wannsee wohne. Wir wollten zufällig dorthin und er hat uns dann sogar mit seinem Auto zu einer dortigen Feier, in der Nähe der Glienicker Brücke, gefahren. Wir wussten von den Leuten am Bahnhof Zoo, dass dort ein Fest stattfindet, bei dem jedes Essen und jedes Getränk nur eine Mark kosten sollte. War irgend so eine Aktion von *Haste mal 'ne Mark.*

Getränke und Essen waren gespendet und der Erlös sollte den Jugendlichen auf der Straße zukommen.

Wir trafen auf dem Festplatz am Abend, so gegen 21.00 Uhr, ein. Einer der dortigen Jungs baggerte dann ziemlich schnell Jacky an.

Das Ganze war mir nicht so recht geheuer und ich behielt deshalb meine Schwester ständig im Auge. Das habe ich Ihnen ja auch bereits erzählt. Aber nicht, dass ich noch sah, wie Jacky ihm einen Dienstplan vom McDonald's zeigte und ganz stolz war, dass sie dort bald arbeiten konnte. Er nahm dann den Plan und steckte ihn in seine Hosentasche. Das kam mir schon mal komisch vor."

Zimmermann wurde hellhörig. Konnte jetzt einige Puzzleteile zusammensetzen.

„Ich selbst hatte mich, wie ich Ihnen auch schon erzählt habe, während ich Jacky und den Typen beobachtete, mit einem Bekannten unterhalten. Als ich dann zwei Bier geholt hatte, waren der Typ und Jacky verschwunden. Ich lief, wie ebenfalls schon gesagt, sofort zu dem Tisch und fragte, wo die beiden hin seien. Einer von den Jungs grinste mich blöd an und deutete in Richtung Glienicker Brücke.

Panisch lief ich dorthin und fand sie dann auch. Etwa in der Mitte der Glienicker Brücke. Das habe ich Ihnen damals auf dem Präsidium nicht erzählt. Ich hatte Angst, dass Sie mich dann sofort verhaften würden. Entschuldigung."

Zimmermann nickte ihm verständnisvoll zu.

Dieter erzählte unaufgefordert weiter. „Das Szenarium auf der Brücke war für mich auf den ersten Blick klar. Er wollte etwas von Jacky, wollte sie offensichtlich bedrängen, aber sie versuchte ihn abzuwehren. Ich hatte Ihnen ja auch erzählt, dass Jacky bereits an unserem ersten Abend am Bahnhof Zoo mit einem Jungen weggegangen sei und dann ganz verstört zurückkam."

Der Kommissar nickte. „Ja, stimmt."

Dieter holte tief Luft. „Ich habe dann gesehen, dass Jacky weglaufen wollte, aber der Typ hielt sie fest. Ich war noch zu weit entfernt und musste auch noch die breite Straße überqueren. Dann würgte er sie mit beiden Händen am Hals. Plötzlich ließ er sie los und schubste Jacky im nächsten Moment mit voller Wucht weg. Sie stürzte und landete mit dem Hinterkopf auf der Bordsteinkante. Danach sah er sich erschrocken um. Hatte mich dabei aber offensichtlich nicht gesehen, da ich zu diesem Zeitpunkt im

Schatten eines senkrechten Brückenteils lief.

Er hob Jackys Kopf hoch und schaute sie entsetzt an. Sie bewegte sich nicht mehr. Lag da wie eine Puppe.

Dann passierte etwas Unglaubliches. Er nahm meine Schwester hoch und warf sie über das Brückengeländer in die Havel. Wie einen Strohsack. Ich traute meinen Augen nicht. In dem Moment entwickelte sich eine Wut in mir, von der ich bisher gar nicht wusste, dass ich sie überhaupt in mir hatte. In einem wahnhaften Schock lief ich auf den Typ zu.

Als er mich dann sah, drehte er sich weg und wollte flüchten. Ich konnte ihn gerade noch an seinem T-Shirt festhalten. Dadurch kam er ins Straucheln und stolperte. Beim anschließenden Sturz stieß er mit der Stirn seitlich gegen die scharfe Kante eines schrägen Metallpfostens am Geländer der Glienicker Brücke.

Aus seiner stark klaffenden Wunde drückte sich deutlich Gehirnmasse heraus. Er muss sofort tot gewesen sein. Ich versuchte noch seine Halsschlagader zu überprüfen. Aber da war nichts mehr. Kein Puls. Er war tot.

Da ich mir sicher war, dass man ihm nicht mehr helfen konnte, habe ich ihn, wie auch er zuvor meine Schwester, über das Geländer in die Havel geworfen. Ich hatte so eine Wut auf ihn. Er hatte vor meinen Augen meine Schwester in die Havel geworfen. Ja, es war so eine Art Racheakt von mir … und ich hätte es nicht tun dürfen. Ich musste es aber einfach tun und ich wollte es tun. Dachte, dass ich damit Jacky helfe und er war ja zu dem Zeitpunkt schon tot!"

Zimmermann hob seine rechte Hand. „Ja, stimmt! Wir haben den jungen Mann inzwischen auch gefunden. Die Obduktion bestätigt deine Aussage. Er war unmittelbar nach dem Aufprall tot. Aber eine andere Frage: Sind da denn keine Autos vorbeigefahren?"

„Doch. Aber es war schon so gegen 23.00 Uhr und es hatte angefangen, leicht zu regnen.

Auf jeden Fall hatte niemand angehalten."

Robert Zimmermann nickte unmerklich. „Und was hast du dann getan?"

„In meinem Kopf hämmerte alles wild durcheinander. Ich hatte einen Menschen umgebracht, zumindest ist er durch mein Dazutun gestorben und meine Schwester musste jetzt irgendwo da unten in der Havel treiben. Eine Situation, die mich völlig überforderte. Ich weiß nicht mehr, wie lange ich dort stand, aber dann dachte ich plötzlich wieder an Jacky. Vielleicht war sie ja noch am Leben. Ich rannte zur östlichen Seite der Brücke und lief panisch am Ufer der Havel entlang.

Kilometerweit!

Ich habe Jacky die ganze Nacht gesucht. Bin sogar durch die Havel gewatet und teilweise geschwommen … getaucht. Ich war einfach davon ausgegangen, dass die Möglichkeit, sie zu retten, weiterhin bestand, weil mir jegliche Alternative zu schrecklich erschien. Ich befand mich plötzlich in einer ganz anderen Welt, spürte nur noch den Drang, Jacky zu finden, getrieben von meinen Schuldgefühlen.

Ich versuchte immer wieder diese utopische Situation mit dem Verstand zu begreifen und zu überwinden. Aber dazu musste ich meine Schwester finden. Das war jedoch vergeblich. Ich hatte leider keinen Erfolg! Konnte Jacky nicht finden. Die verrücktesten Gedanken nisteten sich deshalb in meinem Kopf ein.

Ich versuchte das Erlebte in den hintersten Winkel meines Gehirns zu schieben, aber die Bilder kamen immer wieder hervor. Es war alles total paradox. Die Grenzen zwischen meiner Phantasie und der Wirklichkeit waren fließend.“

Zimmermann schüttelte ungläubig den Kopf. „Ja, aber wo hast du dich dann in den anschließenden Tagen aufgehalten?“

„Ich habe immer im Freien übernachtet, und zwar in unmittelbarer Nähe der Havel. Am Anfang habe ich noch jeden Tag nach Jacky gesucht … und nachts unter der Brücke geschlafen. Ich weiß nicht mehr, wie lang ich sie gesucht habe. Vielleicht eine Woche … oder zwei! Oder länger. Ich weiß es nicht. In dieser Zeit war ich einfach nicht mehr ich selbst. Es kommt mir jetzt im Nachhinein so vor, als hätte ich mein vorheriges Leben ausgelöscht. Ich wollte ein Loch füllen, das einfach nicht zu füllen war. Dann hatte ich auch noch die Welt der Gesetze gegen die des Tötens getauscht. Es war ein ständiger, nicht enden wollender Albtraum.

Später, als ich wieder zu mir kam, und meine Hoffnung immer geringer wurde, fühlte ich mich, als wolle ein Blutegel mir langsam, aber sicher, alle Lebenskraft aus den Adern saugen. Ich habe mich dann einfach unterhalb der Glienicker Brücke ans Ufer gesetzt und gewartet. Habe weiterhin gehofft, dass sie irgendwann zu mir kommt … dass sie irgendwie überlebt hat … dass sie aus dem Wasser steigt und mich in den Arm nimmt. Meine Schwester tot … das konnte einfach nicht sein.

Und dann sah ich zufällig in einem Papierkorb eine BZ vom Vortag. Da stand es und ich war mir sicher, dass das nur Jacky sein konnte. Ich musste mich mehrmals erbrechen. Irgendetwas in meinem Kopf hatte sich verändert … war zusammengebrochen.

Meine kleine Schwester war tatsächlich tot! Ich habe sofort an meine Mutter gedacht, ob ich zu ihr zurückkehren sollte. Aber das konnte ich nicht. Ich hätte ihr dann sagen müssen, dass Jacky tot sei. Ich schwankte ständig zwischen dem Rationalen und dem Irrationalen. Fühlte mich am Tod von Jacky mitschuldig. Sie ist mit mir, ihrem großen Bruder, weggegangen und ich habe es nicht geschafft, sie gesund zurück nach Hause zu bringen. Wir wollten zu dritt zurückkehren und jetzt war ich allein. Fühlte mich als Versager. Wie sollte ich das meiner Mutter beibringen? Konnte es einfach nicht. Bin dann nur noch in der Gegend herumgelaufen. Ziellos.

Sinnlos.

Im Nachhinein glaube ich, dass ich in einem Schockzustand war, der mir jeden klaren Gedanken genommen hatte. Meine kleine Schwester war tot! Dieser Satz drehte sich tausend Mal in meinem Kopf. Immer und immer wieder. Innerlich bin ich dabei selbst gestorben. Mehrmals.

Dann hörte ich in einer Gastwirtschaft, ich hatte mir zuvor am Bahnhof Wannsee etwas Geld erbettelt, von dieser wohlhabenden Familie, die etwas außerhalb von Kleinmachnow wohne und jetzt schon zwei Wochen verreist sei. Die Leute erzählten, dass es ein

Wunder sei, dass in die mit Kunstgegenständen übersäte Villa bisher noch nicht eingebrochen wurde, wo sie doch so abgeschieden liege. Ich habe mich an den Stammtisch gesetzt und mit den Männern ein Gespräch angefangen. Dabei habe ich erfahren, dass die Familie nicht so schnell zurückkomme. Der Hausbesitzer, ein gewisser Otto Knörzer, sei Manager bei Motorrad BMW Berlin und einer der reichsten Männer in der Gegend und seine Frau Marion habe eine gutgehende Boutique am Ku'damm. Sie hätten die Villa unmittelbar nach dem Mauerfall erworben. Ich habe mir dann genau beschreiben lassen, wo sich das Haus befand. So könnte ich wieder zu Geld kommen. Ich wollte unbedingt die Idee von meiner Schwester in die Tat umsetzen und unseren Vater von Köln nach Berlin zurückholen. Das war mein Auftrag. Das war ich Jacky einfach schuldig, ... dachte ich zumindest."

Robert Zimmermann sah den Jungen mitleidig an. „Ja, und genau das war dein großer Fehler. Da hast du dich schon etwas dümmlich angestellt. Einer der Stammtischbrüder in dem Gasthaus war nämlich ein pensionierter Polizeibeamter und dem kamen deine Fragen schon sehr merkwürdig vor ... und überhaupt dein ganzes Verhalten. Pech gehabt, Dieter ... oder war es vielleicht doch das Quäntchen Glück, das dich wieder in die Normalität des Lebens zurückbringen sollte.

Trotzdem frage ich mich, wie du auf so eine irrsinnige Idee gekommen bist. Ein Einbruch! Das verstehe ich gerade bei dir nicht. Das bist du nicht."

Dieter hob beide Hände hoch und wehrte dann ab. „Ja, die Stimme der Vernunft ist oft leise, aber wissen Sie, wie Sie gerade mit dem Quäntchen Glück angedeutet haben, vielleicht ist es tatsächlich sogar besser so. Es war ein Schlussstrich und ich habe daraus gelernt. Wenn ich nur daran denke, wie die Polizei mich festgenommen hat, das soll mir nie mehr widerfahren.

Ich fühlte mich dabei so hilflos ... so schuldig. Es war so unheimlich erniedrigend. Das Leben auf der Straße ist bestimmt kein Zuckerschlecken. Nur, gegen eine Gefängniszelle wollte ich es eigentlich auch nicht eintauschen. Aber das ist jetzt hoffentlich vorbei, wenn ich ... nicht doch in den Knast muss."

Zimmermann sah ihn eindringlich an. „Dieter, ich weiß, dass du im Grunde ein guter Junge bist und ich möchte dich, wie versprochen, fair behandeln. Bei dir ist einiges schief gelaufen und du hast eine harte Zeit durchgemacht, aber deshalb bist du nicht in alle Ewigkeit verdammt. So wie ich das sehe, wolltest du ja deiner Schwester helfen, die offensichtlich bedrängt wurde und dabei in höchster Gefahr war. In erheblicher, ja sogar in Todesgefahr! Es gibt im § 32 Strafgesetzbuch nicht nur die Notwehr, sondern auch eine Nothilfe gegen sogenannte Dritte. In deinem Fall ist der Täter unglücklich gestürzt und hat sich leider tödliche Verletzungen zugezogen. Aber das wolltest du ja nicht. Da war kein Vorsatz im Spiel. Du hattest einen Rechtfertigungsgrund. Somit war es eher ... ja, ein Nothilfefall. Aber die Sache ist etwas kompliziert, da du deiner Schwester in dem Moment ja nicht mehr helfen konntest. Ich würde abschließend sagen, dass es ein Unfall war, ein sehr unglücklicher Zufall.

Konkret werfen wir dir natürlich noch den Einbruchdiebstahl vor. Der allein führt jedoch nicht unbedingt zu einer Gefängnisstrafe. Bin davon überzeugt, dass du aufgrund aller Gesamtumstände vielleicht sogar mit einer Bewährungsstrafe und einigen sozialen Stunden wegkommst, die du ableisten müsstest. Ich würde auch von einer Vorführung bei unserem Strafrichter absehen, da ich in deinem Fall die Verdunklungsgefahr ausschließen kann. Nur bräuchtest du natürlich einen festen Wohnsitz."

„Nein, gerade den habe ich ja zurzeit nicht!"

„Oh doch, gerade den hast du!" Er schaute Dieter überlegen an. „Es gibt ab sofort nur einen Platz auf der Welt für dich. Ich fahre dich jetzt nach Köpenick zu deiner Mutter. Ich glaube, die braucht dich nun noch nötiger als du sie brauchst. Während du weg warst, ist bei euch so einiges passiert."

Zimmermann machte eine kurze Pause und sah Dieter ernst an. „Deine Mutter hat versucht, sich das Leben zu nehmen. Aber es geht ihr inzwischen wieder besser. Sie konnte in letzter Minute gerettet werden."

Dieter senkte betroffen den Kopf und wurde leichenblass. Dann schaute er hoch. „Herr Zimmermann, wäre es möglich, dass wir sofort losfahren?"

Beim Verlassen des Polizeipräsidiums sah die Welt für Dieter schon wieder etwas besser aus. „Ich muss nicht ins Gefängnis!", sagte er erleichtert. „Danke, vielen Dank, Herr Zimmermann."

Der Kriminalbeamte lächelte ihn väterlich an. „Du musst jetzt nach vorne sehen. Und vielleicht wird es ja tatsächlich mal was, mit dir und der Fußballbundesliga. Ich wünsche es dir! Würde mich wirklich freuen, wenn ich dich dann mal in der Sportschau bewundern dürfte. Junge, du hast dein Leben noch vor dir."

Er nickte dem Kriminalhauptkommissar dankbar zu.

Dieter bekam ein mulmiges Gefühl, als sie in die breite Straße eingebogen waren und auf den ihm wohlbekannten Plattenbau zufuhren. Hier hatte er seine Kindheit und auch seine Jugend verbracht. Hier war er groß geworden. Hier hatte er sogar eine Karriere als Fußballprofi in Aussicht gehabt. Es war seine Heimat. Sein Leben.

Und jetzt kehrte er zurück … als Streuner, als Verbrecher? Nein! Nur durch die Verwicklung von unglücklichen Umständen, durch Situationen für die er viel zu unerfahren war, ist er da hineingeschlittert.

Es wäre eigentlich alles so einfach gewesen, wenn nur die Verantwortlichen der DDR ihren Mitmenschen ein bisschen mehr Freiheiten eingeräumt hätten. In erster Linie die Ausreisefreiheit. Warum müssen Menschen Mauern bauen und Stacheldraht hochziehen? Da konnte doch von vorne herein etwas nicht stimmen. Mit dieser Eingrenzung fing alles an. Der Sozialismus als solcher ist grundsätzlich keine schlechte Staatsform, vielleicht sogar die beste und gerechteste auf der Welt. Aber in der heutigen Realität nicht praktikabel.

„So, da sind wir." Mit diesen Worten riss Zimmermann Dieter aus seinen Gedanken. Der Kommissar parkte seinen Dienstwagen am rechten Fahrbahnrand unter einem großen Kastanienbaum. Wie oft hatte Dieter in seiner Kindheit dort Kastanien gesammelt und

Spielzeug daraus gebastelt? Sogar so manche Weihnachtsgeschenke für seine Eltern waren ebenfalls aus Kastanien gewesen. Dieter wurde es unwohl. Wie würde seine Mutter reagieren?

Er hatte es seinem Vater ja nachgemacht und sie auch verlassen, wenn auch, um ihn zur Familie zurückzubringen.

Aber er hatte schon immer ein sehr inniges Verhältnis zu seiner Mutter gehabt. Fühlte sich zu ihr mehr hingezogen als zu seinem Vater. Mutti würde ihm verzeihen. Da war er sich sicher. Auch er würde ihr natürlich verzeihen, weil sie sich umbringen wollte … Obwohl? Nein! Da durfte er ihr keine Vorwürfe machen. Dieses angedachte Recht sprach er sich sofort wieder ab.

Sie liefen an der Wohnungstür von Fritz Stark vorbei, wobei Dieter einiges durch den Kopf ging. Was würde der jetzt machen, seinen Job bei *Horch und Guck* gab es nicht mehr, denn das Ministerium für Staatssicherheit war inzwischen aufgelöst worden. Aber im Grunde war Stark ein guter Mensch. Sein Fehler war nur, dass er funktionieren musste und sich dabei verkauft hatte.

Vor der Eingangstür, einen Stock höher, sah er auf das vergilbte Schild: *Familie Maik Bauermann.* „Familie?", las Dieter leise. Zimmermann nickte ihm aufmunternd zu und klingelte dann.

Im Inneren der Wohnung hörten sie Stimmen. Seine Mutter war nicht allein. Aber wer war der Besuch? Sein Vater? Dieters Herz schlug immer schneller. Nachdem von Innen entriegelt worden war, öffnete sich die Eingangstür ganz langsam. Seine Mutter stand vor ihm. Sie stieß einen lauten Schrei vor Glück aus. „Dieter … Dieter … endlich. Mein Junge!" Mandy umarmte ihren Sohn überglücklich. Dann sah sie ihn flehend an. Dicke Tränen quollen ihr aus den Augen. „Dieter, du bist jetzt das Einzige, was ich noch von meiner Familie habe. Bitte komm herein und bleibe bei mir, wenn es geht für immer, … für immer und ewig!" Dann erst sah Mandy, dass Dieter nicht allein war. Sie versuchte ihre Stimme zu ordnen. Räusperte sich. „Oh, Entschuldigung. Kommen Sie doch herein, Herr Zimmermann. Meine Tochter konnten Sie mir leider nicht mehr zurückbringen, aber meinen Sohn. Danke."

Als Dieter ins Wohnzimmer kam und den Mann erkannte, der auf dem Sessel saß, lächelte er unsicher. „Ach, Sie sind das, Herr Stark. Nur … ich verstehe jetzt nicht so richtig was Sie hier …" Seine Mutter unterbrach ihn. „Es ist so Dieter, Fritz hat sich angeboten, mir zu helfen und ich habe, zwar nicht sofort, aber etwas später, seine Hilfe angenommen. Denkt jetzt bitte nicht, dass er die Situation ausnutzen wollte. Er hat mir sehr geholfen … hat mir sogar das Leben gerettet. Wenn ich das mal so salopp sagen darf, er ist nach dem Mauerfall vom Saulus zum Paulus geworden." Sie schaute Fritz Stark dankbar an.

Er nickte zustimmend und gleichzeitig mit einem gewissen Stolz. „Ja", bestätigte Fritz kurzsilbig und mit einem schmalen Lächeln die Worte von Mandy Bauermann. Dann wandte er sich Dieter zu. „Es ging deiner Mutter wirklich sehr schlecht. Ich habe mich nur angeboten, um ihr zu helfen. Ich weiß inzwischen, was ich alles falsch gemacht habe. Zu DDR-Zeiten war ich so in einem Rausch und auch in einer gewissen Abhängigkeit, dass ich wirklich davon überzeugt war, dass alles, was unser Regime, Herr Honecker und insbesondere auch die Staatssicherheit gemacht haben, nun, … dass das alles richtig war. Ich wurde immer tiefer hineingezogen und irgendwann gab es kein Zurück mehr, bis dann, naja, … bis dann die Mauer gefallen war. Im ersten Moment dachte ich noch, dass das mein Ende sei, aber mit der Zeit habe ich festgestellt, dass es nur das Ende der DDR und gleichzeitig ein Segen war. Gott sei Dank ist das passiert!" Er schaute Dieter freundlich an. „Und wenn du willst, kannst du jeden Tag im Treppenaufgang Fußball spielen und dich dabei selbst kommentieren."

Dieter nickte dankbar und lächelte den einst so bösen Nachbarn freundlich an. „Oh, danke, Herr Stark. Aber die Zeiten ändern sich. Ich möchte schon weiterhin Fußball spielen, aber in einem richtigen Stadion und mit einem richtigen Kommentar von Heinz Florian Oertel. … oder sogar von Werner Hansch"

Stark räusperte sich laut. „Ja, da hast du auch recht. Aber der Oertel, oder auch der Hansch, hätten das auch nicht besser gekonnt, als du damals vor meiner Wohnungstür. Aber nun muss ich los. Die Arbeit ruft. Ihr werdet es vielleicht nicht glauben, aber ich arbeite jetzt im Politischen Archiv Berlin. Es wird auch das *Gedächtnis des Deutschen Auswärtigen Dienstes* genannt. Dort müssen wir unzählige Akten kennzeichnen und archivieren. Ich habe mich absichtlich gerade dorthin beworben, um meine Fehler von früher wenigstens wieder einigermaßen gut zu machen. Denkt jetzt aber bitte nicht, dass ich dort irgendwelche Akten verschwinden lassen könnte. Nicht einmal, wenn ich es wollte! Dort herrscht das Vieraugenprinzip. Wir sind nie allein und müssen alles gegenzeichnen. Aber ich würde selbst dann nichts manipulieren, wenn ich allein wäre." Er lächelte verlegen und schaute dann wieder freundlich zu Mandy. „Ich melde mich wieder bei dir. Mach's gut! Wenn du mich brauchst, einfach die Klingel einen Stock tiefer drücken." Fritz ging schmunzelnd hinaus und schloss vorsichtig die Tür.

Dieter schüttelte ungläubig seinen Kopf. „Also, das hätte ich nie gedacht, dass sich Menschen so wandeln können. Der dicke Fritz! Vor der Wende war der noch ein ganz anderer Mensch als nach der Wende. Wir haben ihn ja damals, nachdem seine Machenschaften bekannt geworden waren, nur den *dicken Stasi-Fritz* genannt."

Mandy nickte ihrem Sohn nachdenklich zu. „Du kannst es mir ruhig glauben Dieter, der Fritz kann ein ganz lieber Mensch sein. Er hat mir wirklich sehr geholfen. Habe ihn inzwischen sogar sehr gern."

Mit gehobenem Zeigefinger, den er warnend hin und her bewegte, grinste Dieter seine Mutter verwegen an. „Mutti, Mutti, mach mir bloß keine dummen Sachen!"

„Nein, mache ich nicht, und wenn doch, dann werde ich dich natürlich vorher fragen." Mutter und Sohn nahmen sich bereits zum zweiten Mal glücklich in die Arme.

Doch plötzlich erstarrte Mandy. Sie löste sich vorsichtig von ihrem Sohn. Erneut liefen ihr Tränen die Wangen hinunter.

„Jacqueline?", fragte Dieter mitfühlend.

Sie nickte wortlos.

Dann schaute sie Dieter traurig an. „Ja, Jacqueline!

Ich musste sie begraben. Sie ruht nun im St. Laurentius-Friedhof … ganz in der Nähe meiner Eltern. Sie hatte Oma und Opa ja so sehr geliebt. Dort ist sie wenigstens nicht allein."

Mandys Körper bebte. „Es waren sehr viele Leute bei der Beerdigung, einige Verwandte, Schulkameraden, Lehrer, Nachbarn … nur Maik nicht.

Seither besuche ich sie jeden Tag zweimal und spreche mit ihr … außer …" Sie stockte. „Ja, außer … als ich im Krankenhaus war."

Dieter schaute den Hauptkommissar bestätigend an und blickte dann zu seiner Mutter. „Ich weiß. Herr Zimmermann hat es mir bereits erzählt. Aber es hat einen guten Grund, dass Gott uns die Augen vorne eingesetzt hat. Wir müssen vergessen was hinter uns liegt und nach vorne schauen, so sehr es auch weh tut."

Mandy wische sich umständlich ihre Tränen weg. „Ich war in einer unglaublichen Extremsituation, wusste mir keinen Rat mehr." Es kostete sie eine gewaltige Willensanstrengung. Ihr Magen zog sich schmerzhaft zusammen. Ein Sturzbach widersprüchlicher Gefühle überkam sie. „Ich spürte, dass es besser sei zu sterben, als unter diesen Umständen weiterhin am Leben zu bleiben. Ich wollte freiwillig sterben, bildete mir dabei ein, die Kontrolle über den Tod zu haben. Warum hätte ich noch hierbleiben sollen, wenn doch alle anderen weg waren?"

Der Kommissar nickte einfühlsam. „Ja, Trauer kann einen fast psychotischen suizidalen Zustand auslösen. Das ist leider so."

Mandy sah ihn verwirrt an. Fühlte wieder diese Nadelstiche am ganzen Körper. „Ich wollte doch für meine Kinder da sein … und dann stirbt meine Tochter an einem fremden Ort. An einem Ort, den ich noch nie in meinem Leben gesehen habe und ich konnte nicht für sie da sein. Konnte nichts dagegen machen. Machte mir immer mehr Vorwürfe, weil ich sie nicht retten konnte. Zu der Zeit, als sie zu Tode gekommen war, habe ich geschlafen." Sie starrte traurig und gleichsam sehnsüchtig in das vor ihr stehende Wasserglas, als sei darin eine Botschaft zu finden, wie sie ihre sich selbst auferlegte Schuld mindern könnte. Ihr Schweigen war eine stumme Frage. Mandy erinnerte sich traurig an jene endlosen

Tage, denen man nur schwer einen Sinn geben konnte.

Dann aber dachte sie spontan an die Zukunft. Sah zu Dieter. „Gott gibt nur denen große Schmerzen, die sie auch ertragen können. Ich musste offensichtlich erst an den Punkt kommen, an dem ich mein Leben wegwerfen wollte. Ich glaube erst dann kann man wieder versuchen seinen Frieden zu finden."

Sie betrachtete für eine unbestimmte Zeit melancholisch das Bild ihrer Tochter auf dem Fernsehapparat.

Dann wandte sie sich wieder Dieter zu und schaute ihn zunächst traurig an. Versuchte sich aber trotz aller Widrigkeiten zu fassen. „Aber, richtig Dieter, wir müssen nach vorne sehen. Ich habe jetzt ja noch dich. Aber das ist mehr, als ich erwartet habe."

Kriminalhauptkommissar Zimmermann räusperte sich. „So, Frau Bauermann, ich würde mich gerne verabschieden, wenn Sie mich nicht mehr brauchen. Ich glaube schon, dass ihr beide euch noch viel zu erzählen habt."

Dieter lief zielstrebig auf ihn zu, lächelte zufrieden, und reichte ihm dankbar die Hand. Dann tat er etwas, was er bisher noch nie bei einem Polizisten getan hatte. Er zog Zimmermann zu sich her und umarmte ihn freundschaftlich. „Vielen Dank, Herr Zimmermann. Muss Ihnen gestehen, dass ich inzwischen eine ganz andere Meinung von der Polizei gewonnen habe, seit ich Sie kennenlernen durfte. In der DDR wurde uns ein anderes Bild von der Exekutive aufgedrängt. Bei uns hatte man vor der Polizei eher Angst. Aber die DDR ist ja jetzt fast schon Geschichte. Am dritten Oktober soll alles amtlich werden. Ich muss Ihnen sagen, ich freue mich darauf. Wir sind bald wieder ein freies Volk!"

Zimmermann nickte freundlich.

„Frau Bauermann, ich wünsche Ihnen alles Liebe und Gute. Geben Sie dem Herrn Stark eine Chance, er hat eigentlich einen guten Eindruck auf mich gemacht … und er war mit Sicherheit nicht der einzige Spitzel in der DDR … und, was für mich das Allerwichtigste ist, er hat seine Fehler eingesehen." Er lachte gezwungen. „So, ich muss jetzt aber leider zurück ins Präsidium. Es warten dort noch einige unliebsame Schreibarbeiten auf mich."

Er reichte Mandy und Dieter freundschaftlich die Hand.

„Noch einen Moment Herr Zimmermann!" Mandy folgte dem Polizeibeamten, der bereits die Tür geöffnet hatte. „Richten sie doch bitte Frau Rumm die allerliebsten Grüße aus. Ihr Besuch und die aufmunternden Worte haben mir sehr gut getan. Sie ist eine ganz liebe Person."

„Werde ich ihr natürlich gerne ausrichten." Zimmermann schloss vorsichtig und zufrieden lächelnd die Wohnungstür.

Mandy lief auf ihren Sohn zu und drückte ihn fest an sich. Sie spürte, dass neues Leben in ihr erwachte. „Und jetzt koche ich uns beiden erst mal einen starken Kaffee. Habe aber nur noch *Erichs Krönung*, also unseren billigen Mischkaffee, da. Richtiger Bohnenkaffee ist mir immer noch zu teuer. Das Geld von Maik fehlt mir hinten und vorne. Aber heute wird uns sogar der DDR-Kaffee ganz besonders schmecken."

Dieter lächelte seine Mutter dankbar an. „Natürlich wird er mir heute besser als je zuvor schmecken, Mutti. Nur *Erichs Krönung*, wie er bisher im Volksmund genannt wurde, möchte ich ihn aber nicht mehr nennen. Der Honecker hat Gott sei Dank ausgedient … als Staatschef sowieso und genauso als Namensgeber für unseren billigen Mischkaffee."

Mandy nickte ihrem Sohn freundlich zu und ging zufrieden in die Küche.

Dieter schaute sich in dem düsteren, einfachen Wohnzimmer um, in dem er aufgewachsen war. Verband die kleine Wohnung mit Heimat. Dann sagte er halblaut zu sich selbst: „Besser als eine Gefängniszelle … viel besser."

Er dachte laut an seine Zukunft. „Werde jetzt alles tun, damit meine Mutter bald einen richtigen Bohnenkaffee trinken kann. Gehe wieder in die Schule, mache meinen Abschluss und will mir gleichzeitig meinen Traum erfüllen. Vielleicht reicht es doch in die Fußballbundesliga … und wenn ja, dann werde ich mein erstes Tor … Jacky widmen."

Als er den Namen seiner Schwester nannte, liefen ihm dicke Tränen über die Wangen.

Theresa hatte gerade das große Willkommen-Schild über dem Haupteingang aufgehängt. Nora und Dora befestigten noch links und rechts die Girlanden.

Heute würden sie kommen. Ralph hatte sich gestern telefonisch angemeldet. Etwa gegen 15.00 Uhr, hatte er gemeint. Somit war noch eine Stunde Zeit für die restlichen Vorbereitungen.

„Macht ihr noch bitte den Kaffee, während ich den Kuchen auf-schneide." Theresa war schon ziemlich nervös. Es war das erste Mal, dass ihr Ältester solange weg war.

Allein!

Eigentlich war er nicht ganz allein unterwegs. Markus war ja dabei. Aber trotzdem, wenn zwei so junge Leute so weit weg sind, dann schlägt das Mutterherz ängstlicher als sonst.

Während sie noch zufrieden das Willkommen-Schild betrachtete, waren die Zwillinge bereits dabei, das Wasser für den Kaffee auf-zusetzen.

Herbert hatte sich entschuldigen lassen. Er müsse noch einiges im Museum regeln und könne erst gegen 17.00 Uhr Zuhause sein. Er wollte dann sowieso mit Ralph zunächst einmal allein reden. Von Mann zu Mann, hatte er gesagt.

Kurz nach 15.30 Uhr kamen die beiden jungen Männer tatsächlich auf das Haus in der Maiblumenstraße zugelaufen. Theresa hatte gefühlte hundertmal ängstlich aus dem Fenster geschaut und immer wieder nervös die Servietten verschoben, bis sie endlich korrekt lagen.

Aber jetzt waren sie tatsächlich wieder da. Sie öffnete die Haustür und begrüßte zunächst ihren Sohn mit einem Kuss auf die Wange und dann Markus mit einem festen Handschlag.

„Kommt herein ihr Globetrotter und legte eure Rücksäcke in der Diele ab. Mensch, die sind aber vollgestopft. Da habt ihr wohl für uns einige schwere Geschenke mit nach Hause gebracht."

Ralph schaute sie spitzbübisch an. „Ja, das haben wir, aber das größte Geschenk ist nicht im Rucksack."

Er überlegte und sah seine Mutter ernst an. „Ob sich jedoch Vater darüber freuen wird, weiß ich nicht so recht. Mal sehen."

Theresa ging auf die Andeutungen ihres Sohnes nicht weiter ein und winkte die beiden ins Esszimmer. „Jetzt trinken wir aber erst mal eine Tasse Bohnenkaffee. *Zufällig* habe ich auch noch einen Kuchen gebacken." Sie grinste die beiden dabei fröhlich an.

„Das hast du *zufällig* vollkommen richtig gemacht, Mama, denn wir haben *zufällig* einen Bärenhunger."

„Ja", bestätigte Markus lachend, „und außerdem haben wir in den letzten Wochen *zufällig* überhaupt keinen Kuchen gegessen, wenn ich mich noch recht erinnern kann."

Ralph widersprach. „Doch, bei meiner Oma in Königshofen gab es einen sehr guten Nusskuchen.

Hast du wohl *zufällig* schon vergessen?"

Markus nickte und dachte nach. „Ach ja, stimmt. Der hat natürlich hervorragend geschmeckt."

Ralph lachte ihm zu. „Das habe ich gesehen, du hast dort ja glatt sechs Stück verdrückt."

„Man zählt nicht, wie viele Kuchenstücke die Gäste essen, lieber Ralph." Die beiden Freunde gingen lachend ins Esszimmer und setzten sich an den großen, runden Tisch.

Theresa brannte das eigentliche Thema aber doch auf den Nägeln. Sie schaute Ralph skeptisch an. „So, so, dann warst du also bei meiner Schwiegermutter in Königshofen."

Ralph atmete tief aus. „Ja, soll ich dir die ganze Geschichte gleich oder sofort erzählen?"

In gespielter Gleichgültigkeit winkte sie ab. „Nein, lass mal, das meiste habe ich ja schon von meinem lieben Mann erfahren, … nachdem er nicht mehr anders konnte. Da habt ihr ja eine riesige Lawine ins Rollen gebracht, ihr zwei Helden. Aber es war gut so. Habe mich mit deinem Vater ausgesprochen und wir haben uns geeinigt, dass wir dich zur Adoption freigeben … und so wie wir

das sehen, gilt das … ab sofort … unverzüglich."
Sie lachte laut, dann wurde sie ernst. „Nein, Spaß beiseite, mein Sohn. Es ist inzwischen alles gut. Nur ganz am Anfang, als ich alles erfahren habe, da … ja, da musste ich schon schlucken … und eine Nacht darüber schlafen … oder besser gesagt, nachdenken."

Nora und Dora brachten den Kaffee ins Zimmer.

Ralph und Markus erzählten begeistert von ihrer großen Reise, dass sie im Westen immer freundlich behandelt wurden, sogar von der Polizei, was sie überhaupt nicht gewohnt waren. Auch hätten sie beim Trampen immer wieder interessante Leute kennengelernt. Angst hätten sie dabei nie gehabt. Die Wessis seien ganz normale Menschen, die wissen was sie wollen, einen sehr hohen Lebensstandard haben und ihre Freiheit täglich genießen.

Sie seien in Frankfurt in der *Fressgass* und in der Markthalle gewesen und dabei aus dem Staunen nicht mehr herausgekommen. Es habe dort internationale Gerichte aus ganz Europa, orientalische Früchte und sogar Gemüse aus Amerika gegeben. Ganz zu schweigen von den Fischen, Muscheln, Krebstieren, Tintenfischen und Eimern voll mit Oliven, Peperoni, Auberginen und Zucchini. Außerdem ganze Säcke voll mit Gewürzen, wie Pfeffer, Muskatnüssen oder Kümmel.

Aber das Tollste sei gewesen, dass man ohne lange anzustehen sofort dran war, auch wenn man etwas Besonderes kaufen wollte. Und wenn man doch mal kurz anstehen musste, dann habe man trotzdem noch bekommen was man wollte.

Die Wessis seien zu ihnen freundlich gewesen, manchmal sogar mitleidig und beneideten sie keinesfalls. Redeten aber immer positiv über den Mauerfall, zumindest, wenn sie wussten, woher Ralph und Markus kamen.

Die beiden Urlauber erzählten, dass sie zunächst im Süden waren, dann sei es über Frankfurt nach Koblenz und Köln, in den Westen, gegangen, bevor sie sich wieder östlich orientiert hatten.

„Wir haben eine richtige Rundreise durch ganz Westdeutschland unternommen", verkündete Ralph stolz.

„Und wenn uns das Geld nicht knapp geworden wäre, hätten wir sogar noch einen Abstecher nach Holland gemacht", fügte Markus schmunzelnd hinzu. „Wenn Sie mir noch ein Stück Kuchen hätten, Frau Schad? Er schmeckt wirklich hervorragend."

Dabei schaute Markus spitzbübisch zu Ralph. „Ich weiß jetzt gar nicht, wie viele Stücke ich bisher gegessen habe. Aber du hast sie bestimmt gezählt. Waren es schon sechs?"

„Nein, diesmal nicht, aber du bekommst natürlich gerne noch ein Stück … oder sogar auch noch zwei. Bist ja mein Freund."

Theresa legte Markus ein besonders großes Stück auf den Teller und lächelte ihn dabei zufrieden an. Die Kinder waren wieder da!

In dem Moment hörten sie, dass die Eingangstür geöffnet und danach wieder vorsichtig geschlossen wurde. Herbert Schad kam etwas gedrückt ins Esszimmer und setzte sich ungelenk neben seine Frau auf den alten Rattanstuhl. Er hatte die sechs Esszimmerstühle noch kurz vor ihrem damaligen Umzug im Möbelhaus Schott in Tauberbischofsheim gekauft.

Dann schaute er aber wieder freundlich zu Ralph und Markus. „Die Herren Weltreisenden sind auch wieder da. So wie es aussieht, gesund und munter. Habt ihr den Westen jetzt erkundet und den Leuten dort das Ohr vollgequasselt?"

„Natürlich, wir haben viel gesehen und auch viel zugehört", antwortete ihm sein Sohn spitzig. „Diese Reise hätten wir schon viel früher machen müssen. Der Westen ist mindestens genau so schön wie der Osten, aber irgendwie anders … insbesondere etwas sauberer. Auf jeden Fall hat es uns dort sehr gut gefallen. Bin auch im Grunde ein Wessi, wenn ich das mal so sagen darf."

Herbert dachte nach. Seine Mine verfinsterte sich kurz, dann aber lächelte er wieder. „Ja, genau gesehen bist du natürlich ein Wessi und wenn du willst, … wenn ihr alle wollt, dann fahren wir an Weihnachten mit der ganzen Familie ins Taubertal.

Ich habe da so einiges nachzuholen … und auch gutzumachen … soweit es überhaupt geht."

Ralph nickte zustimmend, während Nora und Dora laut jubelten. „Wir fahren zu unserer Oma ins Taubertal. Juhu!"

Ralph schaute seinen Vater überrascht an. „Da wird sich Oma aber freuen ... und natürlich auch Toni, mein Bruder ... Halbbruder."
Herbert musste schwer schlucken.
Antwortete dann etwas gedrückt. „Ja, sicher. Da wird sich die Oma sehr freuen."
Herbert dachte kurz nach und schnaufte dann tief durch. „Ja, man macht schon so seine Fehler im Leben. Aber es gibt dann auch immer wieder einen Aufstieg, wie im Fußball.
Es ist zwar alles ziemlich kompliziert, aber ich freue mich inzwischen wahnsinnig, meinen Sohn zu sehen." Er überlegte. „Ich hoffe nur, dass er sich auch freut, mich zu sehen."
Er sah Ralph an. „Mein anderer Sohn ... und bitte Ralph nenne ihn in Zukunft nicht Halbbruder, sondern Bruder."
Ralph nickte vorsichtig lächelnd. „Ja, jetzt habe ich plötzlich einen Bruder bekommen ... und der ist schon vierzehn Jahre alt."
Theresa hatte interessiert zugehört, äußerte sich aber nicht dazu.
Sie musste viel verarbeiten, in den vergangenen Tagen.
Aber sie war eine starke Frau.

Samstag, 11. August 1990,
Köln-Sülz, Nordrhein-Westfalen, Westdeutschland

Für den 1. FC Köln war es der erste Spieltag in der aktuellen Bundesligasaison 1990/91.

Aber nicht nur für den FC, auch Jonas Held hat es geschafft. Nachdem er Mitte Juni ein Probetraining am Geißbockheim absolviert hatte, musste er drei Wochen warten und dann war er endlich gekommen, der Brief mit dem goldenen Geißbockemblem auf dem Umschlag. Er hatte ihn noch am Briefkasten aufgerissen: *... freuen wir uns, Ihnen gegebenenfalls einen Profivertrag anzubieten. Wir werden Sie zum Gesundheitscheck am neunten Juli erwarten. Anschließend werden wir Ihnen die näheren Einzelheiten mitteilen.*

Jonas war hochgesprungen, als hätte er soeben bereits seinen ersten Hattrick für den FC geschossen. Überglücklich war er in die Wohnung gerannt und hatte laut gerufen, dass es geklappt habe und sie ihn nehmen würden.

Carla hatte ihren Sohn herzlich umarmt, dessen größter Wunsch in Erfüllung gegangen war.

Er musste jetzt nur noch den Gesundheitscheck erfolgreich abschließen. Das war aber für Jonas kein Problem. Er hat körperlich gut zugelegt; dem Krafttraining sei Dank.

Auch mit Fortuna Köln ging alles gut, der Verein hatte ihm keine Steine in den Weg gelegt. Er konnte ohne Probleme wechseln, obwohl Jonas bei der Fortuna noch ein Jahr Vertrag hatte. Herr Löring hatte ihn sehr freundlich behandelt, obwohl er ja den Verein, der Lörings zweites Leben ist, verlassen wollte. Wenn der große FC fragt, dann ist man in Köln sehr kooperativ. Bei einem Wechsel zu einem anderen Verein, außerhalb der Stadt, hätte er mit Sicherheit Probleme bekommen.

Den Abend hatten sie dann standesgemäß im Geißbockheim verbracht und dort angemessen gefeiert.

Es gab viermal Sauerbraten ... vom Rind!

Nun war er Profi des 1. FC Köln.

Am 11. August 1990 kam Jonas gegen 20.00 Uhr vom Lokalderby gegen Fortuna Düsseldorf zurück. Er wurde von seiner Familie schon sehnsüchtig erwartet.

„Und wie war's, Jonas?" Seine Mutter wirkte angespannt.

„Na ja, für's Erste war es nicht schlecht."

Michael schaute Jonas interessiert an. „Leider habe ich dich weder im Radio gehört noch in der Sportschau gesehen, aber die im ersten Programm bringen ja nur vereinzelte Ausschnitte."

Jonas lächelte verlegen. „Nein, Michael, natürlich konntest du mich nicht sehen, weil ... nun weil ich überhaupt nicht gespielt habe."

„Warum denn nicht?", wollte Isa wissen.

„Nun ja, ich habe zwar zum Kader gehört, aber als Jüngster der Mannschaft, habe ich, ehrlich gesagt, auch nicht damit gerechnet. Gut, ich gebe schon zu, dass ich gerne gespielt hätte. Aber Herr Rutemöller hat mir nach dem Spiel gesagt, dass ich Geduld haben solle und meine Einsatzzeiten schon noch kommen werden. Ich soll mich nur im Training immer wieder zeigen, dann würde es nicht mehr lange dauern. Er wüsste wohl um mein Potenzial.

Es war trotzdem äußerst interessant, mit den Profis bei einem Bundesligaspiel dabei zu sein. Schon die Busfahrt vom Geißbockheim bis zum Müngersdorfer Stadion war eine Riesensache. Ich bekam richtig Gänsehaut, als die Fans uns zugejubelt haben.

Ich durfte sogar neben Bodo Illgner sitzen. Habe auch mit Horst Held, Hansi Flick und Maurice Banach sprechen dürfen. Sind alle ganz tolle Typen.

Sogar mit Falko Götz habe ich mich lange unterhalten und er hat mir dabei von seiner Flucht erzählt. Falko floh ja damals am 3. November 1983 bei einem Auswärtsspiel seines Ost-Vereins BFC Dynamo gemeinsam mit seinem damaligen Mannschaftskollegen Dirk Schlegel, von Belgrad aus in den Westen. Man nannte BFC Dynamo damals in der DDR den Stasiclub.

Dynamo stand ja unter der Regentschaft von Erich Mielke, dem damaligen Chef des DDR-Geheimdienstes für Staatssicherheit.

Mielkes Club musste an jenem Mittwochabend im Europapokal bei Partizan Belgrad antreten. Am Vormittag genehmigte der Trainer seinen Spielern noch einen Einkaufsbummel im Zentrum von Belgrad. Falko hat mir dann erzählt, dass er diese Gelegenheit wahrgenommen habe, um in den Westen zu fliehen. Er sei damals erst einundzwanzig Jahre alt gewesen, aber es war die Chance für ihn, endlich in Freiheit leben zu können.

Der Falko ist ein ganz sympathischer Typ. Hat mir auch einige wichtige Ratschläge gegeben, dass ich weiß, wie es beim FC so läuft. Früher gab es da in der Kabine, und auch im Bus, noch eine regelrechte Rangordnung. Aber heute läuft das ganz locker ab. Als Falko mir das gerade erzählte, rief ein anderer FC-Spieler hinter mir laut nach vorne. 'Ja, das war tatsächlich so. Vorne saßen die Nationalspieler, in der Mitte die mittelmäßigen Spieler und ganz hinten die Arschlöcher.' Da hat der ganze Bus gelacht. Aber das ist, wie gesagt, längst vorbei. Es ist schon ein irres Gefühl. Bisher war ich der Fan, der in der Südkurve stand und die Spieler anhimmelte und jetzt stehe ich plötzlich auf der anderen Seite und bin mittendrin.

Ansonsten muss ich aber trotzdem noch Geduld haben.

Ach ja, ein Spiel gab es heute auch. Wir sind lange durch ein Düsseldorfer Tor von Thomas Allofs 1:0 zurückgelegen.

Unser Alfons Higl hat dann erst in der einundachtzigsten Minute noch den Ausgleich gemacht. Da wollte der Trainer natürlich nichts mehr riskieren."

Carla lächelte ihren Sohn stolz an. „So, dann wollen wir mal mit unserem Fastbundesligaspieler zu Abend essen.

Denk immer daran, Jonas, nach dem Spiel ist vor dem Spiel!"

Jonas hob abwehrend beide Hände. „Vorsichtig Mamm, bei solchen abgewetzten Sprüchen müsstest du bei uns sofort fünf Mark in die Geißbockkasse zahlen."

Ein lautes Lachen machte die Runde.

Sie saßen bedrückt und nachdenklich beim Abendbrot, bis Dieter das Schweigen brach. „Ich bin so glücklich, Mutti, dass ich wieder bei dir sein darf. Ich habe sieben Wochen auf der Straße gelebt. Das war zwar anfangs sehr interessant, aber mit der Zeit immer mühseliger. Man hat keinen Zufluchtsort und besitzt nur das, was man am Leib trägt.

Bin da auch noch in einige ziemlich dumme Geschichten hineingeraten. Ist aber vorbei. Endgültig vorbei! Es kam mir alles wie ein einziger, großer Fehler vor."

Mandy stieß einen dramatischen Seufzer aus. „Ja, Dieter, du hast recht. Das ist jetzt alles vorbei. Unsere Familie ist zwar nicht mehr so, wie sie mal war, aber wir beide sind noch zusammen. Wir sollten das Positive sehen und nach vorne schauen, froh sein über das, was wir noch haben. Ich hatte in den vergangenen Tagen und besonders in den schlaflosen Nächten viel Zeit zum Nachdenken. Niemand kann uns Jacqueline zurückbringen oder gar ersetzen. Deshalb versuche ich, sie in den schönen Erinnerungen festzuhalten … und dankbar zu sein, dass ich sie gehabt habe. Gerade die Dankbarkeit schenkt mir in meiner tiefen Trauer eine stille Freude. Auch die Wunden, die nicht heilen, hören irgendwann zu bluten auf."

Dieter senkte betrübt den Kopf. „Mutti, ich würde morgen gerne mit dir zu Jackys Grab gehen."

Mandy schaute traurig auf die Kerze in der Zimmerecke, die tanzende Schatten an die Wand warf. „Ja, da gehen wir ganz sicher hin.

Ich kann es immer noch nicht glauben, dass unsere Jacky … dass ich nie wieder mit ihr sprechen kann, oder sie in meine Arme schließen darf. Jetzt kann ich sie nur noch durch das Fenster meiner Erinnerungen sehen." Sie schluchzte laut und schüttelte den Kopf ob der Traurigkeit des Ganzen.

Dieter dachte nach und schaute seine Mutter melancholisch an.
„Ich hätte besser auf sie aufpassen müssen. Hatte sie den ganzen Abend im Auge und dann, … ja, dann war sie plötzlich weg.
Ein unbedachter Moment. Ich habe sie überall gesucht und letztendlich sogar noch gefunden. Aber ich konnte ihr leider nicht mehr helfen." Dieter sah seine Mutter machtlos an. „Ich bin nur ein paar Sekunden zu spät gekommen", ergänzte er mit großem Fatalismus.
Dann erzählte er ihr die ganze Geschichte … auch von seinem Einbruch.
Als er zum Schluss gekommen war, herrschte eine lange Stille in dem kleinen Wohnzimmer.
Aber Dieter wollte eigentlich nach vorne schauen. Wollte von ihren Sorgen ablenken. „Mutti, ich habe eben in der BZ gelesen, dass die DDR-Oberliga heute in ihre zweiundvierzigste und letzte Fußballsaison gestartet ist.
Aber es ist jetzt nichts mehr, wie es einmal war, zu DDR-Zeiten.
Die Förderungen durch die DDR und die Trägerbetriebe sind inzwischen weggebrochen. In der nächsten Saison gibt es nur noch eine gesamtdeutsche Bundesliga und natürlich auch eine entsprechende Zweite Bundesliga. Hans-Georg Moldenhauer, unser Fußballpräsident hat mit dem westdeutschen Fußballbund ausgehandelt, dass in der nächsten Saison zwei DDR-Mannschaften, also der Oberligameister und der Vizemeister, in der gesamtdeutschen Ersten Fußballbundesliga spielen werden. Der Dritte bis Sechste der Oberliga darf in der gesamtdeutschen Zweiten Bundesliga spielen. Der Siebte bis Zwölfte muss sich mit der Zweiten DDR-Liga um die restlichen zwei Plätze in der Zweiten Bundesliga streiten.
Einige Spieler aus dem Osten, wie Andreas Thom, Matthias Sammer, Ulf Kirsten und noch einige andere mehr, haben sich ja bereits den Westvereinen angeschlossen.
Viele Ostvereine kämpfen jetzt um ihre Existenz, sogar der frühere Europapokalsieger FC Magdeburg.
Wer es dann nicht in die Erste oder Zweite Bundesliga schafft, der

findet sich dann im nächsten Jahr in der Amateurliga wieder.

Dort werden finanziell natürlich wesentlich kleinere Brötchen gebacken."

Mandy interessierte sich eigentlich überhaupt nicht für Fußball, hörte aber an diesem Abend gespannt ihrem zurückgewonnenen Sohn zu. War einfach nur glücklich, dass er wieder da war ... wenigstens er. Sie hätte ihm heute stundenlang zuhören können. Strahlte ihren Sohn förmlich an.

„Mutti, ich habe mich fest dazu entschlossen, auf jeden Fall meinen Schulabschluss fertig zu machen und anschließend werde ich weitersehen. Ich will schnell Geld verdienen, mit dem Ziel dich dann finanziell unterstützen zu können.

Vielleicht schaffe ich es sogar, bei einem Bundesligaverein im Westen ein Probetraining zu absolvieren. Wir müssen eigentlich nicht unbedingt in Berlin bleiben. Jetzt sind wir ja frei.

Keine Mauer und kein Stacheldraht halten uns auf."

Mandy zog kritisch die Brauen hoch. „Stimmt, wir sind jetzt ja frei." Sie dachte einen Moment nach, bevor sie weitersprach. „Aber ...", sie zögerte kurz, „eigentlich möchte ich schon in der Nähe von Jaqueline bleiben. Ich kann sie doch nicht ganz allein da draußen liegen lassen. Ich spreche jeden Tag am Grab mit ihr. Das tut mir richtig gut, weil ich fest daran glaube, dass sie mich hört. Auch möchte ich gerne hier in unserer Wohnung bleiben. Da sind noch so viele Erinnerungen drin ... von der Zeit als noch alles gut war. Hier wohnt mein Herz. Mir hat das Leben in unserer Wohnung und in der DDR gut gefallen ... bis ... ja bis Maik geflohen ist ... und Jacky ist hier aufgewachsen. "

Dieter nickte. „Ja, du hast recht."

Seine schöne, kluge, kleine Schwester lag ihm schon immer sehr am Herzen. Er holte ihr Bild in sein Gedächtnis zurück.

Gerade in der Zeit, als ihr Vater weggegangen war, fühlte er sich immer mehr für sie verantwortlich, fühlte sich sogar als ihr Vormund. Ihre Gesundheit und ihr Wohlergehen waren ihm ganz besonders wichtig ... aber auch ihre Zukunft.

Dieter kniff die Augen zusammen, während er überlegte. „Ich

habe Jaqueline damals allein gelassen. Das möchte ich kein zweites Mal tun. Wenigstens jetzt, in ihrem Tod, möchte ich bei ihr sein. Wir bleiben hier, Mutti."

Nein, Dieter!" Mandy winkte ab und sah ihren Sohn ernst an. „Du hast sie nicht allein gelassen.

Sie ist weggegangen. Mach dir bitte keine Vorwürfe. Sie ist weggegangen, weil sie mir helfen wollte."

Dieter sah seine Mutter ernst an und kämpfte erfolglos mit den Tränen. Wollte aber gleichzeitig wieder nach vorne sehen.

„Ich werde mich mal in der Gegend nach einem Fußballverein umsehen. Bin gespannt, wie es mit den Eisernen weitergeht. Aber mit der Ersten oder Zweiten Bundesliga wird das nichts für Union. Ich könnte auch bei der Hertha nachfragen. Die *Alte Dame* spielt ja in der neuen Saison wieder in der Ersten Fußballbundesliga."

Mandy nickte und lächelte. „Die *Alte Dame*, wie sich das anhört … für einen Fußballverein. Aber das wäre eine gute Idee, dann könntest du mit der Straßenbahn zum Training und sogar zu den Heimspielen fahren. Ich drücke dir die Daumen, dass es klappt."

Sie überlegte gequält. „Gehe aber bitte nicht nach Köln, da könnte ich auf keinen Fall leben. Ich will und muss Maik vergessen, … so schwer es mir auch fällt."

Dieter nahm ihre Hand und streichelte sie mit einem einfühlsamen Gesichtsausdruck. „Ja, ich bleibe hier bei dir.

Das verspreche ich dir, Mutti."

Mandy gähnte laut. „Aber langsam werde ich jetzt doch müde. Würde vorschlagen, wir gehen zu Bett.

Halt noch eins, die Sache mit der Anzeige bei der Polizei, wegen dem Einbruch, … das bekommen wir gemeinsam wieder hin.

Ich möchte dich dabei unterstützen, … so gut ich kann."

Dieter nickte ihr dankbar zu und stand auf. Er gab seiner Mutter einen Kuss auf die Wange und verschwand in seinem Zimmer.

Dort war noch alles so, wie er es verlassen hatte. Auch das Matthias-Sammer-Poster und das Mannschaftsfoto von Union Berlin hingen natürlich noch an der Wand mit dem bunten und etwas ausgebleichten Blumenmuster.

Wenn er überlegte, was er in den letzten Wochen alles erlebt hatte, dann kam es ihm vor, als wäre er in einer anderen Welt gewesen. Aber es war nicht seine Welt. Er spürte jetzt wieder, wie wohl er sich in seinem Zimmer fühlte, … in seinem DDR-Zimmer. Wie hatte seine Mutter eben gesagt: Hier wohnt mein Herz.

Trotz alledem! Trotz SED und alledem!

Plötzlich fiel ihm sein bester Freund ein.

„Mensch, ich habe Lothar Pianka ganz vergessen. Hatte jetzt schon wochenlang keinen Kontakt mehr zu ihm." Er lief sofort in den Flur, nahm den Telefonhörer ab und wählte Lothars Nummer. Als er im nächsten Moment dessen Stimme hörte, hatte er einen dicken Kloß im Hals und versuchte sich freizuräuspern.

„Ich glaub's nicht. Bist du es, Dieter?"

„Treffer! Ja, ich bin's."

Lothar schüttelte irritiert den Kopf. „Da hol mich doch der Teufel. Mensch, Alter! Habe monatelang nichts von dir gehört, bin fast schon verzweifelt. Du bist doch mein bester Freund … habe schon befürchtet, dass … naja, dass es dich nicht mehr gebe, dass du tot seist oder so etwas Ähnliches."

Lothar stockte. Er verspürte einen tiefen und stark brennenden Schmerz. „Äh, die Sache mit Jacqueline habe ich natürlich erfahren. Es tut mir so unendlich leid. Mein herzlichstes und tiefstes Beileid. Es ist schrecklich. Ich kann es immer noch nicht glauben. Die kleine Jacqueline."

„Danke, Lothar, ja, war eine ganz schlimme Geschichte."

Nach einer längeren Pause versuchte Lothar ein ablenkendes Gespräch anzufangen. „Es gibt eine Menge zu besprechen, Dieter. Da wirst du staunen. Treffen wir uns doch in unserer Stammkneipe, im *Hauptmann* … würde sagen in einer halben Stunde?"

„Einverstanden, in einer halben Stunde!"

Dieter legte auf und wandte sich an seine Mutter. „Mutti, ich geh nochmal kurz in die Kneipe. Muss mich unbedingt mit Lothar treffen. Im *Hauptmann*. Es gibt da einige Neuigkeiten."

Mandy sah ihrem Sohn mit einem wehmütigem Lächeln nach. „Ja, natürlich, Dieter, aber komm nicht zu spät, damit ich keine Angst um dich haben muss. Pass gut auf dich auf!"

„Ja, ja!" Dieter schloss vorsichtig die Wohnungstür.

Kurze Zeit später klingelte es.

„Hast du etwas vergessen, Dieter?", rief Mandy durch die geschlossene Tür.

„Nein, habe ich nicht, Mandy", ertönte eine dunkle Stimme von außen.

„Ach entschuldige Fritz, ich dachte der Junge kommt noch einmal zurück, komm ruhig rein."

Zwischen Fritz Stark und Mandy Bauermann hatte sich zwischenzeitlich eine Freundschaft entwickelt, mehr war es im Moment aber noch nicht. Jedoch verstanden sie sich außerordentlich gut.

Fritz warf ihr ein vertrautes Lächeln zu. „Mandy, ich habe mir in den vergangenen Tagen so meine Gedanken gemacht und würde dir deshalb gerne einen Vorschlag machen. Könntest du dich damit anfreunden, dass wir in eine gemeinsame Wohnung ziehen? Das hätte, rein platonisch gesehen, sogar zwei Vorteile. Wir wären erstens nicht mehr allein und würden uns zweitens auch noch eine Miete sparen … und ich möchte es mal so sagen, wenn ich in deiner Nähe bin, dann fühle ich mich einfach richtig wohl."

Mandy lächelte Fritz freundlich an. „Ja, das könnte ich mir schon mal überlegen. So rein platonisch. Aber gib mir bitte noch etwas Bedenkzeit! Ich möchte nichts übereilen. Das kommt jetzt alles ziemlich plötzlich."

Fritz Stark hob beschwichtigend beide Hände. „Natürlich, Mandy, überlege es dir in aller Ruhe. Aber wenn du dabei an Dieter denkst. Das wäre überhaupt kein Problem. Ich habe unten in meiner Wohnung auch ein Gästezimmer, da könnte Dieter jederzeit einziehen. Aber wenn er lieber hier oben bleiben wollte, wäre das für mich auch kein Problem. Wie er will. Ich habe den Jungen inzwischen in mein Herz geschlossen … und natürlich auch dich."

Mandy lächelte ihn vertrauensvoll an. „Alles klar Fritz, ich spreche mal mit Dieter darüber und gebe dir dann Bescheid. Aber, wie schon gesagt, ich brauche noch etwas Zeit."

„Danke, Mandy. Weißt du, ich habe auch sehr viel in meinem

Leben verloren ... eigentlich alles." Ihm kamen die Tränen.

„Meine Frau starb bei der Geburt unseres ersten Kindes. Das Baby überlebte noch zwei Wochen und dann, ... ja dann musste ich es zu meiner Frau ins Grab legen. Ich habe nie mehr geheiratet oder überhaupt eine Frau gehabt. Dann kam diese IM-Geschichte und darin habe ich mich verbissen. Es ist schon traurig, was einem alles im Leben widerfahren kann. In der zurückliegenden Zeit habe ich mein persönliches Glück hinter dem Volkswohl zurückgestellt. Das war aber falsch. Dadurch bin ich zu einem richtigen Eigenbrötler geworden ... aber das kann man ja noch ändern."

Mandy schaute Fritz traurig an. Aber sie war in dem Moment froh, dass er da war. „Ja, Fritz, jede Familie hat ihre Fassade, die von allen betrachtet wird. Nur die Wirklichkeit, die dahintersteckt, die sehen allein die Betroffenen. Aber jetzt trinken wir erst mal ein Gläschen Wein zusammen. Wir wollen doch nach vorne schauen. Es ist traumhaft schön, wenn man nicht mehr allein ist. Gerade war ich noch müde, aber jetzt, seit du da bist, bin ich wieder hellwach."

Fritz lächelte zufrieden. „Ich hole mal den Rotwein und zwei Gläser."

Lothar wartete noch keine Minute vor der Eckkneipe *Zum Hauptmann von Köpenick* in der Mahlsdorfer Straße, als Dieter schon zielstrebig um die Ecke bog. Die beiden Freunde umarmten sich auf's Herzlichste. Beide hatten dabei wässrige Augen.

Als sie dann gemütlich an der Theke saßen und ein *Kindl* bestellt hatten, grinste Lothar seinen Freund provokativ an. „Übrigens, herzlichen Glückwunsch zum Bundesligaspieler, Dieter!"

„Wie ... was ... Bundesligaspieler? Blödmann! Was redest du da für ein wirres Zeug? Ich glaube unsere Trennung hat dir überhaupt nicht gutgetan. Ich werde mich ab sofort mehr um dich kümmern, ... versprochen."

„Nein, mein Freund, ich bin überhaupt nicht verwirrt", antwortete ihm Lothar mit einem ironischen Lächeln. „Jetzt genehmigen wir uns erst mal einen kräftigen Schluck und dann hörst du mir gut zu, was ich dir zu erzählen habe." Die beiden stellten ihre halbleeren Kelche laut krachend auf die Theke zurück.

Lothar schaute Dieter bewegt an. „Es ist nämlich so", begann er in einem ruhigen Ton. „Nach der Rückrunde hat unser Trainer Walter Eck noch einmal alle Spieler der A-Junioren, also unsere U-18, zusammengerufen. Du warst leider schon weg. Er hat sich zunächst bei uns bedankt, für die gute Leistung in der vergangenen Saison. Dann hat er noch eine Kiste Berliner Pilsner in unsere Umkleide gestellt und allen Spielern gute Ferien und einen schönen Sommerurlaub gewünscht."

Dieter konnte seinem Freund nicht folgen.

„Das ist schön für euch. Aber warum erzählst du mir das alles? Du hast doch eben noch etwas von der Fußballbundesliga gefaselt."

„Geduld, mein Freund, Geduld. Ich wollte zusammen mit den anderen noch, naja, sagen wir mal … um die Häuser ziehen, als mich der Trainer zurückhielt. Ich sollte noch kurz warten. Als dann alle weg waren, setzte er sich nicht nur mir gegenüber, sondern auch noch eine wichtige Miene auf." Lothar war stolz auf das Wortspiel, das ihm soeben, eher zufällig, geglückt war. Als Dieter aber nicht darauf reagierte, fuhr er fort. „Ich konnte mir in dem Moment beim besten Willen nicht vorstellen, was der Trainer von mir wollte. Herr Eck hat mir dann ausschweifend erklärt, dass während der gesamten Rückrunde unsere A-Junioren, also wir, von den verschiedensten Vereinen beobachtet worden waren. Einige West-Zweitligamannschaften sollen darunter gewesen sein, und sogar auch die *Alte Dame*, der aktuelle Bundesligaaufsteiger Hertha BSC. "

Dieter hörte gespannt zu und bestellte mit zwei nach oben gespreizten Fingern noch zwei Berliner Kindl.

„So, und jetzt kommt's. Aufgemerkt! Zwei Spieler von unserer Mannschaft wurden zu einem Probetraining bei der Hertha eingeladen."

„Prima, das freut mich … und haben die beiden einen Profivertrag bekommen?"

Lothar machte ein kritisches Gesicht. „Nein leider nicht, das heißt einer hat es geschafft, der andere aber nicht, weil … nun, weil er eines Tages einfach weg war und deshalb gar kein Probetraining machen konnte. Von heute auf morgen ist der verschwunden, ohne seinem besten Freund Bescheid zu sagen." Er hielt kurz inne, um seinen Worten den entsprechenden Nachdruck zu verleihen.

Es dauerte noch ein paar Sekunden, bis Dieter das eben Gehörte erfassen und einordnen konnte. Er schüttelte ungläubig den Kopf, dann begann er zu lachen, halb ironisch, doch halb auch, weil seine Nerven bis zum Zerreißen angespannt waren. Es sprudelte förmlich aus ihm heraus. „Herzlichen Glückwunsch, Lothar, der eine warst ja offensichtlich du und der andere … nun, der ist jetzt wieder da und kann das Probetraining noch nachholen … oder nicht?" Dieter schaute seinen Freund verschmitzt und gleichzeitig hoffnungsvoll an.

Lothar legte wohlwollend die rechte Hand auf die Schulter seines Freundes. „Da hast du aber großes Glück gehabt, Dieter, die Hertha wollte dich unbedingt haben. Die hätten dich auch fallen lassen können. Ich habe nach meinem Probetraining mit dem sportlichen Leiter, Herrn Tobias Heinrich, gesprochen und ihm das Versprechen abgerungen, dass du dich jederzeit bei ihm melden kannst. Mach das, Dieter! Es ist deine große Chance."

„Mensch, Lothar." Dieter stand spontan auf und umarmte ihn dankbar. Überglücklich lachte er seinen besten Freund an. „Dieter Bauermann, von der Straße in die Bundesliga. Na, wenn das keine Schlagzeile im Kicker wert ist!"

Lothar schlug ihm kräftig auf die Schulter. „Ja, genau Dieter, aber jetzt erzähl mal von deinem Leben auf der Straße, würde mich brennend interessieren, was da alles so abgeht, in der geträumten Anarchie"

Dieter erzählte seinem besten Freund daraufhin die Geschichte … die ganze Geschichte.

Lothar stand dabei immer wieder der Mund offen. Als sein bester Freund mit seiner Erzählung fertig war, schüttelte Lothar mehrmals den Kopf und schaute ihm ungläubig ins Gesicht. „Mensch Dieter, welche Teufel saßen dir denn da auf deiner Schulter?"

Mittwoch, 3. Oktober 1990,
Ost- und Westberlin

Mit einem lauten Knall wurde das große Feuerwerk über Berlin eröffnet. Unzählige Personen aus dem Osten und dem Westen waren bunt gemischt dabei, prominente Sportler und Politiker, Musiker, Künstler und das Allerwichtigste, … das Volk, das an diesem Tag die DDR endgültig und amtlich abschaffte.

Auch Mandy, Dieter, Lothar und Hans ließen es sich natürlich nicht nehmen, diesen historischen Moment zu feiern. Keine fünf Meter von ihnen entfernt stand die Familie Zimmermann. Robert winkte Dieter zu, der seinen Gruß freundlich erwiderte.

Alle feierten sie friedlich und gemeinsam die Wiedervereinigung der beiden deutschen Staaten.

Gleichzeitig wurde mit dem formellen Beitritt der DDR zur BRD die Wiedervereinigung amtlich vollzogen.

Aus zwei völlig unterschiedlichen Staaten wurde wieder ein Land. Auf Vorschlag von Helmut Kohl wurde der dritte Oktober zum gemeinsamen Nationalfeiertag erhoben.

Seither leben wir in einem Land ohne Stacheldraht und ohne Mauer, ohne Schießbefehl und ohne sonstige Grenzsicherungsanlagen!

Wir leben gemeinsam und friedlich in … Deutschland.

Samstag, 6. Oktober 1990,
Olympiastadion Berlin

Nur drei Tage nach dem offiziellen Festakt zur Wiedervereinigung Deutschlands kam es in Berlin am 6. Oktober 1990 zu einem Bundesligaspiel, das eigentlich längst vergessen ist. Eigentlich!
16.120 Zuschauer sahen diese von Schiedsrichter Karl-Heinz Tritschler geleitete Bundesligabegegnung, aber fast keiner davon hatte mitbekommen, dass sich in diesem Spiel zwei Jugendliche gegenüberstanden, die sich zwar bisher nicht persönlich kannten, aber eine sonderbare Beziehung zueinander hatten, von der sie inzwischen erfahren hatten.
Beide Trainer hatten noch in der fünfundachtzigsten Minute jeweils einen jungen Nachwuchsspieler eingewechselt.
Für den 1. FC Köln kam Jonas Held ins Spiel und für Hertha BSC ein gewisser Dieter Bauermann!
Das Spiel endete 0:0 und hatte somit keinen Sieger!
Genauso sollte es auch mit der Wiedervereinigung sein, … jeder nimmt einen Punkt mit … und es gibt keinen Verlierer.
Nach dem Bundesligaspiel, das, wie schon gesagt, eigentlich längst vergessen ist, gaben sich Jonas Held und Dieter Bauermann in gegenseitiger Wertschätzung die Hand und umarmten sich dann freundschaftlich. Danach tauschten die beiden jungen Bundesligaspieler ihre Trikots.
Nadine Rumm saß zusammen mit Robert Zimmermann auf der Haupttribüne des Berliner Olympiastadions. Dabei beobachteten die beiden Kriminalbeamten auf das Genauste die Umarmung und den Trikottausch auf dem Spielfeld und lächelten sich zufrieden an.
Mussten aber dann doch wieder an Jacqueline Bauermann denken.

Ende
einer deutsch-deutschen Geschichte,
die jetzt eigentlich weitergehen könnte!

**Wandlung ist notwendig,
wie die Erneuerung der Blätter
im Frühling.**

Vincent van Gogh

Epilog

Dieter Bauermann wurde in allen Punkten der Anklage freigesprochen. Er fiel noch unter das Jugendschutzgesetz. Musste lediglich fünfzig Stunden Sozialdienst beim Deutschen Roten Kreuz in Berlin-Charlottenburg ableisten. Der Richter begründete in seinem Plädoyer die besondere Lage der Familie Bauermann zur Zeit des Mauerfalls.
Insbesondere die Flucht von Maik Bauermann.
Ein wesentlicher Punkt für den Freispruch war auch die Zeugenaussage von Kriminalhauptkommissar Zimmermann, der Dieter eine positive Zukunft prognostizierte.

*****

Der 1. FC Kaiserslautern wurde der erste Deutsche Fußballmeister nach der Wiedervereinigung, und zwar in der Saison 1990/91 … wie es Kriminaloberkommissarin Nadine Rumm am Bahnhof Zoo in Berlin vorausgesagt hatte.

*****

Am 10.11.1989 hatte Jonas Held seinen Freunden auf dem Hof des Schillergymnasiums Köln erzählt, dass nach dem Zweiten Weltkrieg die Staatsgrenze zwischen der DDR und der BRD mitten durch den kleine Ort Mödlareuth gezogen worden war.
Dadurch wurden viele Existenzen der Einwohner zerstört und auch das dörfliche Leben erheblich erschwert.
Nach dem Mauerfall konnte auch dieses Problem gelöst werden. In Mödlareuth befindet sich heute ein sehr interessantes Museum, das umfänglich über die damalige Situation informiert.

*****

Die DDR ist heute für viele Bürger, die im Osten gelebt haben, eine unliebsame Vergangenheit. Aber es gab dort auch Nischen des Glücks, der Freude und einer behüteten Kindheit.
Das darf man bei aller negativen Beurteilung nicht außer Acht lassen oder vergessen. Man könnte die Situation folgendermaßen auf den Punkt bringen: Man war zufrieden, in der DDR groß geworden zu sein, aber gleichzeitig auch froh, jetzt in Deutschland leben zu dürfen. Es geht auch beides.

*****

Am 3. 9. 1971 kam es zwischen den Botschaftern von Frankreich, Großbritannien, den USA und der Sowjetunion zu einem Vertrag über Berlin. Das dabei erzielte Abkommen regelte den Rechtsstatus der geteilten Stadt, den freien Zugang und das Verhältnis Westberlins zur Bundesrepublik.
Es wurde ebenfalls das Recht der Alliierten auf ihre Anwesenheit in Berlin und ihre Verantwortung gegenüber der Berliner Bevölkerung bestätigt.
Des Weiteren wurde in dem Abkommen der besondere Status Berlins gesichert. Westberlin war demnach kein Bestandteil der Bundesrepublik und konnte somit auch nicht von Bonn aus regiert werden.
Die männlichen Einwohner von Berlin waren auch von der Wehrpflicht befreit.
Eine Vereinbarung von BRD und DDR besagte, dass der Güter- und Personenverkehr von und nach Westberlin in Zukunft ohne Behinderungen abgewickelt werden sollte.
Transitreisende durften nur dann festgenommen oder eventuell zurückgewiesen werden, wenn ein begründbarer Verdacht auf Missbrauch der Transitwege bestand.
Im Werks- und Güterverkehr sollten sämtliche Kontrollen wegen einer schnelleren Abfertigung nur auf amtliche Zollverschlüsse und Plomben beschränkt werden.
Westberliner Bürger erhielten die Möglichkeit, einmal oder mehr-

mals an bis zu dreißig Tagen im Jahr aus humanitären, familiären, religiösen, kulturellen oder touristischen Gründen die DDR zu besuchen. Dafür mussten in den dafür von der DDR eingerichteten Büros für Besuchs- und Reiseangelegenheiten die sogenannten Berechtigungsscheine beantragt werden. Erst dann konnten an den Grenzübergängen Einreisegenehmigungen ausgestellt wurden.

Die Stadt Berlin war während der Zeit der DDR in Ost- und Westberlin geteilt. Um von Westdeutschland nach Berlin zu kommen, konnte man nur auf einer vorgegebenen Transitstrecke durch die DDR fahren. Zur Überwachung und zur Fotodokumentation des Verkehrs waren auf allen Transitautobahnen ständig zivile Fahrzeuge mit Mitarbeitern des Staatssicherheitsdienstes unterwegs.

Dabei kamen zusätzlich sogar vereinzelt Westfahrzeuge mit bundesdeutschen Kraftfahrzeugkennzeichen zum Einsatz. Diese konnten aber an den fehlenden HU- oder AU-Plaketten erkannt werden.

Überwacht wurde die Strecke jedoch auch durch zahlreiche IM, beispielsweise Tankstellen-Mitarbeiter und den DDR-Zoll, sowie durch die Volkspolizei.

Bei der Einreise mussten damals die Transitreisenden ihre Personaldokumente (Westdeutsche Bundesbürger und Ausländer ausschließlich den Reisepass, Westberliner Bürger ausschließlich den Personalausweis, Ausländer mit ständigem Wohnsitz in West-Berlin eine Lichtbildbescheinigung des Senats von Berlin-West und den Fahrzeugschein) zur Registrierung am Kontrollhäuschen abgeben. Das Fahrzeug musste nur dann verlassen werden, wenn ausreichende Verdachtsmomente vorlagen. An der Grenzübergangsstelle wurde ein Transitvisum für die einmalige Durchreise ausgestellt. Das Visum enthielt die Personendaten und einen Stempel mit dem Datum und der Uhrzeit (angegeben wurde die jeweilige Stunde des Tages, keine Minutenangaben) der Einreise. Bei der Ausreise wurde dieses Dokument wieder eingezogen. Dadurch konnte die jeweilige Aufenthaltsdauer, auch im Nachhinein, überprüft werden.

Es waren nur kurze Aufenthalte an den Autobahnraststätten der

Transitstrecken erlaubt.

*****

Von Seiten der Bundesrepublik gab es seit Anfang der 70-er Jahre immer wieder Aktivitäten, mit dem Ziel einer Annäherung der beiden deutschen Staaten. Bundeskanzler Willi Brandt wirkte, gemeinsam mit Egon Bahr, auf die damalige DDR-Führung ein und erreichte dabei Erleichterungen für die Menschen in Ost- und Westdeutschland.
Im Dezember 1972 wurden die Beziehungen zwischen der Bundesrepublik und der DDR offiziell völlig normalisiert.
Gleichzeitig versuchte Willi Brand auch noch die Normalisierung der Beziehungen zu den Ländern Ost- und Südosteuropas zu erreichen.
Die Bemühungen von Willi Brandt und Egon Bahr, wurden von den meisten Menschen in der DDR mit sehr großem Wohlwollen gesehen.

*****

Die Todesstrafe in der DDR wurde erst 1987 abgeschafft!

*****

Am 9. November 1989 beauftragte Egon Krenz, der erst ein paar Tage im Amt war, Günter Schabowski, den für die Medien zuständigen ZK-Sekretär, mit der öffentlichen Verkündung, dass Privatreisen ins Ausland ohne das Vorliegen von Voraussetzungen möglich seien. Eigentlich sollte das erst ab dem 10. November 1989 gelten. Da aber Schabowski bei der vorherigen Abstimmung nicht dabei war und ihm Krenz ein Protokoll ohne Datum übergab, sagte er in gutem Glauben seinen inzwischen zur Geschichte gewordenen Satz: „Das tritt nach meiner Kenntnis … ist das sofort, … unverzüglich."

Daraufhin brach ein spontaner Ansturm auf die Grenzen aus, wie ihn die Welt noch nicht gesehen hatte.

*****

Als 1989 die Mauer gefallen war, sagte Willi Brandt die legendären Worte: *„Jetzt wächst zusammen, was zusammen gehört."*
Zu diesem Zeitpunkt war jedoch bereits Helmut Kohl Bundeskanzler. Kohl befand sich, als die Mauer fiel und sich die Deutschen aus Ost und West vereinigten und sogar in den Armen lagen, in Polen. Er musste erst informiert werden, was da an den Grenzgebieten passiert war.
Am 19. Dezember 1989 ließ Helmut Kohl in einer bewegenden Rede vor der Ruine der Dresdner Frauenkirche keinen Zweifel an der Wiedervereinigung Deutschlands. Zehntausende antworten mit großem Applaus. Besonders in die Herzen der Menschen getroffen hatte Kohl damals mit dem Satz: *„Mein Ziel bleibt - wenn die geschichtliche Stunde es zulässt - die Einheit unserer Nation."*

*****

Das letzte Fußballländerspiel der DDR wurde am 12.9.1990 in Anderlecht, im Constant-Vanden-Stock-Stadion gegen Belgien ausgetragen.
Durch zwei Tore von Matthias Sammer endete es 2:0 für die Auswahlmannschaft der DDR. Gerade der zweifache Torschütze Sammer, der später auch in der gesamtdeutschen Nationalmannschaft spielte, hatte sich zuvor noch beschwert, da viele Stammnationalspieler gefehlt hatten. Sie hatten sich bereits vollständig in den Westen orientiert.

*****

Am 14.12.1990 lief die letzte Nachrichtensendung der DDR.

Die Aktuelle Kamera brachte grundsätzlich nur Berichte, die auch im Sinne von Erich Honecker waren. Es war keine Nachrichtensendung im eigentlichen Sinne, sondern eine Sendung, die vorgab, wonach man sich richten sollte. Von dreißig Minuten beanspruchten ganze fünfundzwanzig Minuten das Vorlesen von Zahlen ... viele stimmten, aber leider nicht alle. Bei Interviews lasen die Gefragten oft von einem vorgeschriebenen Zettel ab, oder sie mussten die Antworten auswendig lernen.

Erst die letzten Monate der DDR waren die interessantesten und spannendsten Momente in der Geschichte der *Aktuellen Kamera*.

*****

Nachdem die Mauer gefallen war, nahm die Deutsche Geschichte richtig Fahrt auf. Nach vierzig Jahren DDR veränderte sich das Leben der ehemaligen DDR-Bevölkerung nahezu vollständig.

Viele Menschen im Westen hatten die friedliche Revolution und den Sturz der SED-Diktatur überwiegend als Zuschauer betrachtet und nahmen zunächst an, dass für sie alles beim Alten bleiben würde.

Erst zwanzig Jahre später wurde deutlich, dass sich mit der Wiedervereinigung nicht nur die neuen Länder, sondern Deutschland insgesamt stark verändert hatte.

Auf den Fundamenten der alten Bundesrepublik ist ein neues Deutschland entstanden.

*****

Erst nach dem Fall der Mauer und der Öffnung der Archive war es möglich, auf die Hinterlassenschaften der SED zu blicken.

Die DDR hatte weit über ihre Verhältnisse gelebt, Innenstädte verfallen lassen, die Umwelt flächendeckend zerstört, und den Menschen ihre politischen Vorgaben aufgedrängt.

Die sozialistische Diktatur, die nur durch den Schutz der Roten Armee und der Gewaltandrohung der Sicherheitsorgane vier Jahr-

zehnte lang überleben konnte, hinterließ ein kaputtes Land.
Bald wurde bekannt, wie veraltet und verschlissen die industrielle
Maschinerie war. Fast alle Wirtschaftsbereiche waren rückständig.
Der Aufwand für Reparaturen, Subventionen und die Aufrechter-
haltung der inneren Sicherheit wäre aus eigener Kraft für die DDR
nicht mehr zu stemmen gewesen.

Die erschöpfte Wirtschaft, die der SED-Staat hinterlassen hatte,
war nicht mehr in der Lage, die im Vergleich zur Bundesrepublik
sowieso bescheidenen sozialen Leistungen zu gewähren.

Eine breite Mehrheit der Menschen aus dem Osten möchte die
heutigen Lebensverhältnisse nicht mehr missen und keineswegs
mehr mit denen in der DDR tauschen.

*****

Der Zeitgeist mag sich wandeln und allgemein in eine fort-
schrittlichen Richtung bewegen, aber gerade dabei handelt es sich
nicht um eine ständige Verbesserung, sondern es gibt immer ein
Auf und Ab.

Heute, dreißig Jahre nach dem Mauerfall, sieht ein Großteil der
Menschen im Osten die Geschichte so, dass sie durch die fried-
liche Revolution und die Montagsdemonstrationen, sowie dem
Recht, seine Meinung kundzutun, die Wende herbeigeführt haben.

Die überwiegende Mehrheit der Menschen im Westen dagegen
sehen das Scheitern der DDR hauptsächlich an ihren wirtschaftlichen und politischen Unzulänglichkeiten, woraus zwangsläufig
die Wiedervereinigung folgen musste.

Vielleicht ist beides richtig.

Aber der Untertitel dieses Buches lautet:

Als das Volk die DDR abschaffte!

Ironisch könnte man auch sagen, dass sich die Stimmung der
Menschen in der DDR bis zum 9.11.1989 in Grenzen hielt ….!!

Ich habe versucht der Geschichte gerecht zu werden und sie dabei in einen Roman verpackt. Man kann die Historie nicht immer so wiedergeben, wie sie sich tatsächlich ereignet hat. Auch die Kräfte der Vergangenheit spielen sich im subjektiven Bereich ab. Dabei habe ich mich bemüht, die Untaten der Generationen vor uns zu beurteilen, ohne mich dabei der Wahrheit zu verschließen.

Tatsächlich habe ich die Wiedervereinigung mit ihren vielen bildhaften Eindrücken aus den verschiedensten geschichtlichen Erfahrungen selbst miterlebt. Zum großen Teil aus den Medien, aber auch persönlich. Dankbar bin ich auch, während eines Kuraufenthaltes, Egon Bahr persönlich kennengelernt zu haben.

Diese Geschichte Deutschlands, im Guten wie im Bösen, ist unser aller Erbe.

Quellen

Hartwig Bögeholz: Wendepunkte – die Chronik der Republik

Wikipedia und Veröffentlichungen im Netz

Ärzte Zeitung - Studien von Dr. Udo Grashoff und Oberarzt Genz

Fränkische Nachrichten (u.a. Berichte von Jens Mende und Florian Huber)

Der Spiegel

Die Berliner Zeitung

Der Wochenspiegel

Motorrad

Girl

Charles Dickens

Willi Brandt

GEO Epoche Kollektion Nr. 20

Bob Dylan - Don't think twice, it's all right

Dietrich Bonhoeffer

Bundeszentrale für Politische Bildung

Glücklich ist,
wer wagt,
mit Mut zu beschützen,
was er liebt

Ovid (43 v. Chr. - 17 n. Chr.)

Hans G. Hirsch

Das zweite Leben - Roman

Hans G. Hirsch hat 43 Polizeidienstjahre hinter sich.
Da kommt einiges zusammen. Schicksale, die ein ganzes
Leben beeinflussen oder persönliche Entscheidungen, die
das Leben beenden, bevor es überhaupt richtig begonnen
hat. Gewalttaten, die irgendwann in Tränen übergehen
oder kleine Unachtsamkeiten, die beinahe tödlich ver-
laufen wären. Verfolgungsfahrten mit ungewissem Aus-
gang und Nachtdienste, die dem Körper alles abver-
langen.

Träume, die das Leben völlig verzerrt darstellen und
Versuche vor dem Nacht-
dienst zu schlafen, was
eigentlich gar nicht mög-
lich ist.

Ja, sogar ein süffisantes
Erlebnis mit Peter Maffay
ist dabei, im Roman der
14 Polizeigeschichten, die
auf wahren Begebenhei-
ten beruhen, jedoch so
abgeändert wurden, dass
sich nur die persönlich
Betroffenen damit identi-
fizieren können – wenn sie
wollen!

Das Buch gibt Einblicke in
die vielfältige und oft sehr
gefährliche Polizeiarbeit.

POLIZEI

Hans G. Hirsch
Das zweite Leben
Polizeigeschichten
zwischen Traum
und Wirklichkeit